МАРИНИНА
АЛЕКСАНДРА

Адрес официального сайта Александры Марининой в Интернете
http://www.marinina.ru

^МАЛЕКСАНДРА МАРИНИН^А

Цена
ВОПРОСА

Том 2

МОСКВА

2017

УДК 821.161.1-312.4
ББК 84(2Рос=Рус)6-44
М26

Маринина, Александра.

М26   Цена вопроса : [Роман. В 2 т.]. Т. 2 / Александра Маринина. — Москва : Издательство «Э», 2017. — 352 с. — (А. Маринина. Больше чем детектив).

ISBN 978-5-04-004675-1

Программа против Системы.

Системы всесильной и насквозь коррумпированной, на все имеющей цену и при этом ничего не способной ценить по-настоящему. Возможно ли такое?

Генерал МВД Шарков твердо верил, что управляемая им Программа – последний шанс навести порядок в правоохранительных органах. Так было до тех пор, пока не исчез один из ее участников, одержимый радикальными идеями. А затем начались эти странные «парные» убийства... И стало понятно, что если сегодня не остановить убийцу-фанатика, то завтра Программе придет конец. Но какую цену готов заплатить генерал Шарков за дело всей своей жизни? И чего это будет стоить полковнику Большакову и капитану Дзюбе, уже подключившимся к расследованию?

УДК 821.161.1-312.4
ББК 84(2Рос=Рус)6-44

ISBN 978-5-04-004675-1

Дзюба

Ночью дом стал уютным и каким-то добрым и теплым. Обычно в отдельно стоящем доме Роман по ночам особенно остро ощущал и глубокую темноту за стеклами окон, и глухую загородную тишину, разрываемую только периодическим лаем собак. И от этого лая, и от темноты ему становилось не по себе, даже если дом был полон спящих людей. А сейчас все иначе. Поначалу все казалось таким мрачным и одиноким, заброшенным и неприкаянным среди голых деревьев и кустарников и рядом с холодной неприветливой водой. Теперь же, окутанный темнотой и тишиной, деревянный дом воспринимался надежным прибежищем, где царит добро и доверие и где не может случиться ничего плохого.

Люше достались материалы об убийстве Леонида Борискина в Сереброве: Дзюба рассудил, что лучше посмотреть информацию свежим глазом. Сам же Роман изучал материалы по убийству Егора Анисимова. Дима и Анна были отправлены наверх спать, при этом Дима строго-настрого запретил жалеть его и обязательно разбудить, если он понадобится. Анна разрешила Люше воспользоваться своим ноутбуком и тоже велела не стесняться и будить, если с техникой что-то не заладится.

Но будить никого не пришлось. Очень скоро, буквально в первые же полчаса работы, обнаружилось, что житель Шолохова Егор Анисимов учился в политехническом институте Сереброва с 2007 по 2012 год. А с 2008 по 2013-й в том же институте учился и Леонид Борискин, только на другом факультете. Поскольку специальности по дипломам у молодых людей были разными, равно как и разными были избранные впоследствии профессии, учеба в одном и том же вузе с первого взгляда в глаза никому не бросилась. Борискин — менеджер-логистик, Анисимов — инженер-гидротехник, работавший на плотине, построенной на Шолоховском водохранилище.

Роман и Люша отметили это совпадение и продолжили искать дальше. Но все было бесполезным: студенческими годами потерпевших никому и в голову не пришло поинтересоваться, ведь годы эти миновали задолго до убийства.

— Завтра прямо с утра я снова поеду к сестре Анисимова, — сказала Люша. — Поспрашиваю ее. Конечно, Егор учился в Сереброве, дома не жил, но, может, что-то рассказывал, чем-то делился. И друзей-приятелей Анисимова нужно будет прочесать: вдруг кто-то из них учился вместе с ним? Серебров — областной центр, институтов приличных в других городах области нет, только училища и колледжи, так что вполне можно поискать среди друзей Анисимова тех, кто учился в том же вузе или в другом, но в те же годы.

Она что-то записала на лежащем рядом листке и вдруг подняла голову:

— Да, и общагу надо не забыть. Общага — это первое место, где могут столкнуться студенты с разных факультетов. Всякие общеинститутские заморочки — это уже потом, от них можно и откосить, а от общаги никуда не денешься.

Она протянула листок Дзюбе.

— Что это?

— Меморандум для командира, — усмехнулась Люша. — Чтобы он ничего не забыл. Здесь перечень информации, которую надо собрать в Сереброве. Точно такую же информацию мы будем собирать в Шолохове. Когда вопросы одни и те же, ответы потом легче сличать.

Роман взял листок, быстро пробежал глазами. Четкий крупный почерк, каждый пункт пронумерован. Вот что значит женский подход! Все по порядку, все по списку, все тщательно и без спешки. Сам он ни за что не стал бы ничего записывать, привычно положился бы на свою память... И обязательно что-нибудь забыл бы или упустил. Обычно именно так все и случалось.

Наверху скрипнула дверь, послышались неторопливые тихие шаги, слегка неуверенные: так ходит человек, не до конца проснувшийся.

— Острый приступ, — вялым голосом объявил Дима, спустившись вниз.

Дзюба не на шутку перепугался.

— «Скорую» вызвать?

Люша рассмеялась.

— Острый приступ голода, — объяснила она. — Вечный Димкин прикол. С трех до четырех часов ночи — вынь и положь ему еду, а то не заснет до утра.

Она почти бегом направилась к шкафчику, где лежало «то, что погрызть», и поставила на барную стойку открытую коробку конфет и круглую жестяную синюю коробку с датским печеньем.

— Чайку сделать тебе? — заботливо спросила Люша.

— Угу, — сонно кивнул эксперт.

— А тебе? — обратилась она к Роману.

— Мне тоже, спасибо.

После второй шоколадной конфеты с ореховой начинкой Дима вдруг резко проснулся, взгляд его сделался осмысленным, а выражение лица — живым и заинтересованным.

— Как у вас дела? Есть успехи? Нашли что-нибудь?

— Кое-что нашли, — отозвался Роман. — Надо будет еще информацию пособирать.

— Устали?

— Ну... Есть немного, — признался Дзюба. — Но это ничего, дело привычное.

Люша заварила чай, поставила на барную стойку три чашки, сахарницу и молочник, куда перелила сливки из обнаруженного в холодильнике пакета.

— Командир, а личный вопрос можно? — спросила она.

— Валяй.

— Аня — она тебе кто-то? Или чисто прикрытие?

— Прикрытие.

— А по жизни она кто? Ты вроде говорил, она филолог?

— Ну да. Филфак серебровского университета закончила.

— И кем она работает с таким образованием? У меня старшая сестрица — филолог, институт культуры закончила, так ни она, ни ее подружки, с которыми она вместе училась, не могут найти работу по специальности. Учителей из педагогического набирают, а преподавательских мест на филфаке на всех не напасешься. В журналистике все тоже битком, а литкритику сегодня никто не читает, кроме специалистов, на этом не заработаешь. Как же твоя Аня выживает?

— Пишет рефераты, контрольные, курсовые и дипломы за деньги.

— Да? — удивилась Люша. — И что, за это много платят?

— Платят мало. Но если много работать, то на жизнь хватает.

— Ну вот я и знаю, что платят-то копейки и при этом хотят оригинальный авторский текст, «Антиплагиатом» все работы проверяют, так что и не схалтуришь особо, чужим не воспользуешься и цитатами объем не наберешь. Сестрица моя пыталась так подрабатывать, но быстро сломалась. Не потянула. Как же Аня справляется?

— Не знаю, — Роман пожал плечами. — Как-то справляется.

Он подумал, что вполне может сейчас задать наконец тот вопрос, который не давал ему покоя. Если Люша решилась спросить о личном, то и он вправе ответить тем же.

— У меня к тебе тоже личный вопрос. Не возражаешь?

— Ты — командир, имеешь право.

— Да при чем тут... Я хотел спросить: почему ты так ярко одеваешься? Нас учили, что опер должен быть незаметным, сливаться с толпой или по меньшей мере со средой тех, кого он разрабатывает. А тебя за километр видно, внимание привлекаешь. В чем фишка?

Дима фыркнул, не успев проглотить чай. Капли брызнули в разные стороны, попав и на Дзюбу, и на Люшу, и на поверхность барной стойки. Люша мгновенно схватила бумажную салфетку из стоящего здесь же держателя и, не говоря ни слова, ловко вытерла воду. Выражение лица ее при этом ни на секунду не изменилось, а руки действовали, казалось, совершенно автоматически и отдельно от самой девушки.

— Праздник, — по обыкновению лаконично разъяснил Дима. — И природная красота. Страшная сила. Лучше так.

Слов было произнесено вроде бы и немало, но Роман все равно ничего не понял. Люша смущенно улыбнулась и слегка покраснела.

— Дима хотел сказать, что если, по легенде, к нам приехали друзья и мы собрались пару дней протусоваться с ночевкой, то это типа праздник, вот я и оделась как бы понаряднее. Наверное, у вас в Москве на вечеринку с друзьями одеваются как-то иначе, у вас же мода столичная, гламур и все такое, а у нас тут провинция, свои вкусы и своя мода. Понаряднее — значит, поярче.

— Эту часть я понял, — кивнул Дзюба. — А с природной красотой что не так?

Люша смутилась еще больше, и Роман с удивлением понял, что она, так ловко переводившая речь своего жениха и так четко формулировавшая собственные соображения, почему-то на такой простой вопрос не может подобрать ответ.

— Не приставай к ребенку, — сурово произнес Дима. — Стесняется. Сам объясню. В натуральном виде Люша — смерть мужикам. Голову теряют, глаза выпучивают, не знают, как подойти и что сказать. Короче — полный абзац. Она маскируется. Такая дурочка-бабочка. Чтоб никто не боялся. Несерьезная такая. Не опасная.

— Вот теперь понял, — улыбнулся Роман. — А что, действительно опасная?

— Полный абзац, — снова повторил эксперт, подтверждая свои слова. — Черный пояс. Нормальный мужик ее, вот такую, как сейчас, даже не заметит. Только придурки на таких клюют.

— А если нужно, чтобы серьезный человек клюнул? По работе нужно, например, — допытывался Дзюба. — Бизнесмен какой-нибудь, профессор или еще кто.

— Тогда натуральная. Но лучше этого не видеть. Спокойнее доживешь.

Люша окончательно смутилась, слезла с высокого барного стула, обошла стойку и принялась доставать из коробок банки с пивом, вскрывать их и выливать содержимое в раковину, расположенную рядом с дверью в служебные помещения и кухню. Все правильно, одобрительно подумал Роман, молодец, завтра утром нужно предъявить кучу пустых банок в подтверждение того, что встреча старых друзей прошла правильно.

— Ты иди поспи, — сказал Дима, ласково глядя на свою невесту. — А я останусь. Мне одна мысль в голову пришла. Хочу проверить.

— Какая мысль? — встрепенулся Роман.

— Я, пока на работе был, одним глазом материалы посмотрел. Зацепило, — невнятно ответил эксперт. — Ты тоже иди. Один справлюсь.

— Ну уж нет, — возмутился капитан. — Я с тобой останусь.

Дима сел к компьютеру и углубился в изучение материалов. По тому, как он пролистывал, не читая, огромные фрагменты, было понятно, что он ищет что-то конкретное. Роман сидел на диване и клевал носом, то и дело проваливался в глубокий, но короткий сон, вставал попить водички, снова садился и снова проваливался...

— Понял.

Роман вздрогнул, открыл глаза, почувствовал, что затекла нога, которую он, усаживаясь, подвернул под себя.

— Что?

— Ты исходил из того, что три: один, один и два. На самом деле два: три и один.

Кошмар... И Люша спит... Не будить же ее! А без нее ничего не понять. Или понять все-таки можно, просто он, Ромчик Дзюба, слишком глубоко заснул и никак не проснется?

Он попытался осознать сказанное, призвав на помощь арифметику. Один, один и два — получается в сумме четыре, а никак не три. А три и один — тоже выходит четыре, хотя эксперт Дима, этот странный гений, утверждает, что вообще должно получиться два.

— Ни фига не понял, — честно признался Роман. — Можно как-то попроще? Ну, как для тупых. На пальцах.

Дима вздохнул.

— Серебров. Экспертизы. Черепно-мозговые травмы.

Он сделал паузу и выжидающе посмотрел на Дзюбу, будто спрашивая: «Это понятно? За мыслью следишь?»

— Ага, — кивнул тот.

— Предполагаемый рост преступника, нанесшего удар по голове.

Снова пауза. И снова кивок в ответ.

— В пятнадцатом году — сто шестьдесят пять — сто семьдесят.

Пауза. Взгляд. Кивок.

— В шестнадцатом году — сто восемьдесят — сто восемьдесят пять.

— Угу.

— Орудия разные.

— М-гм.

— Шолохов, пляж. Ножевые. В пятнадцатом году потерпевший стоял. Предполагаемый рост преступника — сто шестьдесят пять — сто семьдесят.

— Ого!

— В шестнадцатом году потерпевший сидел, картина ножевых другая. Но.

— И?

— Орудие, похоже, идентичное. Фотографии повреждений есть. И описание. Раны — один в один, до миллиметра, до угла. Не веришь — посмотри сам.

Дзюба лихорадочно обдумывал услышанное. Рост Игоря Пескова никто не измерял, но по оценкам адвоката Орлова и полковника Большакова — действительно, чуть больше ста восьмидесяти сантиметров. «Один, один и два» — в переводе означало, что один человек убил Леонида Борискина, другой человек — Егора Анисимова, а третий, Игорь Песков, копируя эти два убийства, лишил жизни алкоголичку Галину Лычкину и задумчивого тихого паренька Витю Юрьева. Именно так и думал до недавнего времени Роман Дзюба. Потом у капитана появилось подозрение, что несчастного Юрьева убил вовсе не Песков, а кто-то совсем неизвестный.

Потом появилось предположение, что Борискина и Анисимова убил один и тот же человек, отправивший обоим письма с обвинением в воровстве. А Игорь Песков по чистому совпадению выбрал именно эти два убийства для копирования.

И вот теперь гениальный Дима утверждает, что убийства Борискина, Анисимова и Юрьева совершены одним и тем же преступником. То есть «три и один» означает, что на совести этого душегуба три трупа, в то время как роль Пескова в комбинации ограничивается всего одним эпизодом — убийством Галины Лычкиной в мае 2016 года. Борискина и Анисимова объединяет загадочный «Вор!!!», тогда как Анисимова и Юрьева — орудие убийства.

Перед глазами Дзюбы расплывались в бесформенные пятна золотые розы, коими щедро украшены были тяжелые шторы на окнах. Он никак не мог сфокусировать взгляд и злился на себя за то, что плохо видит, с трудом думает, и вдруг сообразил, что делать ему в Шолохове больше нечего и нужно завтра возвращаться в Серебров и начинать собирать информацию, тщательно перечисленную на листочке, полученном от Люши. Иными словами — придется садиться за руль. За какой руль он сможет сесть в таком состоянии?! Доедет максимум до ближайшего столба, в него и упрется. Надо поспать хоть сколько-нибудь...

— Ты мысль-то уловил? — послышался голос Димы.

— Уловил. Проверять надо.

— Ну так и проверяй, на то ты и командир.

— Надо с утра ехать к родителям Юрьева, про письмо спросить. Вдруг он тоже получал?

— Люша сделает, — заверил его эксперт. — Еще какие просьбы-поручения?

— Не знаю пока. Не придумал. А судмедэксперт по трупам Анисимова и Юрьева один и тот же?

— Разные. И Бюро разные. Что, на халтуру понадеялся?

— Угу, — кивнул Дзюба, и только потом, через несколько секунд осознал произошедшее: Дима абсолютно точно угадал ход его мыслей. Если описание ран на двух разных трупах сходится до миллиметра и до самого маленького угла, то есть вероятность, пусть и слабая, что судебный медик просто ошибся, вставив в экспертное заключение кусок из прошлогоднего файла. Такое иногда приключается с теми, кто готовит материалы на компьютере — электроника живет своей, какой-то особой и не всегда понятной жизнью и выкидывает самые непредсказуемые фортели.

Похоже, Дима и в самом деле гений!

— А почему Бюро разные? — удивился Роман. — Город же маленький, вам только одно Бюро положено.

— В прошлом году в начале июня крупное ДТП, автобус и фура. Очень много пострадавших, городское Бюро не справлялось, половину отправили на экспертизу в Серебров. Труп Анисимова тоже туда поехал. А в этом году все штатно, Юрьева здесь вскрывали.

Дзюба помолчал, собираясь с мыслями.

— Дима, а вас с Люшей кто отправил мне в помощь?

— Начальник УВД.

— И что сказал?

— По стране идет серия. Человек из Москвы едет разбираться. Надо избежать шумихи. Предотвратить панику.

— Значит, если нужно будет — он вас прикроет?

— Должен.

Дима помолчал и добавил немного неуверенно:

— По идее.

Фалалеев

Ранним утром следующего дня Фалалеев подъехал на автомобиле к дому, где проживала Анна Зеленцова и снимал квартиру Никита Никоненко, припарковался у самого подъезда, порадовался, что нашлось такое удачное местечко — видно, кто-то из жильцов дома только-только убыл на работу, — и приступил к ожиданию. Ждать пришлось не особенно долго; уже без четверти девять из дома вышел Никита и бодро направился в ту сторону, где была остановка и можно сесть на автобус, идущий до вокзала.

Фалалеев вышел из машины и догнал его.

— С добрым утром, господин Никоненко. Как спали-почивали?

Никита вздрогнул от неожиданности, потом лицо приняло выражение настороженное и даже испуганное.

— А что? Вы передумали? Ехать не надо?

«Выразительная у тебя рожа, — с усмешкой подумал Фалалеев. — Боишься, что диспозиция изменилась и денег тебе не заработать. Ох, и любишь же ты денежки, мальчик Никита!»

— Надо, господин Никоненко, надо, — улыбнулся Фалалеев. — Будьте любезны мне ключики от квартирки.

И протянул руку.

— Зачем?

— Вы же собираетесь сказать своей хозяйке, что по рассеянности захлопнули дверь, оставив ключи внутри, и будете просить ее дать вам ее собственный второй комплект ключей, который, как вы сами мне вчера сказали, находится на общей связке с ключами от ее квартиры. Ведь так? Вы именно это мне сказали?

— Ну, — подтвердил Никита. — Так и есть, она всегда сама открывает, в дверь не звонит.

— А вот представьте ситуацию: вы приезжаете в Шолохов, начинаете с расстроенным видом хлопать себя ушами по щекам, сетовать на собственную рассеянность, извиняться, просить ключи... И в этот момент ключики-то и выпадают из вашего кармана. Как это будет выглядеть?

— Ну чего... — пробормотал молодой человек. — Чего им выпадать? Или я их в сумку могу переложить...

Взгляд Фалалеева стал строгим и холодным.

— Вы забываете, уважаемый господин Никоненко, с кем вам придется иметь дело. Анна Зеленцова, конечно, простушка и домохозяйка, а вот ее любовник человек весьма профессиональный. Вы и глазом моргнуть не успеете, как он, со свойственной ему подозрительностью и недоверчивостью, обшмонает и ваши карманы, и вашу сумку. Стоит вам только отойти на две минуты пописать или попить водички — и ап! — дело сделано. А я, мой дорогой друг, тоже человек профессиональный и поэтому тоже недоверчив и подозрителен. Вы ведь получили от меня вчера предоплату, не так ли?

— Ну, так, — угрюмо подтвердил Никита.

— И что же может вам помешать притвориться, что вы уехали выполнять мою просьбу, а на самом деле добраться до торгово-развлекательного центра, поглазеть на витрины, съесть пиццу в кафе, посмотреть кино, потом вернуться и затаиться, не открывать мне дверь и делать вид, что вы меня не знаете? Ничто не может, — ответил Фалалеев на собственный вопрос. — У вас есть выбор: сделать работу и молчать за пятьдесят тысяч, или ничего не делать за двадцать пять. Я не настолько хорошо вас знаю, чтобы быть уверенным в вашем выборе. Так что давайте-ка ключики, получите их назад, когда вернетесь. Заодно и расскажете мне подробненько о своей поездке, и оставшиеся денежки получите. Так будет спокойнее и вам, и мне.

Никита с недовольным видом вытащил из кармана ключи и сунул в протянутую руку Фалалеева.

— И где я потом буду вас искать? — проворчал он.

— Меня не нужно искать, — голос Фалалеева звучал ласково и утешительно. — Я буду здесь. Не волнуйтесь, я вас увижу.

18

Он и в самом деле не был уверен в этом парне. Жадный, мечтающий о деньгах — да, несомненно. Но вот насколько он умен и хитер? В какой мере доверчив и простодушен?

Дождавшись, когда долговязая фигура Никоненко скрылась за углом, Фалалеев не спеша вернулся к машине, завел двигатель и поехал на вокзал. Занял удобную позицию, позволяющую, оставаясь незамеченным, обозревать платформу, от которой будет отходить ближайшая электричка до Шолохова, убедился, что Никита сел во второй вагон от хвоста поезда, дождался отправления и вернулся к дому Зеленцовой. Расписание электричек он предварительно изучил: даже если Никита решит схитрить, выйти на первой же остановке, дождаться встречного поезда и на нем вернуться в город, это ничего не изменит. Все равно возле своего дома он покажется не раньше чем через три, а то и четыре часа, ведь ключей-то у него нет, зато риск, что Фалалеев засечет его возвращение намного раньше намеченного срока — есть, и немалый.

Но так много времени Фалалееву и не нужно, он управится куда быстрее. Сигнализации в квартире нет, это он еще вчера приметил. Войдя, аккуратно притворил дверь, на всякий случай вставил ключ изнутри и провернул в замке, натянул бахилы, осмотрелся. По сравнению со вчерашним вечером изменений немного: еще одна немытая чашка возле компьютера, давешняя синяя футболка, в которой был Никита, валяется на стуле, а вот черного свитера нет, видно, парень его надел в поездку. Проверил полки в шкафах и ящики, так, для проформы: у нынешнего поколения вся жизнь — в компьютерах и

19

прочих девайсах, бумажными документами они не обрастают и напечатанные фотографии не хранят. Как и ожидалось, ничего не нашел.

Теперь компьютер. Как говорится, сладкое — на третье. Пароль, само собой, куда ж без этого. Никаких проблем, есть техника, есть программы, есть собственные навыки. Да и не таким уж сложным этот пароль оказался, похоже, мальчику не от кого прятаться и нечего скрывать. Запароливал, видать, больше для блезиру, для понтов дешевых, дескать, я крутой компьютерщик.

Так, что у нас тут... Ого!

Вот это уже любопытно. Крайне любопытно.

Анна

Анна проснулась ни свет ни заря, спустилась вниз и обнаружила множество следов ночного бдения и поспешного завтрака. Немытые чашки, тарелки с хлебными крошками, остатки печенья в открытой жестяной коробке, наполовину опустошенная коробка конфет, стаканы с засохшими на дне следами томатного сока. Все работали, что-то обсуждали, а ее отправили спать, как будто она прислуга какая-то и годится только на то, чтобы подогреть приготовленную поваром еду и подать на стол. Как будто она сама хуже приготовила бы! Низвели ее до уровня подавальщицы в заводской столовке.

Никого не было. Курток Димы и Люши и их рюкзаков не было тоже. А вот куртка Гудвина на месте. Где же он сам-то?

Рядом со своим ноутбуком Анна обнаружила записку: «Мышонок, я вырубаюсь, пойду посплю.

Если что — буди. Г.» Внизу приписка: «Ничего не убирай!!!»

Да, как же, не убирай! Анна терпеть не может беспорядка и грязи, и пить кофе и завтракать в таком бардаке ей противно. Очень хотелось собрать и вымыть посуду, сложить в мешок и вынести пустые пивные банки, от которых исходила отвратительная вонь, оттереть специальным средством пятна на столе и барной стойке, убрать все лишнее в шкафчики, сделать на кухне вкусный завтрак, красиво накрыть... Но Гудвин не разрешает. Почему-то он считает, что у мажора, каким он себя позиционирует в глазах Никитича или еще каких-то посторонних, не может быть чистоплотной, аккуратной и домовитой подружки. Ну, кто его знает, может быть, он и прав... Анна мало видела мальчиков-мажоров и ни с кем из них не общалась настолько близко, чтобы понимать, какие у них могут быть подружки, а какие не могут.

Тяжело вздохнув, она включила кофемашину, сделала себе кофе, достала из холодильника остатки вчерашнего ужина, оценила выбор. Судя по числу котлет, именно их клали на ночные и предрассветные бутерброды: после ужина оставалось пять штук, теперь же в пластиковом контейнере гордо скучала всего одна. Нарезанную толстыми ломтями сочную буженину, которую накануне с таким удовольствием уплетал эксперт Дима, приговорили всю, без остатка. Зато красную рыбу холодного копчения почти не ели — суховата и солоновата оказалась. Под пиво улетела бы — только в путь! Но пиво-то не пили. Раковина источала такое амбре, что сомневаться не приходилось: пиво сюда вылили, а пролить водой трубу и смыть поверхность никто не догадался. Анна брезгливо сморщила нос, открыла на полную мощность холодную воду, попыталась найти губку и чистящее средство, но ничего не нашла и удовольствовалась тем, что оставила воду литься в течение нескольких минут.

Чашка кофе, горсть печенья — и за работу. У Гудвина свои заботы, а ей нужно текст написать, срок в агентстве ей дали маленький, впрочем, как и всегда: почему-то студенты, заранее зная тему, никогда вовремя не заказывают письменную работу, тянут до последнего. Неужели они надеются, что соберутся с силами написать самостоятельно? Анна хорошо помнила, что тему, к примеру, курсовой они выбирали в самом начале второго семестра, когда до подачи было еще целых четыре месяца. Тему диплома вообще определяли чуть ли не за полгода. Ну почему, почему нужно ждать, когда останется всего какая-то жалкая неделя?!

О чем пушкинская «Метель»? О невероятном стечении обстоятельств? О необыкновенном совпадении? О любви? Или о цене ошибки, когда за неосторожность и глупость приходится расплачиваться не только тебе самому, но и другим, порой совершенно посторонним людям? И цена эта столь высока, что, если бы не чистая случайность, люди до конца жизни оставались бы глубоко несчастными и страдали.

«Приуготовляться к свадьбе...» Какое прелестное выражение! Интересно, самой Анне суждено когда-нибудь «приуготовляться» к этому событию?

Мысль съехала на мать и на ее свадьбу с Никитой, которого Анна активно не любила. На свадьбу, состоявшуюся в том городе, куда мать уехала с новым избранником, Анна съездила для приличия, хотя и очень не хотелось. Поприсутствовала на регистрации, посидела в ресторане буквально час-полтора и сбежала в аэропорт, сославшись на вечерний рейс в Серебров: якобы на завтрашний рейс не смогла достать билет, а послезавтра ей обязательно нужно быть в институте, у нее коллоквиум. Это было ложью, никакого коллоквиума не намечалось, и на свадьбу матери Анну в деканате отпустили на целых три дня, и билеты свободно продавались на все рейсы. Но видеть сияющую довольную мать рядом с мужчиной, который оказался дороже и нужнее дочери, Анне было невыносимо. Билет на завтрашний рейс она легко обменяла в аэропорту и улетела домой тем же вечером. «Он хороший, а я плохая, — металась и била в виски горькая мысль. — Он достойный, а я нет. Она хочет быть рядом с ним, а рядом со мной — не хочет».

Мать была активным пользователем соцсетей, имела свои странички и постоянно выкладывала в них фотографии, на которых они с Никитой красовались то на пикниках, то в гостях, то в театральном фойе, то на фоне египетских пирамид и всяких прочих достопримечательностей, которые посещали во время отпусков. Здесь, в Сереброве, она не заводила домашних животных, говорила, что не любит их, и категорически отказывала Ане, когда та слезно умоляла купить собачку или кошечку. А там, в новой жизни с ненавистным Никитой, у матери были две собаки, фотографии которых тоже с раздражающей регулярностью появлялись и обновлялись во всех посещаемых сетях. Анна настороженно и с какой-то болезненной ревностью регулярно мониторила странички матери и могла, казалось, с точностью до часа сказать, когда и где она бывала.

Ладно, продолжим «приуготовляться»... Нет, еще пять минуточек, она только быстренько проверит, не появилось ли чего нового в постах матери или в альбомах с фотографиями. Собственные тексты мать писала не часто, примерно пару раз в месяц, но ленту просматривала регулярно, порой даже по нескольку раз в день и делала репосты того, что привлекло ее внимание. По содержанию репостов на стене Анна почти всегда могла сделать вывод о том, в каком настроении мать, что ее тревожит или интересует в данный момент.

Анна стыдилась себя в такие минуты. Нежелание общаться с матерью и обида на нее казались девушке несовместимыми с тем жгучим интересом, который она испытывала к жизни матери. Если несовместимо, значит, неправильно. А если неправильно, значит, плохо. И снова получается, что она, Анна, плохая, неправильная, ни на что не годная и вообще полный лузер.

Почувствовав, что еще чуть-чуть — и начнет раскручиваться гнев пополам с тоской, она с усилием вышла из сети и снова вернулась к Пушкину. Ей удалось заставить себя настроиться на работу, и дело пошло даже легче, чем она надеялась. Анна так увлеклась, что не сразу осознала источник звука, который вдруг начал ей мешать.

Оказалось, стучали в дверь.

— Входите! — громко крикнула она, не желая отрываться от текста, который совершенно неожиданно так легко возникал на экране.

Скрипнула дверь, раздался голос Никитича:

— Утро доброе, гости дорогие. Там вас спрашивают.

Анна сняла руки с клавиатуры и непонимающе уставилась на смотрителя. Он был все в том же камуфляже, лицо чисто выбрито, плечи расправлены.

— Кто? Ребята? Пусть заходят, что вы их на улице держите! — сердито ответила Анна.

— Нет, молодой человек. Представился как Никоненко.

Этого еще не хватало! Какого лешего он приперся? И вообще, как он их нашел? Или это не квартирант, а какой-то совсем другой Никоненко? Мало ли однофамильцев, даже актер такой есть, Сергей Никоненко...

— Высокий, худой, в очках? — на всякий случай уточнила она.

— Совершенно верно, именно такой. Так пустить его? Или гнать в три шеи?

— Впускайте, — безнадежно разрешила Анна. — Я его знаю.

— А с завтраком как распорядитесь? — спросил Никитич, не трогаясь с места. — Повара вызывать? Или прикажете в магазин сгонять за продуктами? Я все ждал-ждал с раннего утра, что вы насчет завтрака указания дадите, а вы не идете и не идете... Я уж подумал, что до самого утра гуляли с друзьями, а теперь отсыпаетесь.

— Ромка отсыпается, — улыбнулась Анна, стараясь скрыть неловкость, охватившую ее от всех этих «распорядитесь» и «дадите указания». Никогда она не чувствовала себя барыней и становиться ею не имела ни малейшего желания. «Хотя прикольно!» —

подумалось ей. — А я вот проснулась рано и с подружками в сети болтаю, про нашу вечеринку рассказываю.

— Так насчет завтрака-то, — напомнил Никитич. — С продуктами как?

— Мне ничего не нужно, а Ромка, наверное, до самого обеда спать будет.

Смотритель-охранник окинул внимательным взглядом просторное помещение, задержал глаза на куче банок из-под пива, на грязных чашках, стаканах и тарелках.

— Уборку бы надо произвести, — сказал он. — Когда можно горничную прислать? Она тут недалеко живет, в поселке, минут за двадцать доберется.

— Мне все равно, хоть сейчас пусть приходит, только чтобы не шумела, а то Ромку разбудит. Гостя-то зовите в дом, а то он там замерзнет.

Никитич вышел, а через несколько секунд на пороге возник квартирант. Вид у него был виноватый и немного затравленный.

— И что? — сурово спросила Анна с места в карьер, не намереваясь вести долгие вежливые разговоры с «этим козлом». — Дом сгорел? Как ты вообще меня нашел?

— Ты сама сказала, что будешь в гостевом домике на водохранилище. Я в Интернете посмотрел — он тут всего один такой.

— Ну ладно. Так что случилось?

— Ань, я... это... В общем, я лопух, дверь захлопнул, а ключи в квартире остались. У тебя же есть вторые ключи.

— Есть, — кивнула она. — И их ты тоже оставишь в квартире. Что будем делать тогда? Дверь ломать? Третьего комплекта нет, имей в виду.

— Ань, я все понимаю, я... Я буду внимательным, честное слово! А ты что, одна тут? Где твой ухажер?

— Наверху, спит. Тебе не все равно?

— Не, ну... это... Интересно, как богатые живут, я в таких местах не бывал. Дом покажешь?

— Перебьешься.

— Да ладно тебе, Ань, ну чего ты? — заныл квартирант. — Дай хоть одним глазком глянуть, чего тут и как. А баня есть? А бассейн?

— Ага, есть, баня и бассейн с девочками. Подожди, я за ключами схожу, они в сумке наверху.

— Ты не торопись, — с глупым смешком бросил ей вслед квартирант, — я пока хоть осмотрюсь, удовлетворю любопытство.

Анна поднялась в комнату — одну из трех спален, достала связку ключей, отделила от нее два ключа от квартиры на третьем этаже. Она очень старалась не производить никакого шума, но когда уже выходила из комнаты, невесть откуда взявшийся сильный сквозняк буквально вырвал дверную ручку из ее пальцев и с силой толкнул дверь, которая захлопнулась с громким стуком. Она была еще только на середине лестницы, ведущей на первый этаж, когда услышала, как из своей комнаты вышел Гудвин.

— Что тут у вас?

Он стоял на площадке босой, в спортивных штанах, с обнаженным мускулистым торсом, сонным мятым лицом и взъерошенными волосами. Анна растерялась, остановилась на ступеньке, не зная, как правильно себя повести, чтобы и Гудвина не подставить, и «этого козла» осадить.

— Что случилось, Мышонок? — повторил Гудвин.

— Никита приехал за ключами, — выговорила она наконец, взяв себя в руки. — Он дверь захлопнул, теперь войти не может.

— Никита? А где он?

Только тут Анна сообразила, что не видит своего квартиранта. Он куда-то исчез из ее поля зрения. Бегом спустившись вниз, она огляделась: сумка Никиты стоит посреди комнаты, а самого его нет. Почти сразу же послышался звук воды в сливном бачке унитаза, потом и Никита появился.

— Здорово! — радостно крикнул он стоящему на верхней площадке Роману. — Извини, что потревожил, у вас тут романтическое всякое такое, а я влез...

— Как влез — так и вылезешь, — пробурчала Анна себе под нос.

И уже в полный голос добавила:

— Ничего страшного, никакого беспокойства. До вокзала сам доберешься? Или попросить Никитича вызвать тебе такси?

Ей казалось, что она вполне ясно дала понять своему квартиранту: дверь открыта, выход — там. Но квартирант не желал проявлять понятливость.

— Такси я и сам могу вызвать, — весело ответил он. — А чайку здесь не наливают?

Анна собралась было ответить резкостью, но в этот момент Гудвин уже оказался рядом с ней. И как он успел так быстро и неслышно спуститься? Анна моргнуть не успела, как почувствовала, что ее спина прижата к его голой груди, а руки Романа плотно обхватили ее под грудью. Тело его было сильным, большим, теплым, пахло гелем для душа, сном и совсем чуть-чуть — здоровым потом.

— Ты извини, дружище, — прогудел прямо над ее ухом голос Гудвина, — у нас времени не так много, и не для того я этот дом снимал, чтобы чай с тобой распивать. Не обижайся, но гостеприимство — не сегодня. Лады?

Квартирант, казалось, нисколько не был ни обескуражен, ни обижен.

— Да не вопрос, все понял, не маленький. Счастливо оставаться!

Он сунул ключи в карман, потыкал пальцами в телефон, вызывая такси, помахал рукой и исчез. Пока за ним не закрылась дверь, Гудвин продолжал обнимать Анну. Или делал вид, что обнимает. И только услышав скрип калитки, отпустил ее и отступил на шаг назад.

— Бедолага, — с искренним сочувствием произнес он.

— Почему?

— Потому что влюбился в тебя. А тут я. Думаешь, ему приятно смотреть, как мы обнимаемся?

— Тогда зачем же ты...

— Для картинки. Роль нужно не только играть, но и доигрывать до конца, меня так учили.

— Ладно, поняла. Ты уже встал или пойдешь досыпать?

— Выспался уже, мне достаточно.

Он огляделся по сторонам.

— Ну и свинство мы тут ночью развели...

— Никитич обещал горничную прислать. Слушай, Гудвин, все-таки мне кажется, что ты ошибаешься насчет этого козла.

— Ошибаюсь? В чем?

— Ну, что он мной интересуется. Я ничего такого не заметила. Вот ты меня обнимал, а ему как будто даже неприятно не было. Я специально смотрела, — задумчиво сказала Анна. — Мне даже показалось, что он радуется.

— Радовался он тому, что нашел тебя и раздобыл ключи. И по сравнению с этой победой все прочее казалось ему мелким и несущественным. Тем более я сказал, что времени у нас мало. Это же означает, что я скоро свалю в свою златоглавую столицу и ты снова будешь безраздельно принадлежать ему.

— Думаешь? — с сомнением спросила она.

— Уверен. Скажу тебе больше: твой Никита ужасно нервничал. Он был так напряжен, что у него синева вокруг рта проступила. А с чего бы ему нервничать, если он к тебе равнодушен?

— Гудвин! Он не «мой», он козел!

— Не цепляйся к словам. Ты завтракала?

— Кофе выпила с печеньем, все равно ничего больше нет, вы весь хлеб съели за ночь, даже котлету положить не на что.

Она вовсе не собиралась его упрекать, но все равно слова эти прозвучали как-то недовольно. Анна услышала собственный голос будто со стороны и снова расстроилась: «Вечно из меня эмоции лезут, когда надо и когда не надо. И как это люди умудряются владеть собой при любых обстоятельствах?» И дело ведь не в том, что ребята съели весь хлеб! Съели — и на здоровье, они всю ночь работали. Дело в этом ужасном, отвратительном сочетании слов «твой Никита». Мало того что она не выносит этого имени — имени человека, который для матери оказался важнее и дороже Анны, так еще и местоимение! Вот она и разозлилась, и сорвалась. Но Гудвин ничего про мать с Никитой не знает, да и про саму Анну не знает тоже, поэтому для него злость в ее голосе прозвучала совсем иначе и относилась к тому злосчастному хлебу, которого ей не досталось на завтрак. «И почему я такая нескладная!» — сердито подумала она и снова уселась к своему ноутбуку.

Орлов

— Грэнни привезет нас...

Малыш запнулся, вспоминая слово, и закончил по-английски:

— Soon.

— Скоро, — шепотом подсказала братику девочка-афроамериканка.

— Да, скоро, — радостно повторил сероглазый мальчик с кудрявыми светло-каштановыми волосиками.

— Значит, скоро увидимся! — радостно откликнулся Борис Александрович. — Учи русский язык как следует, здесь он тебе пригодится.

Из четверых приемных детей троих взяли в семью в младенчестве, и двуязычие было для них абсолютной нормой: ребятишки одинаково свободно говорили и по-английски, и по-русски. А маленького Фрэнка усыновили в возрасте трех с половиной лет, и вторым языком он пока владел не очень хорошо.

Скоро в Москву прилетит жена Орлова Татьяна с двумя внуками: пятилетним Фрэнком и семилетней

Дженнифер — самой первой оказавшейся в семье дочери Орлова Алисы и ее мужа. Девочку удочерили сразу после свадьбы: молодожены с самого начала знали, что своих детей им иметь нельзя, и заранее решили, что будут брать приемных. Борис Александрович Орлов был человеком, что называется, семейным: в одиночестве, конечно, не тосковал и не пропадал, но все-таки чувствовал себя намного лучше, когда любимая жена Танюшка была рядом. А уж если двоих внуков привезет, то жизнь настанет просто-таки райская! Осталось потерпеть всего две недельки — и дом наполнится радостью, теплом и голосами, запахами компота и выпечки, повсюду разбросанными детскими вещами. Как Орлов скучал по всему этому!

Он с сожалением выключил компьютер. Надо заняться делами. И первое и главное из этих дел — поручение Большакова. Все, что можно было извлечь из материалов, собранных покойным отцом, Александром Ивановичем, Борис доложил Большакову, но этого оказалось недостаточно. Требовалось снова встретиться с людьми, знавшими Игоря Пескова, и поговорить с ними. Оперативник, который уже проделывал эту работу, сам признался, что из-за нехватки времени сделал что-то не так. Что именно было «не так» — парень ответить не смог, а вот ощущение допущенной ошибки, или, как нынче модно говорить, косяка, у него осталось. Нужно попробовать исправить ошибку, если она вообще была, и делать это нужно быстро. Большаков очень просил поторопиться.

Борис Александрович Орлов умел извлекать уроки из всего, что встречалось на его жизненном пути, и на одни и те же грабли старался по возможности не наступать. Прошедшая перед его глазами жизнь отца, Александра Ивановича, научила Бориса внимательно относиться к прошлому, причем не только к своему собственному, но и к прошлому своих родных. Поэтому, когда отец перед смертью попросил его «не бросать Игоря», Борис Александрович отнесся к этим словам со всей серьезностью и присущей ему ответственностью.

Впервые Игоря Пескова Борис Александрович увидел в конце 1988 года в доме у родителей. Александр Иванович вел в суде защиту Вадима Пескова, обвиняемого в убийстве жены. Двенадцатилетнего Игорька в тот момент уже опекала тетка, сестра подсудимого, но паренек был таким жалким, тихим, отчаявшимся, что сердце разрывалось при виде его налитых слезами глаз. Стараясь собрать как можно больше сведений о семейной жизни супругов Песковых, Александр Иванович проводил много времени в разговорах с их сыном, и как-то так сложилось с самого начала, что разговоры эти велись всегда дома у адвоката Орлова. Мальчика кормили, угощали чаем и сладостями, иногда оставляли ночевать, особенно часто — перед началом судебного заседания: постоянно плачущая и истерящая тетка была бы Игорю плохой компанией.

После суда, закончившегося вынесением сурового приговора, Игорь вплоть до получения решения по кассационной жалобе адвоката жил у Орловых.

— А вдруг что-то хорошее решат про папу? — твердил он. — Вы узнаете — и я тоже сразу узнаю.

В удовлетворении кассационной жалобы было отказано, и Вадим Песков отправился в колонию усиленного режима отбывать срок, а его сын вернулся к тетке, у которой и прожил до самого ухода на армейскую службу.

После возвращения отца из колонии Игорь снова объявился у Александра Ивановича.

— Теперь законы новые. Можно что-то сделать, чтобы отца реабилитировать? — спросил он старого адвоката.

— Можно, если твой отец приведет какие-то новые доказательства в пользу своей невиновности. Но это чисто теоретически, — честно ответил Александр Иванович. — На практике такого не бывает, насколько мне известно. Единственный возможный вариант — это найти того, кто признает свою вину в убийстве твоей мамы, более того, не просто признает, а сможет ее доказать. Убедительно доказать. Ты должен понимать, Игорек, что мы имеем дело с государственной машиной, которая очень не любит признавать свои ошибки и платить за них. Признать приговор неправосудным — задача трудная. Твой отец готов бороться? У него есть что сказать нового?

— В том-то и дело, что нет, — удрученно ответил Игорь. — Папа и раньше был тихим, а теперь вообще стал блаженным каким-то. В Бога верит, в церковь ходит, устроился на работу сторожем, целыми днями какую-то религиозную литературу читает, ничего ему не нужно, всем доволен. Он не будет добиваться справедливости. А без него никак нельзя?

— Никак, — развел руками адвокат. — Если только попытаться воздействовать на прокуратуру через прессу. Написать хороший яркий материал, поднять шум, взбудоражить общественность, тогда есть надежда, что прокуратура пошевелится и кому-нибудь дадут поручение изучить материалы дела. Других путей нет. Но и этот путь ни к чему не приведет, скорее всего.

— Почему?

— Потому что дело совершенно чистое, в нем нет ни одного процессуального нарушения, там придраться не к чему. Я же изучал его, поэтому могу судить. Была бы там хоть одна запятая не на месте — я бы использовал это на суде, можешь мне поверить.

— Но папа не может быть виноват! — в отчаянии воскликнул молодой человек. — Я не верю!

— Дружочек, — мягко проговорил Александр Иванович, — проверка материалов дела прокуратурой означает именно и только проверку самих материалов на предмет допущенных нарушений, а не новое расследование. Таков закон. Никаких нарушений в деле нет. Если ты добиваешься нового расследования, то нужны новые факты, новые обстоятельства, которые ранее не были установлены и проверены. До тех пор пока Вадим Семенович такие факты не предоставит, ничего не получится.

— Все равно я попробую, — упрямо заявил Игорь. — Буду писать во все инстанции. Вы мне поможете? Подскажете, куда и на чье имя писать и как правильно сформулировать?

Орлов-старший помогал и подсказывал, но результаты были предсказуемыми и одинаковыми: для пересмотра дела оснований не усматривается.

— Игорь, а может быть, ты все-таки уговоришь отца? — как-то спросил Александр Иванович. — Если ему есть что сказать.

— Не хочет он ничего говорить. И вообще ничего не хочет. И не разговаривает со мной об этом, — ответил Игорь сердито.

— А с кем он разговаривает? Может быть, обратиться к тем, с кем он общается, и попросить воздействовать на него? — предложил адвокат.

На самом деле Орлов-старший ни минуты не сомневался в виновности Вадима Пескова, хотя сам Песков вины своей не признавал ни на следствии, ни на суде. Он просто ничего не помнил. Был мертвецки пьян. И о том, как и почему совершил убийство, рассказать не мог.

Но если мальчик хочет чего-то добиваться, то нельзя же не помочь! И потом: а вдруг и в самом деле есть какие-то обстоятельства, о которых Вадим мог бы рассказать и которые дадут основания для пересмотра? Чего в жизни не бывает?

— Да ни с кем он не общается, — с досадой бросил Игорь. — Бирюк бирюком живет. Какие-то мужики то и дело появляются, он с ними поговорит полчаса, и они уходят.

— Какие мужики?

— Ну, я так понял, сидели вместе.

— Отец с ними выпивает?

— Нет, он как вернулся — ни грамма не выпил, совсем завязал. Я ж говорю: в церковь ходит, над кроватью икону повесил, молится. Каждый раз, когда я пытаюсь поговорить с ним об... ну, в общем, о том, что случилось, он отвечает: «Я виноват. Не надо было водку пить. Грех это. Согрешил — отвечай. Я и ответил. Никакой другой справедливости нет и быть не может». Вот и весь разговор.

Встречи с Игорем становились со временем все реже и реже. Но Александр Иванович искренне сочувствовал парню, так трагически потерявшему мать и не желавшему верить в то, что его любимый отец — преступник, убийца. Старый адвокат не забыл Игоря Пескова и просил своего сына, тоже адвоката, помочь Игорю, если возникнет необходимость. Все-таки пока Вадим жив — остается надежда, что он решится заговорить. Конечно, если ему есть что сказать.

Александр Иванович Орлов умер, спустя несколько лет скончался и Вадим Семенович Песков, а потом на пороге квартиры Бориса Александровича внезапно появился Игорь.

— Я хочу добиваться посмертной реабилитации отца, — заявил он, окрепший и возмужавший за эти годы. — Помогите мне получить его уголовное дело.

— Дело тебе никто не даст, — рассмеялся Борис Александрович. — Оно в архиве Мосгорсуда. Получить его могут только прокурорские или судебные работники.

— Но обвиняемый же имеет право знакомиться с делом! Я читал закон, я знаю!

— Не обвиняемый, а подсудимый, — поправил его Орлов. — Это разные вещи. И потом, ты не подсудимый, ты — родственник осужденного, отбывшего наказание, на тебя это право не распространяется.

Игорь помолчал, потом глаза его сверкнули решимостью.

— Александр Иванович мне говорил, что очень тщательно изучил материалы дела. Он готовился к суду, делал много записей, я сам видел. Эти записи сохранились?

Орлов пожал плечами:

— Наверное. После смерти отца я собрал весь его домашний архив и перевез к себе, надо посмотреть, есть ли там что-нибудь. Ты все-таки учти, что прошло очень много лет, суд был в восемьдесят девятом, а до две тысячи третьего года отец еще активно работал, записи копились, папки громоздились, а квартира-то не безразмерная. Он вполне мог что-то выбрасывать.

— Но вы все-таки посмотрите, — попросил Игорь.

Борис Александрович пообещал поискать и обещание свое выполнил, хотя и не сразу: на то, чтобы разобрать отцовский архив, требовался не один день, а тут Алиса собралась замуж за своего американца, начались хлопоты с визами и подготовкой к свадьбе, а также бурное обсуждение кандидатуры ребенка, которого жених и невеста уже присмотрели для усыновления. Вопрос, собственно, состоял не в самом ребенке — пятимесячной афроамериканке Дженнифер, а в том, нужно ли так торопиться. Борис искренне не понимал, какая необходимость брать в семью ребенка сразу после свадьбы, но Татьяна полностью поддерживала молодых и считала, что чем моложе родители — тем лучше: больше сил, больше здоровья.

— Не забывай: Лисик и ее жених очень больны, — говорила Татьяна. — Да, лечение их поддерживает, и они проживут, если бог даст, очень долго, но мало ли что... Пока у них все нормально и есть силы — пусть растят деток, пусть создают полноценную семью.

Эти разговоры и все прочие заботы отвлекали, и окончательно разобраться с многочисленными толстыми папками Орлова-старшего удалось далеко не сразу.

Записи по делу Пескова нашлись, и было их действительно много. Похоже, Александр Иванович ухитрился переписать от руки каждый документ почти целиком. Орлов позвонил Игорю и сказал, что тот может забрать материалы. Но с непременным условием: впоследствии вернуть их Борису Александровичу.

Игорь изучал записи долго и вдумчиво, при этом почти каждый день звонил Орлову и возбужденным голосом спрашивал, не может ли вот этот факт, или вот это обстоятельство, или вот так сформулированное заключение, или зачеркнутое и исправленное слово стать основанием для пересмотра дела. Орлов удрученно вздыхал и терпеливо разъяснял: нет, не может.

Справедливости ради надо отметить, что две-три шероховатости Песков все-таки отыскал, но то были именно всего лишь мелкие недочеты, никак не влияющие на законность и обоснованность процессуальных решений. И тем не менее, услышав от Орлова заветные слова: «Да, здесь допущена неточность», Игорь воодушевлялся и принимался составлять жалобы, прошения, обращения в СМИ, в Генпрокуратуру, в Комиссию по правам человека, в Верховный суд... Орлов знал, что все это бесполезно и ни к чему не приведет, но вразумить сына, пытающегося восстановить справедливость и доброе имя отца, было невозможно. Да, наверное, и неправильно даже пытаться. Не сможет человек жить спокой-

АЛЕКСАНДРА МАРИНИНА

но, зная, что не сделал всего, что было в его силах. Уж это-то Борис Орлов знал очень хорошо. Этому его научили и жизнь отца, и его собственная борьба за здоровье дочери Алисы, когда единственным спасением для ребенка было невероятно дорогостоящее лекарство и надо было любыми способами заработать деньги на лечение.

Когда Орлову предложили принять участие в программе Ионова, он без колебаний согласился: к органам внутренних дел у него скопилось множество претензий, и он, бывший следователь, не ужившийся в свое время с силовым предпринимательством, лучше многих других знал и понимал хитрости, при помощи которых гражданам перекрывали доступ к правосудию. Узнав же, что программе требуются не только специалисты-юристы, но и просто энтузиасты, готовые работать бесплатно, ради идеи, вспомнил об Игоре Пескове. Вот уж кто ненавидит правоохранительную систему! Вот кто живота не пощадит в праведной борьбе!

Игорю объяснили задачу: он будет получать списки тех людей, которые обратились в полицию с заявлением о преступлении и не дождались никакой реакции. Или дождались (спустя весьма длительное время, что тоже, как и отсутствие реакции, является нарушением закона) отказа в возбуждении уголовного дела. Ему нужно будет знакомиться с этими людьми и ненавязчиво советовать им обратиться за помощью к юристу, который знает, как составить жалобу на бездействие полиции или на незаконный отказ и куда ее направить. Если человек соглашался — в дело вступали сотрудничающие с программой адвокаты, в том числе и Борис Орлов.

Какое-то время все шло относительно гладко, а потом Игорь начал бунтовать. Он считал, что программа двигается черепашьим шагом и что такими методами они ничего никогда не добьются. «Нужно поднимать народ на бунт! — говорил он, сверкая глазами. — Нужно разрушить эту гнилую систему насильственно и быстро и на ее месте сразу же построить новую!» Ему объясняли, что так нельзя, приводили исторические примеры, убеждали, уговаривали...

И вот он все-таки сорвался. Исчез. Но это никого особенно не насторожило, пока не всплыли эти «парные» убийства. На сегодняшний день распространение информации удалось затормозить, но если она все-таки просочится вовне, то может породить панику в населении, а вслед за ней — тот самый неуправляемый бунт, который столь опасен и который необходимо предотвратить.

Игорь уехал из Москвы в апреле. Почему? Началось развитие психоза? Или что-то случилось? Почему именно тогда он принял решение начать свой крестовый поход за перестройку правоохранительной системы?

Как бы там ни было, а нужно повторить весь путь, проделанный оперативником Дзюбой, и задать людям множество вопросов, чтобы получить возможность составить хотя бы приблизительный портрет Игоря Пескова. Сам Орлов мог бы рассказать о нем очень немного: упрямый, целеустремленный, не пьет, не курит. Вот, пожалуй, и все.

Дзюба

Люша появилась вскоре после полудня, одетая несколько иначе, чем накануне, но по-прежнему броско и безвкусно. Сегодня куртка была кислотно-зеленой, шарф — фиолетовым, а леопардовые лосины заменены такими же облегающими брючками расцветки «под питона». Дзюба, опираясь на полученную ночью от Димы информацию, пристально оглядел ноги девушки и хмыкнул: и в самом деле, пятнистый рисунок заметно искажает истинную форму ног, не дает ее рассмотреть, а ноги-то у Люши замечательные, с таких ног только скульптуры ваять.

— Была у родителей Юрьева и у сестры Анисимова, — сообщила Люша. — Юрьев никаких писем не получал, во всяком случае, родители ничего об этом не знают. И насчет того, что кто-то обвинял его в воровстве, тоже не слышали. Короче, у Юрьевых — полный ноль. У Анисимова получше: сестра сказала, что Егор был очень трудолюбивым с самого детства и лет с тринадцати уже подрабатывал, где мог, семье помогал. И пока учился в институте, тоже все время подрабатывал, то грузчиком, то курьером, то еще кем-то.

— Понял, — кивнул Дзюба. — Кроме сокурсников и общаги, нужно еще проверить места подработок. Может, он как раз там что-то натворил такое, за что его вором назвали. Придется тебе искать здесь друзей-приятелей Анисимова и выяснять, когда, где и кем он подрабатывал.

— Да брось, командир, — фыркнула Люша. — Эти подработки были сто лет назад, а обвинение в воровстве пришло только в прошлом году. Чего этот обвинитель ждал-то столько времени?

— Ну, мало ли, как бывает... Вернусь в Серебров — займусь Борискиным, с его родителями дело должно легче пойти, все-таки парень жил с ними вместе, пока учился.

— Командир...

Люша собралась что-то сказать, но внезапно смутилась и покраснела точно так же, как краснела ночью, когда ее жених объяснял Дзюбе магическую силу ее природной красоты.

— Если наш начальник УВД дал команду, чтобы мы с тобой неофициально работали, значит, у тебя есть на него выходы? — выпалила она.

— У меня — нет, — признался Роман. — Я даже не знаю, как его зовут и как он выглядит. Но на человека, который попросил вашего начальника, у меня выход есть. А что? Что-то нужно?

Люша снова замялась, потом подняла на Дзюбу взгляд, полный отчаянной решимости.

— Командир, ты можешь устроить так, чтобы я сама довела это дело? Осталась-то совсем ерунда: сгонять в Серебров, поговорить с родителями Борискина, с его друзьями, собрать полный перечень мест, где Борискин мог теоретически пересечься с Анисимовым, потом покопаться в этих местах и найти того, кто мог заковырять обиду на обоих. Всего-то и делов! Я в теме, я знаю, как и что нужно сделать. Насчет Юрьева не поручусь, а убийства Борискина и Анисимова я раскрою. А? Поможешь?

Дзюба ошарашенно молчал. Люша просила о невозможном. Во-первых, она служит не в «убойном», а в отделе по борьбе с наркотиками. Никто из убитых в Шолохове на водохранилище — ни Егор Анисимов, ни Виктор Юрьев — не были замечены ни в употреблении наркотиков, ни в распространении, ни даже в хранении, не говоря уж об изготовлении. То есть Люша никаким боком не может иметь касательства к раскрытию этих убийств. Конечно, бывают ситуации, и довольно часто, когда в небольших городах случается что-то из ряда вон выходящее, и тогда создаются группы, в которые включают всех подряд, и любые свободные руки идут в дело. В такую группу может попасть кто угодно, хоть из наркоотдела, хоть из отдела по борьбе с экономическими преступлениями. Но для этого нужно, чтобы был приказ, а для приказа необходимо предать огласке то, что на сегодняшний день приходится скрывать.

Но Люше-то это все зачем? Неужели эта яркая бабочка до такой степени честолюбива, тщеславна? Хочет утереть нос своим коллегам? Или хочет, чтобы начальство ее заметило и перевело на работу в «убойный» отдел?

— Люша, Серебров — не твоя земля, и даже если ты там что-то раскроешь, начальнику шолоховского УВД придется объясняться с серебровскими, то есть с вышестоящими. У руководства всегда очень сложная система взаимоотношений, там и иерархия, и личное перемешивается, и не надо бы тебе в это влезать, поверь мне. И опера серебровские тебе не простят, вот это уж точно. Ваши местные, кстати, тоже.

Девушка грустно покачала головой:

— Ты не понял, командир. Мне слава не нужна, я бы все сделала и тихонечко отдала «убойщикам», пусть считается, что они сами раскрыли.

— Тогда я действительно не понял. Зачем тебе все это?

— Я замуж выхожу.

— Я в курсе.

— Буду рожать детей, из полиции уволюсь. Не хочу больше на этой работе... Не люблю я ее. Я в полиции только ради Димки торчала, чтобы быть к нему поближе.

Дзюба нахмурился.

— «Работу не люблю, но хочу уйти красиво, под гром аплодисментов». Так, что ли?

— Не так. Я Димку очень люблю, много лет уже. И я счастлива, что он наконец созрел жениться на мне. Я буду ему хорошей женой и хорошей матерью нашим детям. Но я не хочу, чтобы он считал, что женится на красивой дурочке, понимаешь? Хочу доказать ему, что у меня есть мозги и что я вообще что-то могу. Димка — гений, и у него интеллектуальная планка очень высокая, мне до него, конечно, не дотянуться никогда в жизни, но хочется выглядеть в его глазах...

Она отвернулась и добавила в сторону:

— Хоть как-то выглядеть. Не совсем тупой бабешкой, на которой можно жениться только потому, что она влюблена по уши и внешность подходящая.

Они разговаривали вполголоса, сидя у барной стойки, чтобы не мешать Анне, которая в противоположном углу просторной комнаты сидела за своим компьютером. Дзюба бросил взгляд на Анну и заметил, как напряжена ее спина. Видно, прислушивается, пытается уловить, о чем они беседуют, и злится, что ее не позвали, и боится, что от нее хотят что-то скрыть. «Хорош! — с неудовольствием подумал Роман. — Сам совсем недавно вкручивал Аркадию Михайловичу, что от Ани ничего нельзя утаивать, потому что она это слишком обостренно воспринимает, начинает нервничать, и от этого эффективность ее помощи резко падает, а сам что вытворяю? Вот уж если кто и козел, то именно я, а вовсе не несчастный влюбленный Никита».

— Мышонок, оторвись от работы! — громко крикнул он. — Давай кофейку выпьем и кое-что обсудим.

По той готовности, с которой Анна оставила свое занятие, и по ее радостному лицу Роман уверился в том, что его соображения были правильными.

Он быстро ввел Анну в курс дела. При помощи Димы и Люши уже почти точно установлено, что Песков совершил не пять убийств, а всего четыре. И есть возможность раскрыть три убийства, совершенные (пока еще предположительно) другим человеком. Для того чтобы Дзюба мог успешно выполнить свое задание, эту неопределенность, это слово «почти» нужно устранить. Люша готова сделать все необходимое, но для этого требуются две вещи. Первая: разрешение начальства. Вторая: помощь Романа и Анны. Люша, безусловно, справилась бы и сама, фронт работ ей понятен, но работа в одиночку займет времени больше, чем Дзюба может себе позволить ждать. Его торопят московские начальники.

— А как я могу помочь? — спросила Анна, глядя на него широко распахнутыми глазами. — То есть я имею в виду, что, конечно, я помогу, сделаю все, что надо, только я ведь ничего вашего не умею...

— Ничего особенного и не нужно делать, — успокоил ее Роман. — Просто составить Люше компанию, ходить всюду с ней вместе. И я к вам присоединюсь.

— Да зачем мне компания? — возмутилась Люша. — Я город отлично знаю, не потеряюсь.

Дзюба укоризненно покачал головой. Как у нее все просто! Может, и в самом деле оперативная работа — это не для нее? Все-таки добывать и анализировать информацию — одно, а уметь учитывать множество привходящих обстоятельств, в том числе и конфликты интересов других людей и служб, — совсем другое.

— Вы же с Димой «ноги» срисовали, значит, за мной присматривают, а теперь, получается, и вы под прицел попали, — терпеливо объяснил он. — И вот пойдут разговоры, что после нашего приезда в Шолохов девица из «дурдома» появилась в Сереброве и что-то вынюхивает. Оно нам надо?

— Ну да, — тут же подхватила Анна, — а так получится, что сначала мы у вас в Шолохове погостили, а потом тебя в гости позвали. Будем все втроем гулять по городу и делать вид, что нам ужасно весело. Так, Гудвин?

— Совершенно точно! Теперь осталось только уговорить Рокфеллера, — мрачно пошутил Дзюба.

Аркадий Михайлович суть проблемы уловил сразу, но гарантировать успешного решения не мог.

— Попробую, — ответил он, выслушав резоны капитана Дзюбы. — Но ничего не обещаю. Перезвоню через полчаса. А ты там не рассиживайся, собирай вещи и возвращайся сюда.

— А вдруг у вас получится договориться? Тогда мы бы старшего лейтенанта Горлик с собой привезли, чтобы ей на электричке не ехать.

— Вот через полчаса и узнаешь, привозить ее или нет, — сердито отозвался Аркадий Михайлович.

— Так если дадут добро, то ей нужно еще кое-что в Шолохове добрать по Анисимову.

— Сколько? — прозвучал короткой деловой вопрос.

Роман обернулся к Люше, которая настороженно прислушивалась к его переговорам.

— Сколько времени тебе нужно, чтобы найти друзей Анисимова и узнать про его подработки? — спросил он почему-то шепотом.

— До вечера, — быстро ответила она.

— До вечера, — добросовестно повторил Роман в телефонную трубку. — К ночи приедем.

— Ладно, жди звонка.

Дзюба отложил телефон и жадно выпил стакан сока. Надо же, оказывается, он волновался так, что во рту пересохло!

— Ну, что тебе сказали? — в нетерпении спросила Люша. — Он сможет договориться?

— Не знаю. И Аркадий Михайлович не знает. Но обещал попробовать.

— Угу, — промычала Люша, уселась на диван, достала телефон и блокнот и принялась куда-то звонить.

Судя по произносимым ею словам, она разыскивала давних друзей Егора Анисимова, данные которых выписала из материалов дела, и договаривалась с ними о встрече. Кое-кого в Шолохове не оказалось, и Люша пыталась дозвониться до них и задать свои вопросы по телефону.

Аркадий Михайлович перезвонил не через полчаса, как обещал, а почти через час.

— Принципиальное согласие всех сторон есть, — сказал он, — но есть и ряд условий. Вместе со старлеем Горлик будет работать опер из Сереброва, тот самый, который работал по убийству Лычкиной.

— Лычкиной? — удивился Роман. — Так Лычкина же наша... Ну, в смысле...

— Я понял, что «в смысле», — оборвал его Аркадий Михайлович. — Опер, который работал в прошлом году по Борискину, не в фаворе у руководства. А тому, который занимался Лычкиной, нужно очки набирать, там вакансия начальника отдела открывается. Этот опер — протеже руководства, его хотят двигать. И они согласны пойти нам навстречу только на этих условиях.

— Ясно.

— Второе условие: твоя девочка Горлик зашивает свой рот суровыми нитками. Если хоть одно слово вылетит, ее немедленно уволят.

— Она и сама уволится, — усмехнулся Роман. — Она замуж выходит через три недели.

Услышав, что ей разрешили работать, Люша просияла, озарила Дзюбу и Анну своей невероятной улыбкой, остаться обедать отказалась, натянула куртку, вскинула на плечо рюкзачок и умчалась. Ее даже, кажется, ничуть не огорчило то обстоятельство, что в Сереброве ей придется делать свою работу в паре с каким-то незнакомым оперативником.

Уже открыв дверь машины, она обернулась к стоящему на крыльце Роману.

— Я постараюсь побыстрее! — крикнула она. — Город маленький, у нас тут все близко.

Никитич открыл ворота, выпуская темно-зеленый «Фольксваген».

— Насчет обеда какие будут указания? — спросил он, подходя к Дзюбе. — В котором часу подавать и на сколько персон?

«Тьфу ты! — мысленно выругался капитан. — Достало уже! И как люди могут годами изо дня в день жить в таком регламенте? Я бы через неделю удавился». Но вслух произнес, разумеется, совсем другое. Обедать они будут вдвоем с Анной примерно через час. Ужинать же планируют вчетвером, но время он уточнит попозже.

Фалалеев

Аэропорт в Сереброве был ужасно неудобным. Город готовился принимать игры чемпионата мира по футболу, в связи с чем не только возводили новый огромный спорткомплекс и многоэтажные гостиницы, но и реконструировали здание аэровокзала. Из-за этого приходилось петлять по длинным переходам, путаясь в невнятных указателях, часть которых оставалась с еще доремонтных времен, и информация на них противоречила размещенной на других указателях, временных, повешенных на период перестройки. Фалалеев прошел проверку на входе, зарегистрировался на московский рейс, отстояв длинную очередь, с трудом нашел более или менее приемлемую кафешку и устроился поудобнее со стаканом сока и каким-то салатиком. Очень хотелось выпить, но это уже дома...

Что ж, задание своего руководителя он выполнил: удостоверился, что отправленный из Москвы оперативник действительно проводит время со своей девицей, не вылезает из койки, а в свободное от основного занятия время хлещет пиво с друзьями. Жадный мальчик Никита доложил все в деталях, в том числе и про вышедшего из спальни полуголого Дзюбу, и про то, как капитан прозрачно намекнул ему на необходимость не задерживаться и оставить любовников наедине. И про пустые пивные банки доложил, и про следы ночного гульбища... Хорошо поработал мальчонка. Впрочем, это скорее комплимент тому, кто его так дельно проинструктировал, то есть самому Фалалееву. Имелись все основания похвалить себя и даже порадоваться жизни. Но порадоваться не получалось: утром, еще до того, как он забрал ключи у Никоненко и убедился, что тот благополучно отбыл в Шолохов, жена по телефону сообщила, что дочка не ночевала дома. Фалалеев, как мог, успокаивал супругу, говорил, что девочка, наверное, заночевала у подружки, да хоть бы и у парня, но он уверен, что ничего плохого не случилось. А у самого сердце оборвалось и потом весь день ныло все сильнее и сильнее, тяжело толкаясь в грудную клетку каждый раз, когда жена звонила и все более тревожным голосом говорила, что дочка так и не появилась, а телефон ее выключен. Фалалеев и сам набирал номер дочери каждые 5—10 минут, но ничего, кроме «аппарат абонента выключен...», не услышал. Вот ведь паршивка! Ну ничего, он сегодня вечером вернется в Москву и покажет ей, где раки зимуют. Как именно он будет «показывать», Фалалеев не знал, потому что весь предыдущий опыт воспитания единственного чада неумолимо свидетельствовал о полной бесплодности каких бы то ни было попыток.

По громкой связи объявили посадку на рейс до Москвы, Фалалеев допил сок, вытер губы и пальцы салфеткой и направился к воротам.

И снова зазвонил телефон. Почему-то Фалалеев был уверен, что это жена и что сейчас она скажет ему: «Вернулась!»

Но на дисплее светились слова «Неизвестен».

— Твоя девчонка у нас, — проинформировал его незнакомый грубоватый мужской голос. — Если хочешь получить ее назад живой и здоровой, сделай так, чтобы в течение сорока восьми часов Семенюка выпустили из СИЗО, а Грабовский был арестован. И дело чтобы возбудили такое крепкое, которое ни в одном суде не развалится.

Фалалеев покачнулся и прислонился спиной к стене, какое-то время бессмысленно глядя на зажатый во вспотевшей руке телефон, из которого не доносилось больше ни звука.

Орлов

К Валентине Семеновне Фокиной, сестре покойного Вадима Семеновича Пескова и родной тетке Игоря, Орлов пришел все с той же легендой, с какой пожилую женщину навещал оперативник. Дескать, я адвокат, помогаю Игорю писать письма в инстанции, вот сейчас Игорь срочно нужен, а его нигде нет, я уж и помощника своего к вам присылал, рыженький такой паренек, помните?

— Ну, когда это было, — махнула рукой Валентина Семеновна.

Реплика эта проскочила мимо сознания Орлова. Он пришел сюда не выяснять, где Игорь, ибо и без того понятно, что здесь ему этого не расскажут, а узнать о том, каким он был в детстве и каким стал теперь.

— Валентина Семеновна, а давайте чайку выпьем, — располагающе улыбнулся Орлов и протянул пожилой даме увесистый магазинный пакет с тортом и конфетами. — Видите ли, я уже немолод, а ездить по городу приходится много, устаю сильно. Да и редко встретишь человека своего возраста, с которым можно поговорить.

Он грубо льстил и одновременно прибеднялся: Фокина была лет на десять старше его самого, это если по паспорту, а на вид — так и на все двадцать. Дзюба, делясь своими впечатлениями от визита в эту семью, говорил, что Валентина Семеновна целыми днями сидит с правнуками. Значит, скорее всего, скучает по общению с ровесниками.

Женщина явно обрадовалась такому предложению, но одновременно и смутилась.

— Тесно у нас, не хоромы, — сказала она. — Такого гостя, как вы, и усадить-то некуда...

Но пакет взяла, из чего стало понятно, что чаю Орлову все-таки нальют.

— А у кого хоромы? — он картинно развел руками. — У всех тесно, кто не на Рублевке живет. Я сам в коммуналке вырос.

Очевидно, после слов о коммуналке он в глазах Валентины Семеновны словно бы спустился с небес на землю, потому что она с удовольствием кивнула и провела его в комнату, маленькую и заставленную мебелью. Борис Александрович быстро окинул взглядом обстановку: два дивана, платяной шкаф, маленький низкий столик. Больше сюда ничего не влезало.

— Мой помощник говорил, что у вас двое очаровательных правнуков. Где же они? — с любопытством спросил он.

— Спят, — с нежной улыбкой ответила Фокина. — Пообедали и спят, ангелочки мои.

— Жаль, — притворно огорчился Орлов. — А я так надеялся их увидеть! Может, позволите взглянуть? Я тихонечко.

Фокина улыбнулась еще нежнее и поманила его пальцем. В соседней комнате, чуть более просторной, в двух детских кроватках спали мальчики. Несмотря на то что площадь была в целом больше, здесь было так же тесно: диван-раскладушка, два спальных места для детей, пара разномастных шкафов, посередине — стол и четыре стула. Орлов сделал вид, что любуется спящими малышами. На самом деле он прикидывал, как размещаются в такой маленькой квартире все члены этой большой семьи. Валентина Семеновна, ее дочь Лидия, внучка с мужем и двумя детьми, внук. Похоже, внучка с мужем и сыновьями занимают вот эту комнату, а там, куда Фокина пригласила его пить чай, располагаются она сама и ее дочь. Квартира трехкомнатная, это Орлов помнил по рассказам Игоря, значит, есть еще одна комната, и в ней, наверное, обитает внук. Должно быть, совсем каморка... Несправедливо, конечно, бабка с матерью ютятся друг у друга на головах, а парень один живет. Правильнее было бы именно бабушку устроить получше, в отдельной комнате, но куда ж деваться, если разнополые, все-таки молодая мать и взрослый сын — тоже нехорошо.

— Я бы вас, конечно, за стол усадила, — с виноватым видом говорила Валентина Семеновна, когда они, ступая на цыпочках, вернулись туда, где стояли два дивана и маленький столик. — Но детки сейчас спят. В другое бы время пришли — мы бы с вами как нормальные люди за столом чайку бы выпили. Не в кухне же мне вас угощать, там и вовсе повернуться негде.

— Мы прекрасно посидим с вами здесь и поболтаем, — успокоил ее Борис Александрович. — А тесноты не стесняйтесь, так живут все, кто честным трудом зарабатывает.

— Это вы правильно сказали, — живо откликнулась Фокина. — Вот у нас в семье все работают, рук не покладая, и Лидка, дочка моя, и внучка, она в магазине электроники торгует, менеджер, и муж ее курьером работает, тоже без ног по вечерам домой является, еле дышит, и Лешка, внук, сам себе на жизнь зарабатывает, и с голоду не помираем вроде, и обуты-одеты все, а все равно живем как в крысиной норе, друг у друга на головах.

Она вышла из комнаты и вскоре вернулась с чайником, чашками и всем прочим, что необходимо для чаепития с тортом и конфетами.

— Валентина Семеновна, расскажите мне об Игоре, — попросил Орлов. — Я ведь его только взрослым узнал, и мне интересно, каким он был в детстве.

Разговор потек плавно, то разбегаясь ручейками в сторону других родственников и их жизненных обстоятельств, то снова сосредоточиваясь вокруг родного племянника Валентины Семеновны Фокиной.

Когда Вадим Песков женился на Екатерине, все были уверены, что лучшей пары, более красивой и подходящей друг другу, просто не бывает. Оба были влюблены и очень счастливы. Но когда через два года родился Игорек, все изменилось: Екатерина не желала считаться с тем, что стала матерью, и, едва закончив кормить грудью, сбросила все заботы о сынишке на ясли и на мужа. Вадим по ночам вставал к малышу, часами носил его на руках, укачивая, бегал в детскую кухню и в магазин за смесями, стирал и гладил пеленки. Потом водил в детский садик. Потом отвел в первый класс. Все выходные и праздники проводил с Игорем, ходил с ним в зоопарк, на аттракционы, в кино на мультфильмы и детские картины, позже подключились рыбалки и походы в лес. Катя была очень привлекательной женщиной, и дело даже не столько в красоте черт лица и фигуры, сколько в необыкновенной притягательности для мужчин. Вокруг нее полчищами вились ухажеры, ей это нравилось, знаки внимания, в том числе и вполне материальные, она принимала с видимым удовольствием и с таким же удовольствием принимала приглашения в рестораны. Работала она косметологом в парикмахерской, но на деле все было не так просто, как звучало. В те времена во многих парикмахерских были «косметички», которые могли покрасить клиентке брови и ресницы и сделать самую примитивную маску. Но вот в парикмахерских классом повыше, именовавшихся салонами красоты, работали уже не «косметички», а косметологи, и клиентов они обслуживали в отдельном кабинете, а не в том же самом кресле, где их только что стригли или укладывали. В этих салонах работали лучшие мастера, а косметологи пользовались дорогими импортными средствами, и услуги их были намного более разнообразными, особенно если удавалось приобрести хорошее оборудование. В салонах обслуживались артисты, работники сферы торговли, жены дипломатов и больших начальников. Официальные зарплаты там были почти такие же, как в обычных парикмахерских, но вот чаевые — существенно более высокими. А кроме чаевых, постоянные клиенты могли достать дефицит — билеты в театр, продукты, модную одежду, а могли и оказать содействие в решении каких-то вопросов. Например, помочь путевку достать, в кооператив вступить, встать в очередь на автомобиль или на хороший цветной телевизор. Одним словом, полезные люди.

Понятно, что Вадиму не могло нравиться, когда жена после работы не бежала домой, а отправлялась в ресторан или еще куда-нибудь. Но Катя каждый раз говорила:

— Ты должен понимать, что это необходимо. Ты же ничего не можешь достать, ничего не можешь устроить, а доставать и устраивать надо. Вот я комбинезончик Игорьку достала, тебе рубашки итальянские, себе сапоги, а все почему? Потому что бываю на людях, знакомлюсь, завожу контакты. А колбаса сырокопченая, которую ты трескаешь за обе щеки? А фрукты для Игорька? А лекарство для твоей, между прочим, сестры? Да мы просто пропадем, если я буду дома сидеть!

Вадим соглашался. Он был хорошим отцом, и он был любящим мужем. И еще он очень любил и ценил комфорт, вкусную еду и модную одежду. В общем и целом, его все устраивало, а очевидных поводов для ревности Екатерина не давала.

Какое-то время.

А потом хрупкое равновесие в семье Песковых нарушилось. Видимо, Катя дала повод, но ничего точно Валентина Семеновна не знала. Сперва Вадим начал попивать, потом пить уже по-настоящему, потом Катя начала жаловаться, что он устраивает ей скандалы и даже поднимает на нее руку.

— Ты приезжай, приезжай, — рыдала Екатерина в телефонную трубку, — посмотри, как твой братец валяется посреди квартиры, упившись в хлам! Я у соседей сижу, Игорька взяла и убежала. Вадик так орал на меня, ножом размахивал, я думала — убьет!

Валентина Семеновна, конечно, никуда не ехала, потому что после работы нужно было бежать домой помогать с крохотной внучкой, которую дочь Лида родила в семнадцать лет неизвестно от кого. То есть сама-то дочка, конечно, знала, кто отец ее ребенка, и даже имя его матери называла, да только мать этого проходимца в глаза не видела ни до того, ни тем более после. Лидку саму еще нянчить впору, а тут ребенок...

Летним воскресным днем 1988 года Валентине Семеновне позвонили из милиции и попросили приехать: произошло несчастье, Вадим арестован по обвинению в убийстве своей жены, которую он в состоянии алкогольного опьянения лишил жизни, после чего поджег дачный домик, где, собственно, преступление и было совершено. Мальчик Игорь сейчас находится в отделе милиции под присмотром инспектора по делам несовершеннолетних, и поскольку Валентина Фокина является ближайшей родственницей ребенка, то пусть приедет и заберет его, а заодно и даст свидетельские показания.

Вот так Игорь Песков и оказался на ближайшие шесть лет, вплоть до ухода в армию, в квартире своей тетки.

— Как он уживался с вами? Мирно? — поинтересовался Борис Александрович, прихлебывая остывший чай.

Фокина покачала головой:

— Тяжело было. Я уж к нему и так и эдак, все-таки горе у ребенка страшное, все старалась ему кусок повкуснее подсунуть, устроить получше. Жалко его было очень. А он...

Она махнула рукой, и Орлову показалось, что в глазах ее блеснули слезы.

— Неразговорчивый он был, как чужой все равно. И Лидка, дочка моя, его сильно не любила. Обижалась, что он место у нас занимает, а помощи от него никакой, одна обуза. Лидка у меня вообще своенравная и капризная, все ей не так было, места для двоюродного брата пожалела, а вчетвером в трех комнатах разве тесно? Ей все барства какого-то хотелось, как в заграничном кино: чтобы в одной комнате была ее собственная спальня, в другой — детская, а в третьей гостей принимать. Я и то ей мешала, а уж Игорек...

Валентина Семеновна безнадежно махнула рукой.

— Я, по крайней мере, с ребенком помогала, так меня она готова была терпеть, а Игорька изводила при всяком случае. А уж когда Лешка родился, она вообще как с цепи сорвалась, по любому поводу к Игорьку цеплялась. Она тогда все надеялась, что ее хахаль, Лешкин отец, на ней женится, и ей комната была бы очень не лишней, а ее мальчик занимает.

— Не женился? — сочувственно спросил Борис Александрович.

— Да где там! У моей Лидки мужики не задерживались никогда, характер у нее трудный, нрав горячий. Но она все равно во всех своих проблемах тогда Игоря винила. Мужик бросил — Игорь виноват, молоко прокисло — Игорь виноват, дату на упаковке не посмотрел, когда покупал. Даже каблук сломался — и то Игорь виноват.

Ну что ж, отметил про себя Орлов, неприязнь Лидии Фокиной к кузену никуда не делась, если судить по тому, что рассказал оперативник Дзюба. Значит, этот момент можно считать установленным и проверенным.

— Игорь вас любил, наверное, — задумчиво произнес он. — Все-таки вы на целых шесть лет заменили ему семью, поддержали в трудный момент.

— Любил? — Поредевшие брови Фокиной приподнялись над глазами в окружении морщин. — Не знаю. Холодный он был какой-то, никогда не подойдет лишний раз, не обнимет, не поцелует, слова ласкового не скажет. Но вежливый, вот тут врать не стану, вежливый мальчик. Всегда и поздоровается, и «спасибо» скажет, и приятного аппетита пожелает, если вместе с кем-то из нас за стол садился. Учился хорошо, учителя не жаловались. Да я и не ждала от него никакой любви, я же понимала, что он Вадика любил, отца своего. Уж так любил!

Орлов мучился, чувствуя, что какая-то мысль мешает ему. Даже не мысль, а впечатление, картинка. Вспомнил! В комнате, где спали мальчики, вокруг стола стояли четыре стула. На пятом, в простенке между двумя шкафами, кучей сложена груда невыглаженных вещей, в основном детских. Ничего особенного, но глаз почему-то резало.

— Наверное, хорошо, когда семья такая большая и все за одним столом собираются, — мечтательно сказал он.

— Хорошо, — согласилась Фокина, — только это редко случается. Лешка с нами не сидит. Он вообще дома мало бывает, ночует только, да и то не всегда. Вот я его уже дня три не видала.

Тогда понятно, почему пятый стул не на месте. Фокина, ее дочь, внучка с мужем — четверо взрослых. Малыши за стол не садятся. И внук Леша тоже. Отрезанный ломоть?

— И не волнуетесь за него?

— А чего за него волноваться? Здоровый оболтус, сам о себе пусть волнуется, — неожиданно сердито ответила Валентина Семеновна, и Орлову показалось, что в этот момент у нее резко испортилось настроение.

Да, Дзюба и об этом предупреждал, он тоже наблюдал такой необъяснимый перепад. Ну что ж, пожилой человек, всякое бывает...

— За Лешку если кому и волноваться, так только его матери, — по-прежнему сердито продолжала Фокина. — А мои волнения никого не интересуют, со мной можно не считаться, я уже для них хлам и мусор, только место в квартире занимаю. Вот приладили с правнуками сидеть, чтоб я не зря их хлеб ела и чтобы пользу хоть какую-то приносила, на детском садике экономят, говорят, очень дорого, если садик хороший, и поборы все время то на ремонт, то на утренник, то еще на что-то. А предупредить, что ночевать не придешь, — это извините, это ниже их достоинства. Игорек хоть и неласковый, а все-таки звонил, если уезжал, предупреждал.

— Значит, и в последний раз Игорь вам сказал, куда уезжает?

— Сказал, конечно. К другу он поехал, в лесничество. Видно, после развода с Жанной ему совсем тяжко стало, решил обстановку сменить. А я и рада, что он нынешнее лето не в Москве провел, а в лесу, на природе, на свежем воздухе. В Москве невозможно было жить, вы же и сами, наверное, помните?

Что такого особенного было в минувшем московском лете? Ну да, бывали жаркие дни, душные, бывали и дождливые, и прохладные, — словом, все как обычно. Орлов слегка пожал плечами, но на всякий случай кивнул в знак согласия.

— Жара невыносимая, смог стоит — аж черно в воздухе, торфяники горят по всей области, никак их потушить не могли, гарью воняет. У нас дачи нет, вот мы и промучились все лето в городе, а за Игорька я порадовалась. Пусть, думаю, мальчик лесным воздухом подышит, должно же ему после всех бед облегчение быть.

Да уж, мальчик... Сорок лет. Впрочем, для семидесятилетней тетушки... Стоп!

Первая реплика Фокиной.

Пятый стул между шкафами.

Внезапно испортившееся настроение.

Похоже, вот он, тот косяк, который интуитивно почуял молодой оперативник. Жаль только, что вовремя не спохватился.

* * *

Задавать свои вопросы Лидии Фокиной Борис Александрович не стал: каким бы скверным ни был характер дочери, вряд ли она станет распространяться о здоровье матери в разговоре с незнакомым человеком. Орлов решил сразу ехать в больницу, где после операции восстанавливалась Жанна, бывшая жена Пескова. Тем более время сейчас самое подходящее, в больницах лучше всего навещать пациентов между обедом и ужином, когда закончены все обходы и сделаны процедуры. На платные дорогие клиники это, конечно, не распространяется, там можно приходить в любое время с 8 утра и до позднего вечера, а вот в обычных медучреждениях правила остались прежними еще с советских времен.

Жанна лежала в трехместной палате. У двух ее соседок посетителей не было, женщины откровенно скучали и с жгучим интересом прислушивались к разговору. Орлов видел, что Жанне такое внимание неприятно, но она стесняется своей слабости и того, что пока еще плохо ходит, поэтому не предлагает выйти в коридор.

— Я почти не знала Валентину Семеновну. За то время, что мы с Игорем были женаты, видела ее от силы два-три раза. Игорь ей периодически звонил, а так... Он не любил ходить в гости. Он вообще не любил ничего, кроме своей сверхидеи. Вы ведь сказали, что ищете Игоря, а сами про его тетку спрашиваете, — заметила Жанна. — Что у вас за танцы с бубнами? Сначала ваш помощник звонит, разыскивает Игоря, теперь вы. Думаете, я скажу что-то такое, что утаила от вашего посланника?

— Мы действительно ищем Игоря, и я побеседовал с Валентиной Семеновной, потому, собственно, и пришел к вам. У меня возникли определенного рода сомнения. Мой помощник еще молод и неопытен, и кое-каких обстоятельств он не заметил. А я уже старый, — Орлов лукаво улыбнулся, зная, что выглядит он превосходно для своего возраста, — и замечаю то, чего могут не заметить молодые.

Жанна посмотрела на него внимательно, чуть прищурив глаза.

— Вы про... это? — осторожно спросила она.

— Да, именно про это. Валентина Семеновна не в ладах с ощущением времени? Путает сроки, не чувствует разницу между месяцем и годом?

— Игорь говорил об этом, — кивнула женщина. — Это началось незадолго до того, как мы с ним разошлись. Наверное, болезнь, что-то с мозгом. А может, просто возрастное, хотя какой там возраст... Семьдесят лет — это еще не старость. Валентина Семеновна и сама чует неладное, но в чем дело — понять не может. Игорь как-то в телефонном разговоре начал с ней спорить, доказывать, что звонил ей на прошлой неделе, а она в ответ упрекала его, что он о ней совсем забыл и звонил не на прошлой неделе, а два года назад. В другой раз они снова не сошлись во мнениях по поводу сроков, о чем конкретно шла речь — не припомню уже, но Валентина уверяла, что это было вчера, а Игорь удивлялся и объяснял ей, что это было не то три, не то четыре года назад.

— Игорь очень расстроился, когда понял, что тетка больна?

Бледное, с темными кругами под глазами лицо Жанны выразило удивление и даже недоумение.

— Игорь? Расстроился? Да бог с вами!

— А что ж так? — полюбопытствовал Орлов.

— Игоря могло расстроить только очередное письмо с отказом. Больше ничего.

— Но ведь речь о его родной тетке, о самой близкой родственнице!

— И что? Для Игоря имеет значение только то, что для него полезно. Поскольку от Валентины Семеновны для него не было никакой пользы, ему было безразлично, больна она или здорова. И ко мне он относился точно так же. Как только понял, что я бесполезна, он предложил расстаться.

— Зачем же он женился на вас, если вы, как вы говорите, были для него бесполезны?

Жанна слабо усмехнулась и тут же сморщилась от боли.

— Видимо, сначала польза все-таки была. Я внимательно его слушала, сочувствовала, поддерживала, интересовалась... А когда поняла, что, кроме этой его фанатичной борьбы за справедливость, в нашей жизни не будет больше ничего, начала отстраняться. Надеялась, что пройдет время — и Игорь остынет и начнет проявлять интерес ко всему тому, что составляет нормальную семейную жизнь, по крайней мере, по моим представлениям. Захочет детей, например. Но ничего не менялось. И я с облегчением ушла, как только он завел разговор о разводе.

— Понятно. О том, что с сестрой Лидией отношения у Игоря не сложились, мне известно. Валентина Семеновна поделилась. А с детьми Лидии он общался?

Жанна покачала головой.

— Насколько мне известно — нет. Они ведь для него бесполезны, — добавила она с кривой усмешкой. — Но мы уже довольно давно не живем вместе, так что не поручусь. Думаете, он мог с ними поделиться своими планами и они знают, куда он уехал и где его искать?

— Все может быть, — улыбнулся Орлов.

«А ведь Жанна даже не спросила, почему мне так срочно понадобился ее бывший муж, — отметил про себя Борис Александрович, спускаясь по лестнице в больничный холл. — Видно, он так достал ее своей деятельностью, что у женщины теперь стоит прочный блок на любую информацию, касающуюся борьбы Пескова за восстановление справедливости. Или не за восстановление, а просто за справедливость в том виде, как он ее понимает?»

Если опираться на впечатления Дзюбы, то пытаться разговаривать с Лидией Фокиной нет никакого смысла. Первое же упоминание о двоюродном брате — виновнике всех ее несчастий и жизненных неудач — вызовет шквал эмоций, который не приведет ни к чему, кроме пустой траты времени. А вот с дочкой ее, внучкой Валентины Семеновны, можно попытаться поговорить. Орлов взглянул на часы: если повезет, он успеет до закрытия магазина, адрес которого у него лежит в папочке.

* * *

Полненькую симпатичную молодую женщину с бейджем «Виктория» на форменной голубой блузке Орлов отыскал довольно быстро: в огромном торговом зале, заставленном электронной техникой, не было ни одного покупателя и менеджеры слонялись без дела с выражением безнадежной скуки. Нет покупателей — нет продаж, нет продаж — нет начислений сверх скромной зарплаты, зато ярко светит перспектива сокращения кадров и увольнений. Появление высокого, представительного, хорошо одетого потенциального покупателя вызвало оживление, к Орлову сразу метнулся быстроногий паренек с предложением помочь. Борис Александрович нейтрально улыбнулся, ничего не ответил и направился туда, где щебетали, опершись о стойку, две девушки. Одна из них, должно быть, и есть Вика, внучка Фокиной.

Так и оказалось.

Поняв, что перспективный на первый взгляд клиент не собирается ничего покупать, а интересуется исключительно ее родственниками, Вика заметно поскучнела. Орлов быстро сориентировался и окинул глазами имеющийся товар: скоро приедет жена с внуками, почему бы не обновить кухонную технику, чтобы Танюшке было удобнее готовить для детей? Правда, он пока что видит перед собой в основном телевизоры и компьютеры, но в таком большом магазине наверняка есть и то, что можно купить с пользой для дома.

— И еще мне нужно приобрести кое-что для кухни, — сказал он. — Вы мне поможете?

Вика сразу повеселела и повела его в другой конец зала.

— Мне Игорь не сообщал, куда уезжает, он меня вообще практически не замечал, — говорила она, шагая рядом с Орловым. — Я для него всегда была «малая». Бабуля упоминала, что он перед отъездом ей сказал, что будто бы к другу едет, в какое-то лесничество. Может, и правда в лесничество, он туда уже ездил несколько лет назад.

«Да нет, — ответил мысленно Борис Александрович, — не может и не правда. Твоя бабуля, милая девочка, все путает. Именно несколько лет назад Игорь и ездил к своему приятелю-леснику, а в этот раз он уехал совсем в другое место. И Валентине Семеновне, скорее всего, вообще ничего не сказал. Ей кажется, что разговор о лесничестве был полгода назад, а на самом деле он состоялся очень давно. Эх, если бы Дзюба сразу это сообразил...»

Они остановились перед полками, на которых красовались кофеварки и кофемашины. А почему бы и нет? Новая кофемашина станет отличным подарком для жены. Орлов задал несколько вопросов, советуясь с Викой, сделал свой выбор и попросил показать миксеры и блендеры. Менеджер оживилась еще больше, начала предлагать посмотреть пароварки, мультиварки и что-то еще очень нужное для хозяйства. Борис Александрович доверительно сообщил, что к нему скоро привезут внуков из США и нужно обеспечить жене возможность готовить детям то, что они любят.

— Маленькие детки очень любят вафли, — авторитетно заявила Вика, тряхнув завитыми локонами. — Могу порекомендовать вот эти вафельницы или даже мультипекарь, это очень удобно.

Ну, мультипекарь — это уж слишком, решил Орлов, а вот вафельницу взять вполне можно. Через полчаса услужливые менеджеры оформили покупки и помогли донести коробки и уложить их в машину Бориса Александровича. От Вики же удалось узнать, что ее младший брат Алексей Фокин уехал из Москвы в апреле, сказав, что больше не хочет жить в такой тесноте, что крики и возня маленьких племянников не дают сосредоточиться и мешают ему работать, что вообще ему все надоело и пусть все его семейство идет на фиг. Куда уехал? Леша сказал, что куда-то за Урал, ему вроде там работу предложили в какой-то фирме. Лидия не только не огорчилась, но даже обрадовалась и быстренько заняла комнату сына. Правда, свой диван перетаскивать на новое место не стала, опасаясь, что Леша в любой момент может вернуться. Нет, ни о каких особых отношениях брата с дядей Игорем Вика не знает... Но ей и не до того, она работает, а дома двое детей, муж, скандальная, громогласная, вечно всем недовольная мать и не вполне здоровая бабушка. Разве есть у нее время и силы обращать внимание на то, с кем общается ее брат и о чем разговаривает? Нет, Леша бабушке и матери не звонит, а ей, Вике, позвонил один раз, поздравил с днем рождения, сказал, что у него все нормально, работа есть, жилье есть.

За тот без малого час, который Орлов провел в магазине, обстановка на дорогах изменилась коренным образом. Город встал. Телефон показывал пробки 9 баллов. Пришлось срочно менять планы на вечер.

Он позвонил Константину Георгиевичу.

— Похоже, Песков взял с собой племянника, — сообщил он. — У меня появилось одно соображение, мне бы хотелось еще поговорить с соседями Игоря, но сегодня я уже никуда, наверное, не успею. Завтра с утра к ним наведаюсь. И мне нужна будет ваша помощь.

— Все, что скажете.

— Если Игорь сделал себе и племяннику новые паспорта, то как? К кому он обратился?

— Я понял, — отозвался в трубке голос Большакова. — Постараюсь. Соберу информацию, утром она будет у вас в почте. Борис Александрович, время поджимает, нам нужно что-то решать по Игорю. Когда вы будете готовы? Когда можно назначать встречу у Максимовой?

— Завтра, — твердо ответил Орлов. — Во второй половине дня я буду готов полностью. У меня уже есть почти всё, остались только штрихи, для которых мне и нужны соседи Песковых.

— Сделаю все возможное.

Домой Борис Александрович добрался часа через три, голодный и с тяжко ноющей от долгого пребывания в машине спиной. Покупки распаковывать не стал, сгрузил коробки в прихожей, на скорую руку приготовил яичницу с колбасой, запил чашкой кофе, попутно отметив про себя, что кофеварка пока еще отлично работает и, наверное, с покупкой кофемашины он погорячился, и Танюшка будет ругать его за неоправданные траты... Но тут же сообразил, что кофемашину можно представить в качестве заблаговременного подарка к Новому году или, наоборот, пропущенного подарка к годовщине свадьбы. Годовщина в мае, Татьяна в это время уже была у дочери.

Повеселев от еды и удачно принятого решения, Орлов раскрыл папку с записями отца по делу Вадима Пескова. Выписал имена и адреса всех, кто был допрошен следствием в качестве свидетелей. Потом просмотрел текст приговора, сличил, посчитал. Проверил по протоколу судебного заседания. И недобро усмехнулся.

Вот оно как, значит...

Но странно, что отец не обратил на это внимания. Такой опытный адвокат не мог не заметить странного совпадения. Или заметил, но промолчал, потому что решил не связываться? Или попытался что-то сделать и быстро получил по рукам? Вот это вернее всего.

И ничего не сказал ни Игорю, ни своему сыну. С другой стороны, о чем тут говорить? С точки зрения уголовного процесса — все идеально, никаких нарушений, так что есть совпадение или нет — а для того, чтобы поставить под сомнение результаты предварительного следствия и судебного разбирательства, оснований все равно не появилось бы. Отец был здравым человеком, очень осмотрительным и осторожным, он прекрасно понимал, с чем мог столкнуться, и не хотел, чтобы пострадал двенадцатилетний мальчик, который в силу возраста и отсутствия опыта мог слабый лучик надежды принять за яркий свет и начать кричать об этом на всех углах. И позже, когда Игорь повзрослел, отслужил в армии, закончил институт и начал работать, отец снова принял решение ничего ему не говорить. Почему? Видел, что Игорь без тормозов? Понимал, что у парня с психикой что-то не так? Осознавал, что таким, как Игорь, нельзя давать в руки никакого оружия: ни материального, ни информационного?

Теперь не спросишь. Отец давно умер.

«И почему, — сердито спрашивал себя Борис Александрович, — почему мы начинаем догадываться о том, что нужно было поговорить, нужно было спросить, только тогда, когда поговорить больше не с кем и спросить не у кого? Почему мы до самой старости остаемся самоуверенными идиотами?»

Анна

После ужина выдвинулись из гостевого домика на двух машинах. Свой «Фольксваген» эксперт Дима дал невесте только на этот день, а сейчас попросил, чтобы она побыла с ним по дороге домой. Анна скорчила недовольную мину: можно было бы сэкономить время, посадив Люшу в их машину и сразу направившись к трассе, ведущей в Серебров. А теперь придется тащиться до Димкиного дома, пока будущие молодожены насладятся обществом друг друга перед долгой разлукой. Смех один! Люша же сама говорила, что все сделает быстро. Какая там уж такая разлука? Ну три дня, ну четыре. И разве проведенные вместе лишние 15 минут могут спасти «гиганта мысли и отца русской демократии»?

Когда Дима поставил машину возле своего дома, они с Люшей вышли не сразу, а потом еще долго обнимались у двери в подъезд. Первую половину дороги от Шолохова до Сереброва Люша сидела в машине молчаливая, сосредоточенная и даже, как показалось Анне, грустная. «Наверное, с Димой расставаться не привыкла, вот и скучает уже», — думала Анна, рассеянно поглядывая в окошко, за которым все равно ничего не видно было, кроме темноты и редких фонарей: освещение на трассе оставляло желать много лучшего.

Она пыталась думать о курсовой, которую нужно дописывать, все-таки 40—60 страниц, из которых не меньше 80 процентов должны содержать оригинальный авторский текст, это не кот начхал. Конечно, есть миллион способов схалтурить и обмануть «Антиплагиат», и кое-какими из них Анна Зеленцова позволяла себе иногда воспользоваться, но в основном старалась работать добросовестно, ибо точно знала: если ее уличат в мошенничестве — такого стыда она не переживет.

О Пушкине почему-то не думалось. Молчаливая Люша, устроившаяся на заднем сиденье, все время заставляла мысли Анны возвращаться к теме «жених и невеста», а оттуда плавно перетекать и к замужеству матери, и к собственным матримониальным перспективам.

— Люша, ты платье уже купила? — спросила она.

— Платье?

В голосе Люши звучало недоумение.

— Свадебное, — рассмеялась Анна.

— Купила, конечно. Давно уже.

— Красивое?

— Очень! Димке нравится.

— А тебе? Тебе самой нравится?

— Ну, мне тоже, само собой, раз Димка одобрил.

— Отмечать в ресторане будете?

— Ага. Все уже заказали.

— А твои родители как к Димке относятся?

— Ой, Ань, ну ты спросила! — Люша повеселела и даже рассмеялась. — Ну кто может к Димке плохо относиться? Он же гений! И вообще, он самый лучший.

— Ну, знаешь, бывает, что родители молодой девушки не одобряют, когда она выходит замуж за разведенного, да еще если от предыдущего брака дети. Не всем такое по нутру.

— Нет, это не мой случай. Вот Димкины родители — да, они от меня не в восторге, это точно. А мои его обожают.

— И чем же ты его родителям не угодила? — подал голос Роман. — Образованием не вышла? Или финансовым положением?

— Они Димкину первую жену любят. Наверное, считают, что я намного хуже. И уверены, что Димка из-за меня развелся, хотя это неправда. Я его потихонечку любила, пока он был женат, но никто об этом не знал, кроме моей сеструхи старшей. А встречаться мы начали только после развода. Но никому же не докажешь... Считают меня подлой разлучницей, прямо так в глаза и говорят.

— А ты и не доказывай, — посоветовал Роман. — Наплюй. Они в Шолохове живут?

— В Омске. Раз в год приезжают сына навестить и внучку повидать.

— Тогда тем более наплюй.

— Нет, ну как это — наплевать? — рассердилась Анна. — Что ты такое говоришь, Гудвин? Разве не имеет значения, что о тебе думают люди, тем более близкие, члены семьи? Как можно наплевать на то, что ты для кого-то плохой?

— Люша для Димки хорошая, а для нее это самое

главное, верно, Люша? Для всех хорошим все равно никогда не будешь, — заметил Роман.

— Если бы Люша была уверена, что она для Димы достаточно хороша, она бы не стремилась ему еще что-то доказывать, — упрямо возразила Анна, чувствуя, что начинает злиться. — А она же стремится, хочет показать, что она умная.

Разговор задевал ее за больное, и она понимала, что сама полезла углублять такую неприятную для себя тему, и знала, что будет впадать в ярость и бешенство, и точно так же знала, что все равно не смогла бы удержаться и промолчать, когда опасный момент можно было обойти, пропустить мимо ушей, оставить без ответной реплики. Сидящие внутри нее Гады хотели говорить о том, что значит «быть плохой», и никакие усилия Надсмотрщиков тут не помогали.

— Мышонок, посмотри на вещи непредвзято, — миролюбиво предложил Роман. — В моих глазах ты очень красивая и очень умная. В глазах своего квартиранта тоже. Но тебе ведь наплевать на то, что он о тебе думает, правда? Ты с ним не особенно любезна, а местами даже грубовата. И при этом для меня ты все равно остаешься очень красивой, очень умной и очень хорошей. Уверен, что и для Люши тоже.

— Тоже-тоже! — громко заявила с заднего сиденья невеста Люша. — Я вообще не представляю, как можно постоянно писать оригинальные тексты, для меня даже один абзац в неделю — уже кранты. Ань, ты для меня почти такой же гений, как Димка.

Анна непроизвольно улыбнулась, чувствуя, как Гады прячутся в свою нору.

— Ну, вообще-то да, это аргумент, — неохотно согласилась она.

Фалалеев

Он не помнил, как сел в самолет, его трясло, мысли путались, в голове мутилось. Только когда началось снижение перед посадкой, Фалалеев обрел способность хоть как-то соображать.

В Министерстве внутренних дел есть кланы, каждый из которых связан с определенной группой бизнесменов, и покрупнее, и помельче. Кланы борются между собой за влияние и за благорасположение министра, ибо это позволяет и самим зарабатывать, и назначать на хлебные должности своих ставленников. Руслан Максимович Фалалеев, бывший сотрудник органов внутренних дел, работал личным помощником предпринимателя Чижова, владельца обширной сети дешевых продуктовых магазинов. Товарооборот в магазинах был невелик, ассортимент узкий, цены низкие, качество продуктов — ужасное. В общем, предприятие практически убыточное. Это если по документам, подаваемым в налоговую. А то, что через эту огромную сеть гнали изготовленную подпольно безакцизную водку — так это ж совсем другое дело. Доходы от продажи спиртного выходили огромными, и Чижов щедро делился ими со своими покровителями из полиции, сидящими в министерских креслах на высоких должностях. С одним из этих покровителей у Чижова сложились отношения более или менее приятельские, почти дружеские, и министерский чиновник предложил своему подопечному взять на работу в качестве личного помощника «нужного человечка», платить ему зарплату немалую, но заданиями особо не нагружать, ибо основная обязанность человечка должна состоять в том, что он будет выполнять всякие тонкие и деликатные поручения, которые совершенно необходимы для того, чтобы клан, поддерживающий Чижова, мог чувствовать себя уверенно на своем месте.

Чижов возражать побоялся. И Руслан Максимович Фалалеев обрел новое место работы.

Требования неизвестного, похитившего дочь, были вполне понятны. Именно в стане покровителей бизнесмена Чижова имелся высокого ранга чиновник, во власти которого было прекратить уголовное преследование одного человека и начать такое же преследование в отношении другого. Владельца страховой компании Семенюка держат под стражей уже несколько месяцев, делая вид, что расследуют совершенные им налоговые преступления. Какие-то люди, не имеющие крепких связей в МВД, хотят Семенюка вытащить, а некоего Грабовского, наоборот, упрятать в камеру. Кто такой этот Грабовский, Руслан Максимович не знал, фамилии такой не слыхал. Но схему приблизительно представлял: есть нарушения, финансовые или налоговые, за которые можно привлечь, допустим, Иванова, а можно и Петрова, с точки зрения закона — без разницы. Законы же специально так и написаны, чтобы можно было привлекать не того, кто действительно виновен, а того, кого нужно. Привлекают Иванова, маринуют его в камере, всех пугают страшными историями о том, какие ужасные преступления он совершил и как неотвратима и тяжела будет справедливая кара, наложенная правосудием. Потом Иванова отпускают и вместо него арестовывают Петрова, уже напуганного до обморока всеми предшествовавшими перипетиями, в том числе обысками в офисах, криками «Работает ОМОН!» и «Мордой в пол!», изъятием документации и компьютеров, арестами счетов и полным параличом бизнеса. Что делает перепуганный насмерть Петров? Правильно, долго не сопротивляется и быстренько подписывает, практически не глядя, любые бумажки на передачу собственности, которые ему подсовывают. Собственно, изначальной целью комбинаторов и был тот самый Петров, проявлявший глупое упрямство и никак не желавший расставаться со своей собственностью и трудом нажитым или внаглую украденным состоянием. В принципе, схем безболезненного отъема денег и собственности у граждан существует великое множество, и вовсе не обязательно прибегать к таким громоздким и затратным мероприятиям, но, однако же, когда в дело вмешивается политический аспект, то грозные слова «уголовное дело», «суд», «тюрьма» и «преступление» бывают очень даже не лишними. Начнет какой-нибудь борзый демократ рваться к выборам, а ему в ответ: «Вашу предвыборную кампанию финансирует Петров, а ведь Петров — человек нехороший, замаранный, законы нарушает...» Ну, и так далее. А то и вовсе Петрову этому уже нечем будет своего протеже финансировать.

Чего хотят похитители? Чтобы Фалалеев пошел к своему непосредственному шефу Чижову, изложил ему дело, после чего Чижов отправится к своему покровителю, к тому самому, чьи поручения выполняет Руслан Максимович, а уж этот покровитель как-нибудь так договорится со своим коллегой, имеющим полномочия и возможности влиять как на возбуждение уголовных дел, так и на их прекращение. Действовать через голову Чижова и самому обратиться к покровителю Фалалеев не осмелится — не те у них отношения. Хотя... Может, рискнуть, попробовать? Но какой в этом смысл? Все поручения Руслан получает не от самого покровителя-генерала, а от его доверенного лица, этому же лицу он отчитывается о проделанной работе, с генералом у него личных отношений нет, и скорее всего, даже если Фалалееву удастся раздобыть номер приватного, то есть не служебного, телефона этого генерала, тот сперва не поймет, кто ему звонит и зачем, а потом либо сразу откажет во встрече, сославшись на занятость, либо назначит аудиенцию через месяц, как это принято у больших боссов. Нет, все-таки действовать нужно через Чижова, уж своему-то дружку, своей дойной корове генерал во встрече не откажет.

Сорок восемь часов, всего сорок восемь... И полтора из них тратится на перелет из Сереброва в Москву. А вдруг похитители сейчас звонят ему? Слышат «Аппарат абонента выключен...», приходят к выводу, что Фалалеев от них прячется, и... У них девочка, глупая неопытная семнадцатилетняя девочка, испуганная, ничего не понимающая... И жена дома с ума сходит, не понимая, куда ребенок подевался. Что же будет, когда он ей скажет, что дочь похитили? А со стариками что будет? Ладно, от стариков можно попробовать скрыть, слава богу, что они живут отдельно. Но от жены-то не скроешь, если промолчать — она начнет обзванивать больницы и морги, тоже ничего хорошего.

Кто эти люди? Уголовники? Маловероятно. Мелкая уголовная шваль не станет подписываться на крупный бизнес, им не по зубам такое, да и не по интересу. Крупный криминалитет? У них у всех поголовно есть полицейские «крыши», через них бы и действовали, зачем им Фалалеев? А если «крыша» низковата? Не такого уровня, чтобы выйти на самый верх и добиться своего? Тогда похитителями могут оказаться и сами полицейские — представители этой низенькой «крышечки». Какие еще варианты? Политика? Возможно, но все равно процесс пошел бы через полицию и следственный комитет. У МВД со Следственным комитетом отношения сложные и не особо дружелюбные, еще и прокуратура непонятно какую позицию занимает, то ли есть она как самостоятельная правоохранительная единица, то ли нет ее вовсе, а так, название одно... Если вопрос политический и в нем заинтересованы на самом верху, то решили бы все сами, слишком мелок для них Фалалеев, на такой уровень они не опускаются.

Самолет совершил посадку минут на пять раньше, чем предусмотрено расписанием, и Руслан Максимович с трудом дождался, когда выпустят на трап пассажиров бизнес-класса и можно будет выходить. Жене он позвонил сразу же, как только появилась сеть, самолет еще по рулежке мчался, а он уже говорил торопливо, твердо и очень тихо:

— Не волнуйся и никому не звони, я потом все тебе объясню. И никому ничего не рассказывай, особенно дедам.

Обобщающим словом «деды» в их семье именовались родители обоих и бабушка Фалалеева.

— Ты что-то узнал? — спрашивала жена, давясь слезами.

Такое бывало и раньше, и не один раз. Дочка ударялась в загул, никого не предупреждала, на звонки не отвечала, просто исчезала на день-два, и жена всегда нервничала, плакала, не спала, не выпускала из рук телефон, пила лекарства, а у Фалалеева сердце разрывалось от жалости к ней.

— Я ничего не узнал, но уверен, что все в порядке, погуляет и вернется, как обычно. А дедов волновать не надо.

— Ты скоро приедешь?

— Мне нужно сейчас по делам. Я позвоню, — быстро проговорил Руслан Максимович и отключился.

Следующий звонок — Чижову, пока самолет, замедлив ход, двигался к стоянке. Занято. Перезвонил еще раз. Снова занято. Дозвониться удалось только из автобуса, на котором пассажиров везли к терминалу.

— Что за срочность? — недовольно отозвался Чижов, выслушав просьбу о встрече. — Я весь вечер буду на людях, на личные разговоры времени нет.

— Это очень важно, — умоляюще произнес Фалалеев. — Десять минут, я все объясню.

— Ну, говори сейчас, — милостиво разрешил шеф, — только быстро.

— По телефону нельзя.

— Что это за «личное» такое, о котором нельзя по телефону? — пробурчал в трубку Чижов. — Ладно, я буду в Сити, подъезжай, найдешь меня, где обычно.

Брать такси из аэропорта Фалалеев не решился: вечер, темно, погода отвратительная, из-за любой аварии могут возникнуть пробки, терять время нельзя, оно тает прямо на глазах. Поехал на электричке до Павелецкого вокзала, так намного быстрее и надежнее. В деловом комплексе, который для краткости называли просто «Сити», он оказался в десятом часу вечера. Здесь располагался и офис Чижова, и рестораны, в которых он предпочитал устраивать деловые обеды и ужины. «Где обычно» означало тот ресторан, в котором Чижов чаще всего угощал партнеров по переговорам.

Чижов заставил себя ждать почти полчаса после того, как Руслан Максимович отзвонился и сказал, что находится в холле перед входом в ресторан. За эти полчаса Фалалеев еще раз мысленно проговорил все то, что собирался сказать шефу, а заодно и обдумал дополнительные аргументы, которыми мог бы воспользоваться, если его слова не возымеют желанного действия. Чем он может давить? Только компроматом, которого собралось у Фалалеева немало. Но это шантаж. А шантаж — всегда плохо. И не потому, что некрасиво, это-то черт с ним, а потому, что порождает не желание помочь, а страх, ненависть и стремление нанести ответный удар, уничтожить. Если запустить механизм, то последствия всегда бывают катастрофическими. Можно добиться от Чижова помощи посредством шантажа и освободить девочку, можно. Но во что после этого превратится жизнь Фалалеева и всей его семьи? Какова цена одного и цена другого? Цена вопроса, одним словом.

Чижов вышел в холл со злым лицом и лоснящимися от жирной пищи губами. На лбу испарина, к влажной коже прилипла прядь густых волос.

«Видно, ужин не впрок, — подумал Фалалеев, — в переговорной шеф не смог добиться того, чего хотел, понадеялся на застолье, а партнеры упираются».

— Ну, что у тебя?

Руслан Максимович перевел дыхание, стараясь, чтобы голос не дрожал.

— У меня похитили дочь. Для ее освобождения нужно, чтобы вы связались с генералом и попросили его договориться на самом верху. Мне назвали фамилии людей, о которых идет речь. Одного нужно освободить из-под стражи, против другого возбудить дело и арестовать. Ничего сложного. Но действовать нужно быстро, мне позвонили в начале пятого и дали всего сорок восемь часов на решение вопроса.

Чижов схватил его за плечо, отвел в сторонку, почти зажав в угол, приблизил к Фалалееву лицо с побелевшими от ярости глазами.

— Ты соображаешь, что несешь? — прошипел он. — Да как ты посмел с этим прийти ко мне?

— Но генерал же ваш друг, вы с ним... — растерялся Фалалеев. Такого напора и столь бурной реакции он не ожидал. Вероятность отказа, конечно, предполагал и готовился противостоять, но гнева и ярости не предвидел.

— С чем я, по-твоему, должен идти к генералу? С бутылкой коньяку? Что я могу ему предложить в обмен на услугу? Он должен будет идти наверх, — Чижов ткнул пальцем в потолок, — и просить. Понимаешь? Просить! И что-то дать взамен. Или останется должен. А виноватым в этом буду я. И вообще, о ком речь идет?

— Семенюк и Грабовский, — быстро ответил Руслан Максимович.

Лицо Чижова исказилось до неузнаваемости в гримасе страха и одновременно отвращения. Похоже, об этих людях он знал, в отличие от Фалалеева, и знал немало.

— Я в это лезть не буду, — отрезал шеф. — И тебе запрещаю.

— Но у меня похитили ребенка! Девочка, школьница, семнадцать лет... — беспомощно забормотал Фалалеев и зачем-то добавил: — Выпускной класс.

— Как похитили — так и вернут, — цинично заявил Чижов. — И не смей больше даже заговаривать об этом.

— А если я пойду к генералу сам, напрямую?

— Если ты, шавка, что-то можешь сделать сам — делай. А ко мне больше не подходи.

Руслан Максимович чувствовал себя беспомощным и ничтожным. И еще раз успел до того, как Чижов развернулся и ушел, подумать о том, что шантаж ему, Фалалееву, не осилить. Не потянуть. Знает он много, но вступать в открытую борьбу с этим человеком, не ведающим жалости и не имеющим совести, просто не посмеет.

Обратиться к генералу? Нужно время, чтобы добраться до него. Фалалеев ведь только числился личным помощником Чижова, чтобы трудовая книжка где-то лежала и доходы оправдывались зарплатой. Все, что Руслан Максимович знал о своем шефе, вся компрометирующая информация была из числа случайно подсмотренного, подслушанного или прочитанного в небрежно оставленных бумагах. Доступа к списку телефонных контактов у Фалалеева не было, деловыми встречами и звонками занималась секретарь, а уж особые номера телефонов хранились только в мобильнике самого Чижова. Можно, можно все организовать, все узнать, выцепить нужные сведения, но для этого требуется время, которого нет.

Фалалеев спустился вниз, вышел из здания. Набережная залита огнями, от чего ночное небо кажется светло-синим, почти безветрено, и тихо падает первый, еще не крупный и не густой, снег... И почему красивое замечаешь чаще всего тогда, когда на душе черно?

Он медленно шагал вдоль набережной, пытаясь собраться с мыслями. Надо что-то предпринимать, что-то придумать, пока еще можно с кем-то связаться. Уже одиннадцатый час вечера, пройдет максимум полчаса — и звонить станет некому, ни один человек не потерпит, когда ему в такое позднее время начнет морочить голову какой-то незнакомый тип. Даже слушать не станет, просто наорет и бросит трубку. Придется ждать хотя бы до девяти утра, а это будет означать потерю еще десяти часов.

А дочка где-то там, у чужих людей, плачет от страха... И хорошо, если только от страха, а не от боли. Вдруг ее мучают? Не дают еды, питья, не выводят в туалет? Вдруг ее истязают или насилуют?

У него помутилось в глазах, пришлось остановиться и переждать спазм.

Когда глаза Фалалеева вновь обрели способность видеть четко, пришло решение. У него есть один номер телефона, раздобытый, вернее, подсмотренный совершенно случайно у того самого генеральского доверенного лица. Если номер не изменился с тех пор, то по нему ответит человек, которому Руслан Максимович может кое-что предложить в обмен на помощь по спасению дочери.

Большаков

Вечер получился неожиданно спокойным и милым, Юлия Львовна перестала дуться, дети, вопреки обыкновению, сидели дома, в квартире царила атмосфера покоя и умиротворения. Никто не сердился, не нервничал и не выяснял отношения, и Константин Георгиевич уселся ужинать, еще питая пусть и слабую, но все-таки надежду на несколько часов отдыха: несмотря на выходной, ему все-таки пришлось сегодня быть на службе.

Последний разговор с капитаном Дзюбой, состоявшийся во второй половине дня, вселил некоторую уверенность в том, что парень справится с заданием. Ну какой же молодец, какая умничка! Впрочем, молодцы все: и Ромка, и ребята, которые ему помогали. Большаков по собственному опыту знал, что такую сложную комбинацию фактов невозможно осмыслить и правильно интерпретировать в одиночку в короткие сроки. Законы мышления таковы. Тут приходится выбирать: либо ты работаешь один, но на это уходит очень много времени, либо ты работаешь быстро, но тогда уж в команде. Шерлок Холмс — это, конечно, классно придумано, но не жизненно. Да и сроки над великим сыщиком не висели, он был птицей полета свободного и высокого.

Теперь тремя убийствами, совершенными неизвестно кем и неизвестно почему, будут заниматься серебровские и шолоховские полицейские, а задачей Ромки так и останется вычисление траектории движения и внутренних закономерностей деятельности Игоря Пескова, чтобы можно было спрогнозировать его следующий шаг и понять, где беглеца можно отловить. Достоверное исключение из серии одного убийства позволит избежать искажений и не наделать ошибок в этой работе. Если первоначально Роман исходил из того, что для Пескова убийство — дело не простое и ему требуется время на психологическое восстановление, то теперь этот постулат выглядит довольно сомнительно. Без шолоховского эпизода интервал между убийством в Сереброве 17 мая и следующим, в лесопарке города Дворецка, 3 августа, получался внушительным, два с половиной месяца. А вот следующие интервалы — уже по месяцу с маленьким хвостиком, то есть вдвое короче. Вывод? Песков понял, что так много времени на подготовку и восстановление ему не нужно и не такое уж страшное и тяжелое это дело — лишить другого человека жизни. Разница в характеристике, казалось бы, невелика, но очень важна, если хочешь правильно понять, как Песков мыслит и как чувствует. Спасибо Орлову, он собирает столько информации, сколько может, и это позволит теперь Дзюбе анализировать факты, опираясь хоть на какую-то платформу, довольно, впрочем, шаткую... Но другой все равно нет. И создавать ее некогда.

Одним словом, оснований для радужного оптимизма пока маловато, но и впадать в отчаяние рано. И можно хотя бы пару часов насладиться возможностью расслабиться и отдохнуть, пользуясь тем, что дети дома и нет необходимости волноваться за них, а жена в хорошем настроении и не заводит снова и снова разговор о приемном ребенке... Как жаль, что такие вечера выпадают на долю полковника Большакова нечасто!

Все было хорошо в этот вечер: и Юлия выглядела посвежевшей и помолодевшей, и еда казалась необыкновенно вкусной, и дети ничем не огорчили, даже напротив, обрадовали сообщением, что на Новый год никуда не поедут и останутся праздновать дома с родителями. Правда, Константин Георгиевич заподозрил, что решение это было не совсем добровольным и явилось скорее результатом трагических монологов Юленьки о том, что дети выросли и она теперь чувствует себя брошенной и никому не нужной... Но важно, что дочь и сын услышали маму, посовещались, сделали выводы и приняли решение. Хорошее решение. А это означает, что им с Юлей удалось воспитать умных и добрых детей, умеющих слышать чужую боль и сочувствовать ей.

Эти благостные размышления, фоном к которым служило бормотание телевизора — Юля увлеченно смотрела американский сериал про медиков, — были прерваны телефонным звонком. Оба аппарата — и служебный, и личный — лежали рядом, на столе. Рингтон был от личного номера. Большаков почуял недоброе: кто в такое время станет звонить? Поздний вечер... Неужели с Шарковым беда? Нет, только не это!

— Константин Георгиевич? — раздался в трубке незнакомый мужской голос.

— Да, слушаю вас.

— Город Серебров, Анна Зеленцова и капитан Дзюба, — лаконично сообщил голос.

Неожиданно. Необъяснимо. Но разобраться нужно быстро.

— И? — вопросительно произнес Большаков, невольно заражаясь навязанным собеседником телеграфным стилем.

— Мне нужна ваша помощь. В обмен — информация, которая может быть для вас полезной. Очень полезной.

— Слушаю.

— Только при личной встрече. И лучше поскорее.

Вот это точно, лучше поскорее. Если речь идет о деле, которое может стоить жизни Шаркову, то нельзя терять ни минуты. Ромка там, в Сереброве и Шолохове, почти не спит, уже еле живой, сегодня при общении по скайпу Большаков с трудом узнал бравого рыжеволосого капитана: голубые, всегда такие яркие и живые глаза потухли и словно подернулись мутной пленкой, приобретя нездоровый сероватый цвет, лицо осунулось, проступили носогубные складки. Разве имеет право Большаков требовать от парня такой изнуряющей работы и при этом наслаждаться домашним уютом и покоем в обществе супруги и детей?

— Куда ты? — встрепенулась Юлия Львовна, когда муж встал с дивана, вышел в прихожую и начал одеваться.

— Мне нужно по работе.

Юлия Львовна картинно вздохнула. За много лет внезапные изменения планов, ночные звонки и прочие вещи, обычно сопровождающие жизнь оперативников, да и многих других сотрудников полиции, стали для нее привычными, не вызывали ни удивления, ни ропота, ни упреков. Но горестно вздохнуть и изобразить неудовольствие — это же святое!

— Надолго? — спросила она.

— Не знаю, пока не могу сказать. Как получится. Не жди меня, ложись спать.

Он застегнул куртку и сунул в карман бумажник и ключи от машины. Встреча с незнакомцем состоится здесь же, во дворе дома, но кто знает, чем она закончится? Вполне возможно, придется потом куда-то ехать.

* * *

— Откуда у вас мой адрес?

Это было первым, о чем спросил Большаков, когда к нему подошел сухощавый, среднего роста мужчина в хорошо сшитом пальто и с дорогой дорожной сумкой, висевшей на ремне через плечо.

Об адресе Константин Георгиевич подумал в первую очередь, еще пока разговаривал с незнакомцем по телефону. На вопрос «Где?» тот сказал, что будет возле дома Большакова через три-четыре минуты. Значит, приехал заранее и только потом позвонил.

— Я объясню и про адрес, и про телефон. Но потом, хорошо? Сначала поговорим о деле.

— Поговорим, — согласился полковник. — Я вас слушаю.

— Вы знаете, кто такая Анна Зеленцова?

— Разумеется. Дальше.

— Вам известно, что она сдает одну из принадлежащих ей квартир?

— Известно.

— Вам известно, что имя ее нынешнего квартиранта — Никита Никоненко?

— Нет, впервые слышу. Это важно?

— Может быть. Константин Георгиевич, не требуйте от меня сейчас никаких объяснений, время дорого, просто выслушайте и, пожалуйста, поверьте. Вы видите — я не торгуюсь с вами, не оговариваю условия предварительно, я готов первым дать вам информацию, не имея никакой уверенности, что вы мне за нее заплатите. Я поступаю так только потому, что у меня безвыходная ситуация и мне больше не к кому обратиться за помощью.

— Слушаю вас, — повторил Большаков.

— Никита Никоненко регулярно взламывает информационные базы органов внутренних дел. Мне кажется, вас это должно заинтересовать.

— Вы имеете в виду базы Сереброва?

— Я имею в виду базы по всей стране.

Полковник Большаков славился среди коллег невероятной выдержкой и самообладанием. Но сейчас он окаменел. Вот, стало быть, как...

— Я могу быть уверенным в точности этой информации?

— Абсолютно. Я видел компьютер Никоненко собственными глазами. И копался в нем тоже сам. Более того, я скачал имеющиеся в нем данные и могу их предоставить.

— Я понял. Что вы хотите взамен?

— У меня похитили дочь, — голос незнакомца предательски дрогнул. — Мне дали сорок восемь часов на решение вопроса, из них прошли уже семь. Я обратился за содействием, но мне было отказано. Больше мне некого просить, только вас.

— Что от вас требуется? Собрать деньги? Много?

— Нет, они не хотят денег. Они хотят, чтобы было обеспечено принятие нужных процессуальных решений. На самом верху.

Большаков помолчал. Ему стало зябко, куртка легковата для такой холодной погоды. Хорошо, что машина припаркована совсем рядом. Вот и ключи пригодились.

— Давайте сядем в машину и начнем все сначала, — предложил он.

Незнакомец не возражал. По тому, как тяжело он плюхнулся на сиденье, Большаков понял, что тот очень устал. Ужасно устал.

Все устали, и у всех цейтнот: у Шаркова, у Большакова, у Ромки, вот и у этого типа тоже. Что ж за жизнь такая...

Константин Георгиевич завел двигатель, включился обогреватель, скоро в салоне станет тепло и комфортно. Уже через несколько минут после того, как человек, назвавшийся Русланом Фалалеевым, начал говорить, полковнику стало ясно, что придется звонить Шаркову и ехать к нему.

То, что рассказывал этот человек, делало картину мира совершенно иной.

* * *

— Периодически я следил за Шарковым и за вами. Смотрел, где вы бываете, помимо службы, когда возвращаетесь домой, наблюдал, как тратите деньги. За некоторыми вашими активистами тоже приглядывал. В общем, обычная работа наружки. Они хотели держать руку на пульсе, чтобы вовремя отреагировать и перехватить у вас инициативу. Поэтому я знаю, где вы живете. В последнее время ваши встречи на квартире у Ионова стали чаще, и я об этом доложил. Вскоре мне сказали, что вы с генералом Шарковым отправили своего человека в командировку в Тавридин, и я получил задание поехать следом за ним и выяснить, зачем вы его туда послали. У моих работодателей появились основания считать, что вы приступили к финальной части реализации вашего плана. Они хотели проверить, так это или нет.

— Какие основания у них появились? — спросил Большаков, стараясь ехать как можно быстрее и при этом ни в кого и ни во что не врезаться. Типичная картина для московского климата: сначала долгий дождь со снегом, потом налетает жгучий морозец, и дорожное покрытие моментально превращается в полигон для отработки навыков экстремального вождения.

— Они увидели, что Шарков резко изменился. Стал более нервным, более рассеянным, начал срываться на подчиненных, чего раньше за ним не замечалось.

Ну да, подумал полковник, они же не знали, что Валерий Олегович болен и каждую минуту ждет смерти. На что еще можно было списать такое изменение в поведении? Только на то, что наша программа вступила в решающую фазу и Шарков постоянно думает о ней, нервничает и беспокоится. Они неправильно интерпретировали факты, а в результате попали в точку: действительно, от того, как разрешится нынешняя ситуация, зависит жизнь программы. Что ж, и такое бывает.

Программу профессора Ионова закрыли в 2010 году. Но о ней не забыли. И за теми, кто остался верен идеям Ионова, наблюдали. Выжидали. Ловили момент, чтобы использовать дышавшую на ладан программу максимально эффективно и загрести жар чужими руками. Пусть система захлебнется, пусть власти придут к выводу, что ее нужно перестраивать, но, как это чаще всего и случается, вся перестройка превратится в банальную перестановку кадров. Министра снимут, преданные ему кланы, так надежно окопавшиеся в своих кабинетах, разгонят, и можно будет сформировать новый корпус борцов за собственные интересы. Пусть энтузиасты-ионовцы трудятся, пусть, можно даже иногда им и помочь — подбросить жирненького спонсора, готового расстаться с деньгами сегодня в обмен на гарантии всяческих преференций и привилегий в будущем, при обновленном МВД.

«Грех так говорить, но как же вовремя от Шаркова ушла жена! — думал Константин Георгиевич, паркуя машину возле подъезда, в котором жил генерал. — По крайней мере, есть возможность все обсудить прямо сейчас, не теряя ни минуты. Была бы Елена дома — ничего бы не вышло. Вроде бы и плохо, что с женой так получилось, да еще в тот момент, когда не помешала бы поддержка близкого человека. Но, с другой стороны, для дела обернулось хорошо. Две стороны одной медали... Для Фалалеева плохо, что с дочерью беда, а нам на пользу пойдет. Опять же грех так говорить, но хорошо, что он так любит свою дочку и свою семью, готов идти на любые крайние меры ради них. Да, он, не задумываясь, предал тех, на кого работает и кто платит ему деньги, и я, по идее, должен его осуждать или, по крайней мере, относиться с недоверием. Какие-то умные слова были про единожды солгавшего... Единожды предавший, кто тебе поверит? Кто поверит? Я. Я, Константин Большаков, сумасшедший отец, бесконечно волнующийся за своих детей, его пойму и ему поверю. Времени нет ни у нас, ни у Фалалеева, а нехватка времени — плохой советчик. Время, время... Тает прямо на глазах».

— За кем еще вы следили, помимо меня и Шаркова? — спросил он своего спутника, когда они поднимались в лифте.

Фалалеев назвал несколько фамилий. Имени адвоката Бориса Орлова среди них не было. Наблюдали только за теми, кто официально работал над программой до момента ее закрытия, до 2010 года, видимо считая их преданными последователями профессора Ионова, требующими особого внимания. Это хорошо. Должно же было хоть в чем-то повезти! Если за Орловым не наблюдали, то и об Игоре Пескове не знают.

Шарков впустил их в квартиру, хмурый, собранный, сосредоточенный, но очень бледный. Устал? Расстроен? Или нездоровится? Полковник Большаков одернул себя: не до сантиментов сейчас. Нужно спасать жизнь Шаркова. Нужно спасать программу. Нужно спасать девочку, дочку Фалалеева. И все это нужно делать быстро. Переживания — долой, теперь только дело.

Валерий Олегович слушал гостя внимательно, часто перебивал уточняющими вопросами, то кивая, то огорченно качая головой. Получив всю информацию, касающуюся программы и интереса к ней, захлопнул блокнот, в котором делал пометки по ходу разговора, и сказал:

— Ну а теперь, Руслан Максимович, давайте подробнее поговорим о вашей дочери. Характер, мышление, привычки, вкусы, круг общения.

Как ни был озабочен и расстроен Большаков, все-таки легкой улыбки он в этот момент не сдержал. Они с генералом всегда думали одинаково. Реагировали по-разному, это правда, а вот мысли и соображения им в голову приходили одни и те же и, как правило, в одно и то же время. Семнадцатилетнюю девчонку, которая не любит покоя и одиночества и постоянно проводит время в компаниях, похитить не так просто. На родителей ей наплевать, она их не слушается и вообще о них не думает. Нахальная, уверенная в себе, значит, может дать отпор. В школе и даже еще в детском саду всегда была заводилой, лидером. Вероятнее всего, эту позицию она сохранила и во внешкольной компании, а лидер вряд ли будет возвращаться домой в одиночестве, особенно поздно вечером или ночью; рядом всегда крутится стайка «шестерок», провожающих свою «звезду» чуть не до дверей квартиры. От уверенности в себе недалеко и до самоуверенности, а самоуверенность — штука опасная, ибо заставляет думать, что ты самый умный и что обмануть других — плевое дело. В общем, идея продуктивная, можно попробовать ее раскрутить. Полковник быстро прикинул, кого можно попросить помочь, но так, чтобы не производить ненужного шороха. Кузьмича, пожалуй, можно, он все сделает быстро и вопросов задавать не станет. И, наверное, Хана.

Домой Большаков вернулся без малого в три часа ночи. Жена тихо спала на своей половине кровати, дочь, по-видимому, тоже угомонилась, хотя не исключено, что лежит в постели в наушниках и смотрит кино, а из комнаты сына доносилась приглушенная английская речь: Славик общался по скайпу со своей американской подружкой, с которой познакомился на форуме поклонников певицы Милен Фармер. Вот чем хороша юность! Можно полночи не спать, а то и вовсе не ложиться до самого утра, и потом весь день прекрасно себя чувствовать и вполне исправно функционировать. После сорока уже не то...

Дзюба

Люша отказалась поселиться у Анны и попросила в Сереброве довезти ее до дома, где жила какая-то родственница.

— Старушку пора навестить, давно я у нее не была, вот и совмещу, — объяснила она.

Когда добрались до дома Анны и поднялись в квартиру, Дзюба почувствовал, что сейчас рухнет в постель без сознания. Днем ему казалось, что четырех часов сна, которые он себе позволил утром, вполне достаточно для обеспечения полной работоспособности, но теперь, после вождения машины по плохой дороге и в темноте, капитан осознал, что существенно переоценил собственные силы. Надо принять душ и завалиться спать. И проспать крепко и сладко до завтрашнего утра. Только не забыть проверить телефон: Роман слышал, что приходили сообщения, но дорога была настолько тяжелой, а видимость такой плохой, что отвлекаться на то, чтобы достать телефон и читать тексты, он не рискнул. Все-таки не один ехал, а с двумя молодыми женщинами, и не дай бог, если что...

Непрочитанных сообщений оказалось много, два — от мамы, два от Большакова, остальные от друзей и коллег. Мамины сообщения можно открывать только в том случае, если точно знаешь, что можешь сразу ответить. Мама у Ромки такая, что с ней не забалуешь: если под отправленным сообщением надпись «доставлено» меняется на надпись «прочитано» с указанием времени, то попробуй только не ответить! Сразу же начинаются волнение и паника на тему «ты прочитал, но не ответил, значит, у тебя что-то случилось». Почему-то просто не прочитанное сообщение не вызывало у мамы таких страхов, к ситуации, когда человек не может воспользоваться телефоном, она относилась с полным пониманием и хорошо знала слова «совещание», «работа», «села батарея», «нет сети». А вот если человек сообщение открыл и прочитал, то есть телефоном воспользовался, но ничего не написал в ответ или не перезвонил, это могло в глазах матери означать только ужасную беду, граничащую с катастрофой. Логики в этом, по мнению капитана Дзюбы, не было никакой, но он уже давно смирился. Несколько секунд подумал над последовательностью действий и решил начать с маминых сообщений. Прочитать и сразу ответить. Не заставлять ее волноваться лишний раз.

«Я в порядке, сыт, здоров, скоро вернусь», — быстро отбил он ответ на все многочисленные мамины вопросы. Добавил какой-то смайлик, не особо рассматривая выражение нарисованных круглых рожиц.

Теперь сообщения Большакова. Первое было отправлено примерно полтора часа назад: «Взял с собой племянника, Фокин Алексей Юрьевич, 1992 г.р. Фото завтра». Второе сообщение оказалось более коротким и более тревожным: «Не уезжай. Будь готов к связи». Дзюба почувствовал, как сорвалось и быстро заколотилось сердце. В Москве было около полуночи, когда Константин Георгиевич отправил это сообщение. Почему не подождал до утра? Что за срочность? Что там случилось? Еще сегодня вечером, до отъезда из Шолохова, Ромка разговаривал с полковником по телефону, и Большаков согласился с тем, что Роману осталось только окончательно прояснить ситуацию с убийствами на железнодорожных путях и на водохранилище, на что вряд ли потребуется больше двух-трех дней, после чего съездить в Елогорск и Дворецк, если что-то еще останется неясным, и можно возвращаться в Москву, дабы не раздражать начальство и товарищей по работе. Все, что требовало личного присутствия, уже сделано, а анализировать информацию можно и в Москве.

А вот теперь, похоже, планы изменились.

Роман быстро принял душ и улегся в постель, положив телефон на пол рядом с изголовьем и проверив, на полную ли громкость включен сигнал вызова: при такой усталости немудрено ничего не услышать.

Звонок Большакова с большим трудом выдернул его из глубокого сна. В комнате было совсем темно, поди разбери, ночь или уже раннее утро. Роман, не открывая глаз, нащупал мобильник, поднес к уху.

— Хочу тебя обрадовать, — голос полковника Большакова звучал устало и одновременно как-то странно: не то растерянно, не то подавленно. — Похоже, квартирант Анны Зеленцовой — племянник Пескова. Живет по липовому паспорту, взламывает базы УВД и поставляет дядюшке информацию. Так что сиди неподвижно, как статуя, и глаз с него не спускай.

Сон слетел с Дзюбы мгновенно. Он ничего не спрашивал, пытаясь переварить услышанное.

— Это точно? — наконец выдавил он. — Такое совпадение... Как-то сомнительно.

— Вот мы и будем в ближайшие часы разбираться, совпадение это или нет, — сухо ответил Большаков. — И это все не точно, это пока только предположение. Но на всякий случай делай все так, как будто это установлено. Сегодня в шестнадцать часов по Москве совещание с Верой Максимовой, Орлов доложит, а мы обсудим. И пожалуйста, будь аккуратным и осторожным, во всех смыслах. За тобой могут смотреть отсюда.

— Я понял.

На самом деле Дзюба ничего не понял, по крайней мере в первый момент. Он посмотрел на светящийся дисплей телефона — 3.46. Самое удачное время для принятия стратегических решений, нечего сказать! Нехотя откинул одеяло, встал, босиком дошлепал до кухни, включил чайник, вынул из холодильника лимон, разрезал пополам, выдавил пол-лимона в чашку, залил теплой водой. Выпил.

Немного полегчало. Ему всегда хорошо помогала очень кислая тепловатая вода, если нужно было встряхнуть организм.

Квартирант Никита Никоненко — на самом деле Алексей Фокин, племянник Игоря Пескова? Вот же черт! Недаром, ох, недаром у Ромки еще на пути в Тавридин, в самолете, возникло ощущение, что он где-то промахнулся. Чего-то не доделал или сделал не так. Он совершенно упустил из виду младшего ребенка Лидии Фокиной, он не задал о нем ни одного вопроса ни Валентине Семеновне, ни ее дочери Лидии, ни бывшей жене Пескова. Что его сбило с толку? Слово «младший», которое как будто автоматом отсекало возможность всерьез рассматривать эту кандидатуру? Или он, Ромка, повелся на интонации Валентины Семеновны и Лидии? Потому что, если верить этим интонациям, Игорь Песков никаких особенных родственных чувств к семейству Фокиных не питал, общался с ними очень редко, знал, что кузина относится к нему крайне негативно. Вполне понятно, что при таких исходных условиях близкие контакты Пескова с племянником весьма маловероятны.

Ну ладно, на самом деле совсем нетрудно объяснить тот факт, что он, капитан Дзюба, промахнулся и на полном ходу пролетел мимо очевидного. Обычная ошибка, любой человек на протяжении жизни совершает тысячи подобных оплошностей. И то, что Алексей Фокин использует поддельные документы, тоже нормально: дядюшка Игорь позаботился не только о себе, но и о племяннике. Песков прекрасно понимал, что его будут искать, и точно так же предполагал, что очень скоро станет известно и об отъезде Алексея, а сложить два и два Большаков и Орлов смогут без труда. Если оставить мальчишке настоящие документы, то вся комбинация потеряет смысл: через племянника моментально найдут и дядю. Нет уж, прятаться так прятаться, по-серьезному, по-взрослому.

Но как объяснить появление Алексея Фокина, пусть и под именем Никиты Никоненко, у Анны? Именно у Анны, сотрудничающей с программой, тесно общающейся с Аркадием Михайловичем, серебровским куратором. У той самой Анны, которую назначили быть помощницей и якобы возлюбленной капитана Дзюбы. Можно, конечно, допустить, что утечка идет от кого-то из задействованных в программе, но... Не получается. Никита снимает квартиру у Анны давно, уже несколько месяцев, а решение отправить Дзюбу в Серебров принято только на минувшей неделе. Никто, даже самый гениальный преступник, не смог бы предвидеть, что оперативника из Москвы пришлют именно сюда, в Серебров, и поселят именно в этом доме. Тогда как?

«А никак! — с неожиданной для самого себя злостью подумал Роман. — Надо заставить себя уснуть и попытаться выспаться. Есть умные люди — Большаков, Вера, Орлов, вот пусть у них голова и болит. От меня сейчас все равно никакого толку, мозги — как улей, набитый больными пчелами».

И тут же стало стыдно. Совестно. «Пусть у них голова и болит...» Гадость какая. Недостойная взрослого ответственного человека мелкая гадость. И даже низость. Сам ведь говорил Анне недавно: нельзя обещать людям помощь, давать надежду и потом нырять в кусты. Люди на тебя полагаются, уверенные в твоей тщательности и добросовестности, в том, что ты не подведешь, не слиняешь, как крыса с тонущего корабля, не начнешь прятаться за усталость и «больше не могу». Стыдно.

Ему было не по себе от такой взрывоопасной смеси злости и стыда. Роман вдруг вспомнил, как удивлялся когда-то в детстве, читая в книгах про шпионов о пытке бессонницей и о том, что человек

может сойти с ума, если ему не давать спать. Никак не мог он в те времена понять, какая связь между отсутствием сна и психическим здоровьем. И только на оперативной работе Дзюба на себе прочувствовал последствия бессонницы. В том числе и такие, как сейчас: взрывы немотивированной злости, неадекватные реакции, от которых всего четверть шага до неадекватных решений. «Хорошо, что сейчас ночь, — вяло подумал он. — И хорошо, что никого нет рядом, по крайней мере, я никого не успел обидеть».

Он добрел до дивана и залез под одеяло. Едва начал засыпать, как сердце снова подпрыгнуло и заколотилось. Вспомнились последние слова Большакова: «За тобой могут смотреть отсюда». Точно ли он сказал это слово — «отсюда»? Или Ромке спросонья показалось? И если сказал, то что оно означает? «Смотреть» — вполне понятно, они и смотрят, люди из Тавридина, и объяснение этому давно получено. А «отсюда» в устах Большакова недвусмысленно переводится как «из Москвы». Меры, принятые генералом Шарковым для организации командировки Дзюбы, вызвали у кого-то большие подозрения? Почему? Что у них там, черт их возьми, происходит? Да еще среди ночи...

Шестой монолог

На визитках были только имена и телефоны, никаких адресов и мест работы, но все равно при нынешнем информационном беспределе найти этих социологов особого труда не составило. И никакие они не социологи, обычные молодые парни, желающие подработать.

Конечно, я неплохо владел компьютером и возможностями Интернета пользовался в полной мере, однако у меня хватило ума сообразить, что моих знаний и навыков недостаточно для того, чтобы хорошо спрятаться. Старые методы казались мне намного более надежными. Купленный на почте конверт, лист бумаги, вынутый из середины пачки, перчатки, печатные буквы... Все это использовалось в прежние времена и неплохо срабатывало. А все эти новомодные электронные письма обязательно приведут прямиком к отправителю, если сам отправитель не предпримет мер безопасности. Я таких мер предпринять не мог. Не умел.

Письма бросил в почтовые ящики. И спустя какое-то время те, кто украл у меня возможность спасти мир, получили мое послание: «Вор!»

Я был уверен, что худшего наказания просто не бывает. И снова принялся ждать, что Прекрасное Око мгновенно оценит мое справедливое возмездие ворам, простит меня и вернет в ранг Избранного. Сам я ни разу в жизни не взял чужого и обвинения в воровстве, наверное, не перенес бы. Уж не вспомню сейчас, что там было такого в моем детстве и откуда взялся этот ужас перед коротким словом «вор», но я готов был нести на себе бремя любых обвинений, пусть даже и незаслуженных, кроме обвинения в воровстве. И всю жизнь пребывал в убеждении, что точно так же думают и чувствуют и другие.

Однако я ошибся. Шли минуты, часы, дни — и ничего не происходило. Прекрасное Око не возвращалось ко мне. Тогда я понял, что мое возмездие должно быть иным. Более суровым. Более кардинальным. Более необратимым.

Что может быть страшнее обвинения в воровстве? Только одно: смерть.

Шарков

Генерал Шарков отправился на службу много раньше обычного, предварительно позвонив полковнику Алекперову и попросив зайти, как только тот приедет в министерство. Ханлар Керимович, которого друзья и многие коллеги давным-давно называли просто Ханом, вошел в кабинет Шаркова в начале девятого.

— Что-то срочное, товарищ генерал? — спросил Хан. — Или мои орлы в чем провинились?

— Просьба у меня к тебе. Личная, — негромко ответил Шарков. — Нужен список интересантов Семенюка и Грабовского.

Хан тихонько присвистнул

— Запросы у вас! Нужны только интересанты или вообще все контакты?

— Лучше, конечно, все, — вздохнул генерал. — Но будем реалистами. Мне нужны люди, которые хотели бы вытащить Семенюка и упаковать Грабовского.

— Как срочно?

— Позавчера, — усмехнулся Шарков. — И очень-очень тихо. В буквальном смысле шепотом. Сделаешь?

— Сделаю, — кивнул Хан. — Разрешите идти?

— Иди.

Алекперов сделал два шага в сторону двери, когда Шарков окликнул его:

— Погоди, Хан, еще минутку.

— Да?

— Тебе фамилия «Фалалеев» что-нибудь говорит?

Черные густые брови Алекперова взметнулись над темными, чуть прищуренными глазами.

— Руслан?

— Да, Руслан Максимович. Ты его знаешь?

— Ну, как сказать. — Хан задумался. — Не то чтобы хорошо знаю, но помню. Приходилось сталкиваться. Насколько я знаю, он давно уже не служит. А жаль.

— Почему жаль? — насторожился Шарков.

— У него мозги хорошие были. А вот характер — никуда не годился. Не мог он работать.

— Почему?

— Слишком мягкотелый. Руслан не то что ударить — он даже отказать никому ни в чем не мог. Не мог дать отпор, настоять на своем. Мямля и размазня. Вы же знаете, Валерий Олегович, на нашей службе жесткость нужна, твердость, даже и жестокость частенько не помешает. А Руслану вечно всех жалко было и перед всеми совестно. Задурили людям головы этими «чистыми руками», которыми якобы можно с преступниками справляться, вот такие нежные романтики и потянулись в органы. А им там не место. Короче, Фалалеева, как мне рассказывали, свои же и сожрали.

— За что? — с любопытством спросил генерал.

— Он профессионально-то был крепкий, умел подход к людям находить, чтобы заставить их сделать то, что нужно, но распространялось это только на дело. Как только доходило до служебных отношений с коллегами — все, лапки кверху, брюхо наружу, делайте со мной, что хотите. Вотрется в доверие к фигуранту, все у него выведает, всю подноготную вытащит, принесет информацию, бес-

ценную для раскрытия преступления, а как отчет
составлять — так начинается: у этого очередное
звание подходит, у того ребенок родился, ему нужно основание для премирования, третий на пенсию собрался, нужно сделать ему приятное под
занавес, четвертый — младший племянник старшего дворника, надо перед ним прогнуться. Сами
знаете, как это бывает. В отчеты вписывали всех
подряд, кроме тех, кто реально сделал раскрытие.
В общении с фигурантами Руслан был и изобрета-
тельным, и остроумным, ходы всякие хитрые придумывал, людей умел понимать, а с коллегами и с
начальством — полный швах, ничего не мог, пасо-
вал перед всеми, не сопротивлялся. Вот на нем и ез-
дили все, кому не лень. А потом пришла очередная
аттестация, смотрят — а у Фалалеева показатели-то
нулевые. А как им быть не нулевыми, если все его
раскрытия другим приписали? Аттестацию не прошел и был уволен.

— Неужели даже это стерпел и не возмутился?

— Деталей не знаю, — признался Алекперов. —
Но факт есть факт: уволен из органов. Больше я с
ним не пересекался. Кто-то мне говорил, что он
долгое время сидел без работы, потом вроде бы в
бизнес подался.

— Спасибо, Ханлар, — поблагодарил его Шарков
и снова напомнил: — Пожалуйста, без шума и побыстрее.

Ну что ж, характеристика, данная Ханом, вполне достоверно объясняла поведение Руслана Максимовича. Он молча проглотил хамский отказ своего
шефа Чижова. Он отдавал себе отчет в том, что не
сможет добиться помощи у тех, кто его использует

для осуществления контроля над программой. Он просто не умеет с ними разговаривать и настаивать. Руслан Фалалеев умеет только просить, причем один раз. Получив отказ, с повторной просьбой не обращается.

Похоже, этому Фалалееву можно верить. У него действительно не нашлось другого выхода, кроме как обратиться к Косте Большакову и сдать своих работодателей.

Большаков

В это же самое время Константин Георгиевич Большаков разговаривал с заместителем начальника «убойного» отдела Сергеем Кузьмичем Зарубиным. Только происходил этот разговор не в служебном кабинете, а на улице, в нескольких шагах и от дома, где жил Зарубин, и от служебной машины, на которой приехал полковник.

— Телефонные контакты я пробью без проблем, — без колебаний ответил Зарубин, выслушав «личную просьбу» главы криминальной полиции города. — У меня там много мальчиков-девочек прикормлено. А соцсети надо?

— Надо, — кивнул Большаков.

— Тут я пас. Я примитивный пользователь, чужую страницу взломать не смогу.

— А кто сможет?

— Найдем, — хитро улыбнулся Зарубин. — И не таких находили.

— Найди, — попросил Константин Георгиевич. — Только молчаливого, ладно?

— Ну, ясен пень.

— И не из наших, не из конторы. На стороне поищи.

— Само собой, — хмыкнул Сергей Кузьмич. — С этими сведениями надо будет что-то еще делать? Или тупо вам на стол нести?

— Пока не знаю. Если моя гипотеза не подтвердится, то ничего делать не нужно будет. А если подтвердится, то... Не знаю, Кузьмич, как получится.

— Ну, я понял, что вы не знаете. Но «как получится» — это тоже не ответ, — с крестьянской упрямой хитрецой возразил Зарубин. — Вы мне скажите, как может получиться и что еще может понадобиться. Предупрежден — значит, вооружен.

— Настырный ты, Кузьмич. Если я прав, то в твоих списках я найду человека, а возможно, и не одного, а двух-трех. И мне нужно будет расписать все их передвижения за последние двое суток. Кроме того, мне нужно будет узнать, где они находятся сейчас. Для этого снова потребуются твои прикормленные мальчики-девочки из техподдержки.

— А дальше? — не унимался Зарубин. — Узнаете — и на этом все?

— Узнаю — и пошлю тебя в адрес. Заберешь девушку, набьешь морды тем, с кем она там прохлаждается, и привезешь ее ко мне.

Сергей Кузьмич выразительно округлил глаза.

— Дочка, что ли? Это вы свою Лину хотите вытащить? А Кристина Фалалеева тогда кто? Подружка ее, что ли, с которой она вместе тусуется?

— Уймись, Кузьмич, — устало проговорил Большаков. — Я ищу именно Кристину Фалалееву. Ее нужно найти и привезти ко мне. И я очень ценю твою дружбу и твое умение работать быстро, не задавать лишних вопросов и не болтать.

— Понял, гражданин начальник, не дурак. А насчет «набить морды» — это как? Серьезно или ради красного словца?

— Совершенно серьезно, — подтвердил Константин Георгиевич. — Можешь даже ноги повыдергивать или переломать, если захочется.

— Тогда я возьму кого-нибудь с собой, кому это в кайф будет. Сам-то я не любитель этого дела с рукоприкладством, но есть люди, которые всегда и с удовольствием. Отчего ж не сделать им приятное?

— На твое усмотрение. И спасибо тебе заранее, Кузьмич.

«Интересно, хорошо это или плохо? — размышлял полковник Большаков, пока служебный автомобиль вез его на Петровку в здание ГУВД. — Человек работает, постепенно поднимается по служебной лестнице, делает карьеру, но в какой-то момент останавливается, и дальнейшее движение прекращается. И вовсе не потому, что он профессионально несостоятелен, нет. Он профессионал высочайшего класса. Но он ведет себя так, что недоброжелатели называют его «престарелым паяцем». Мальчишество. Озорство. Нежелание становиться солидным и внушительным. Он даже разговаривает как пацан. Одинаков и с друзьями, и с сослуживцами, что с подчиненными, что с вышестоящими. Что это? Глупость? Упрямство? Психологическая незрелость? Или какой-то механизм защиты, борьбы с комплексами низкорослого человека? Надо будет спросить у Веры. У Веры... Да, без Веры в любом случае не обойтись. Ромка Дзюба в одиночку не справится с психологическим портретом Пескова. Борис Александрович предоставит много информации, но тут нужно уметь... Положите перед не умеющим рисовать человеком хоть миллион тюбиков с красками, дайте ему хоть миллион кистей, он все равно не напишет полотно, если он не художник».

Люша

Старший лейтенант полиции Валентина Горлик не имела обыкновения задумываться над тем, нравится ей человек или нет. Вот не было у нее такой привычки, как-то не сформировалась она еще в детстве. И точно так же она не придавала ни малейшего значения тому, нравится ли она сама тем, с кем имеет дело. Разумеется, на любовь это не распространялось: Дима был для нее самым лучшим на свете, и в его глазах Люше хотелось выглядеть достойно. Но это было единственным исключением. Все же прочие люди, с которыми ей приходилось контактировать, оценивались не с точки зрения «нравится — не нравится», а исключительно с позиции «сделать так, чтобы потребный результат был, а конфликта не было». У Люши не имелось ни самолюбия, ни тщеславия, ни обидчивости. Вся ее жизнь в последние годы была сосредоточена вокруг обожаемого Димы, и она готова была костьми лечь, чтобы быть рядом с ним. Остальное ее интересовало довольно мало, в том числе и собственная внешность, которую приходилось камуфлировать и опошлять в целях профессиональной необходимости.

Как и было велено, Люша с утра явилась в городское управление внутренних дел к капитану Пустовиту, которому полагалось на основе ее информации «раскрыть» прошлогоднее убийство Леонида Борискина, а потом, потянув за ниточку, еще и два убийства на Шолоховском водохранилище.

Андрей Пустовит, округлый и туловищем, и выбритой налысо головой, встретил ее настороженно и не особо приветливо. Но Люше было наплевать, ей важно было доказать, что ее Дима — безусловный гений, а сама она тоже не очень глупая и кое-что может.

— Ваш серебровский Борискин и наш терпила Анисимов получили обвинения в воровстве, — объясняла она, не обращая ни малейшего внимания на прищуренные глаза оперативника, из которых наружу просачивалось презрительное недоверие. — Анисимову прислали письмо, обычное, бумажное, я его видела. Что прислали Борискину — мы не знаем, но точно знаем, что незадолго до убийства он выяснял со своим дружбаном, не он ли назвал его вором. Борискин и Анисимов учились в Сереброве, в одном и том же институте, но на разных факультетах, у них там всего год разницы, а четыре года совпадают...

— А тебе-то это все зачем? — неожиданно перебил ее Пустовит, даже не дослушав. — Мне сказали, ты не из «убойного». На повышение намылилась, в областной центр хочешь перевестись, очки зарабатываешь? Или личные счеты сводишь с кем-то из убойного, хочешь их мордой в дерьмо ткнуть?

Люша легко вздохнула и улыбнулась своей обворожительной улыбкой.

— Если честно, то я замуж собралась. Через три недели свадьба. Накануне свадьбы рапорт подам на увольнение, не хочу больше в полиции служить. Семейная жизнь меня больше привлекает, чем карьера. Так что никаких повышений, заработанных очков и сведения счетов мне не надо, мне это уже не интересно.

— Тогда зачем? — снова удивился Андрей. — Решила уходить — уходи. Отдала бы информацию своим коллегам из Шолохова — и спи спокойно. Для чего ты сама-то в это полезла?

Порой люди, общавшиеся с Люшей, впадали в состояние шока: девушка казалась им чересчур непосредственной и даже глуповатой именно оттого, что иногда совершенно не стеснялась говорить малознакомым людям правду о себе. Эти, впадающие в шок, просто ничего не понимали в Валентине. Им даже в голову не приходило, что ради достижения «результата без конфликта» эта девушка готова на многое. В том числе и на то, чтобы раскрыться перед чужаком, если чувствовала, что никакая ложь в данном случае не сработает лучше, чем правда. А чувствовала Люша чаще всего правильно, недаром же обладала поистине ведьминской интуицией.

— Жених у меня больно умный, — с улыбкой сказала она. — Я столько лет его ждала, так долго добивалась... Хочу перед свадьбой показать ему, что какие-то минимальные мозги у меня все-таки есть. А то потом уволюсь, осяду дома, начну детей рожать, у плиты стоять и все такое... Ты не думай, я перед начальством выпячиваться не буду, что, дескать, я додумалась и что-то там раскрыла. Ничего такого не будет. Если все получится, то героем дня станешь ты, а про меня даже и не узнает никто. Для меня главное — чтобы мой жених узнал и меня оценил.

Интуиция и на этот раз не подвела ее. Капитана Пустовита больше всего беспокоила вся эта достаточно необычная комбинация. И хотя ему четко дали понять, что эффектное раскрытие «чужого» преступления позволит руководству решить одновременно две задачи и осуществить давно задуманную кадровую перестановку, сомнения у Андрея оставались. Конечно, тот старший опер из их отдела, который не смог в прошлом году обеспечить раскрытие по трупу Борискина, давно уже для начальства как кость в горле, и лишний раз его уесть — святое дело, надоел он всем хуже горькой редьки. А Пустовит покажет себя молодцом, напишет кучу липовых бумажек о том, как хорошо работает с агентурой и какую ценную информацию, позволившую неожиданно раскрыть убийство полуторагодичной давности, ему эта замечательная агентура в клювике принесла... В общем, тут все понятно. Старшего опера задвинут наконец в какой-нибудь другой отдел, а Пустовита повысят и назначат на освободившуюся должность, заодно и перед родственником его прогнутся. В их отделе вот-вот опустеет кресло начальника, и назначить на должность, хотя бы даже «исполняющим обязанности», смогут как раз капитана Пустовита, ставшего старшим опером. Всем хорошо.

Только вот девица эта... Какая-то она странноватая. Одета ярко, вкуса — ноль, макияжа — сверх меры. Не подвела бы. А то воспользуется помощью Андрея, а потом все лавры себе припишет.

Однако, услышав объяснения старшего лейтенанта Горлик, Андрей поверил ей и расслабился. Пусть девчонка даст ему полный расклад, а уж он сам все сделает. Он будет в их паре старшим. Главным. Как он скажет — так и будет.

Когда Люша закончила, Пустовит с важным и серьезным видом изрек:

— Ты поезжай к родителям Борискина, поспрашивай про письмо и про его студенческую жизнь, а я сгоняю в общагу, поговорю с комендантом, у него должны быть все списки за прошлые годы, поищу тех, кто мог близко знать Анисимова, пока он учился. Забей в телефон мой номер, как что узнаешь — звони, докладывай.

— Слушаюсь, командир, — солнечно улыбнулась Люша.

Если Валентина стремилась к бесконфликтности, то это вовсе не означало, что она была покорной и послушной. Выйдя из здания УВД, она дошла до остановки троллейбуса, проехала несколько остановок и вышла неподалеку от бетонно-стеклянной коробки, именуемой офисным центром. Именно здесь трудился в должности начальника отдела одной из множества небольших фирм и фирмочек тот самый Геннадий Витальевич Кошкин, он же просто Кот, которому Леонид Борискин незадолго до гибели посылал эсэмэски с просьбой забыть старое, перестать ревновать и больше не называть его вором.

Ответив на телефонный звонок, Кошкин пообещал минут через пять спуститься вниз, но предупредил, что времени у него будет мало. Ждать его пришлось не пять минут, а все двадцать, но Люша умела не злиться в таких ситуациях. «Все к лучшему», — говорила она себе и тут же старалась найти подтверждение своим словам. Например, рядом с входом в здание есть киоск, в котором продаются газеты, журналы и всякое развлекательное чтение, и можно купить что-нибудь почитать, а то ведь неизвестно, сколько времени ей придется в ближайшие дни провести в городском транспорте или в электричках, если придется мотаться по всей области. Заодно и шоколадкой нужно запастись.

Кошкин выскочил на улицу в расстегнутом пуховике и тут же полез в карман за сигаретами.

— Что там насчет Леньки? — с деловым видом страшно занятого и вечно спешащего человека спросил он. — Нашли убийцу?

— Ищем. Геннадий, вы помните, что незадолго до смерти Борискин спрашивал, не вы ли назвали его вором?

— Помню, конечно.

— Так не вы?

— Ну ясное дело, что не я! — с раздражением воскликнул Геннадий.

— А кто, не знаете?

— Да понятия не имею. Мы с Ленькой потом об этом несколько раз говорили, он все удивлялся, не мог понять, кто мог такое ему написать.

— Написать? То есть ему прислали сообщение или письмо? Или все-таки устно сказали?

— Он говорил, что получил письмо. Вообще дурь какая-то, — с недоумением проговорил Кошкин. — Ну кто в наше время письма в конвертах пишет? Прошлый век.

— Борискин показывал вам это письмо?

— Нет, зачем? Просто сказал, что получил, из почтового ящика вынул. Там в конверте был всего один листок, на нем написано «Вор!». Ленька сказал тогда, что сразу письмо выбросил, посчитал, что это я так по-дурацки пошутил.

«Значит, пока все правильно, — подумала Люша. — Почтовый конверт, один листок, одно слово. Все сходится. Жаль только, что конверт не сохранился, хорошо было бы посмотреть, откуда и когда письмо отправлено. Ну да ладно, как есть — так и есть».

— Вы с Борискиным давно были знакомы? — приступила она к следующему циклу вопросов.

— Сто лет! — тут же отозвался Геннадий Кошкин, лихорадочно прикуривая вторую сигарету.

— А поточнее?

— Да со школы еще. В одном классе учились. Институты у нас, правда, были разные, но дружили всегда, у нас крепкая компания сложилась.

— Борискин никогда не упоминал Егора Анисимова?

— Нет, а кто это такой?

— Это парень, который учился в том же институте, но на другом факультете, в те же годы, что и Леонид, — пояснила Люша. — И он, представьте себе, тоже получил такое письмо, и тоже был убит, но в другом городе. Вот я и думаю, где же ваш друг Борискин и этот Егор Анисимов могли пересекаться? Кого-то оба они сильно против себя настроили. Дали повод назвать себя ворами.

Кошкин посмотрел на нее с удивлением, смешанным с некоторым недоверием.

— Вы что, серьезно?

— Абсолютно серьезно.

— Вы же сами сказали, что они вместе учились. Вот во время учебы и пересеклись.

— Факультеты разные. Они даже в разных зданиях находятся, я проверяла. Значит, если они тогда пересекались, то на каких-то общеинститутских мероприятиях. Или на подработках. Так?

— Само собой, — кивнул Кошкин и полез за третьей сигаретой.

Поймав взгляд Люши, слегка смутился и сказал:

— Теперь в здании с курением строго, а курилку не оборудовали, вот и пользуемся каждой возможностью выйти на улицу и накуриться впрок, чтобы на несколько часов хватило. А что касается подработок, то — да, Ленька иногда этим занимался, когда деньги были нужны, и когда студентом был, и когда уже работал. Обычно его родители снабжали, ему хватало, но случалось, конечно, что нужда возникала. Он постоянную работу не искал, а такую, знаете, разовую: сделал — деньги получил — ушел.

Под попытки напрячь память и выудить из нее все, что Геннадий Витальевич когда-либо знал о студенческих годах своего покойного друга, была выкурена и четвертая сигарета, после чего Люша одарила Кошкина одной из своих потрясающих улыбок, поблагодарила за помощь и распрощалась.

— Если еще что-то вспомните, позвоните, пожалуйста, — попросила она.

— А если не вспомню, то не звонить?

Вопрос был ею понят совершенно однозначно, впрочем, он и в самом деле никакого другого смысла не имел. Сказать ему, что через три недели она выходит замуж, никаких приключений на свою голову не ищет и звонить ей не нужно? «Результат и бесконфликтность», — напомнила себе Люша и ответила:

— Буду рада вас услышать. Но еще больше буду рада, если вы что-то вспомните.

И еще раз улыбнулась. На всякий случай. Не нужно обижать людей.

* * *

Перед приходом к Борискиным Люше пришлось зайти в первое попавшееся кафе, выпить чаю с невкусной булочкой и воспользоваться туалетной комнатой: с таким лицом вряд ли правильно показываться на глаза убитым горем родителям. Для Кота и даже для капитана Пустовита ее «опошленный» вариант вполне годился, а вот для беседы с людьми немолодыми совсем не подходил. Сняла шарф, засунула его в рюкзачок, тщательно умылась, промокнула лицо бумажными полотенцами. Придирчиво осмотрела себя в зеркале: нет, яркая кислотно-зеленая куртка все портила, и даже лицо без косметики не спасало. И Валентина Горлик похвалила себя за то, что правильно подходит к выбору покупаемой одежды: пусть дороже, но зато функциональнее. Куртка-то была двусторонней, и внутренняя ее сторона имела спокойный золотисто-коричневый цвет.

У своих родителей Леонид Борискин был единственным ребенком, к тому же поздним, и к моменту гибели сына старшие Борискины уже вышли на пенсию. Люше удалось застать обоих дома.

Разговор, увы, не получился. Вернее, получился не таким, как хотелось бы Люше. Почти сразу выяснилось, что ни про какое письмо Ленечка родителям не говорил и про то, что кто-то назвал его вором, тоже не рассказывал. В последний год перед гибелью Леонид стал снимать квартиру и жить отдельно, это понятно, дело молодое. О том, что их сын во время учебы в институте или после его окончания еще где-то кем-то подрабатывал, они тоже не были в курсе. В общем, время потрачено впустую, и можно уходить.

Но Борискины имели на сей счет совсем другое мнение. Они жили воспоминаниями о единственном сыне и радовались возможности поговорить о нем. В ход пошли приглашения выпить чаю, угощение конфетами и даже предложение «быстренько пожарить котлетки». И Люша дрогнула. Не хватило у нее смелости и черствости на то, чтобы отказать.

Тут же были принесены альбомы с фотографиями и последовал подробный рассказ о детских и подростковых годах Леонида. Люша слушала вполуха, не забывая вовремя кивать и периодически восторженно ахать.

— Мы ничего Ленечкиного не выбрасывали, — говорила мать Борискина. — Все храним для памяти, даже — вот, видите? — открыточку в альбом вставили, это Леня мне сам нарисовал к Восьмому марта, он тогда в пятом классе учился.

И Люша послушно рассматривала неумело, но старательно нарисованную веточку мимозы и написанные крупным детским почерком слова поздравления любимой мамуле.

В этот момент интуиция слегка приподняла голову и насторожилась. Люше это обычно ощущалось как внезапный легкий озноб, ну настолько легкий, что можно было и не заметить.

— У вас, наверное, много чего от сына осталось, — осторожно начала она. — Письма, грамоты, конспекты институтские...

— Ну, писем-то нам Леня не писал, — покачал головой отец Борискина, — он никуда надолго не уезжал. И грамот он ни за что не получал. А конспекты и черновики всякие — это да, этого много осталось.

— Ленечка хорошо учился, — вступила мать, — у него конспекты всегда были самые лучшие на курсе, он всем давал списывать и потом все смеялся, что когда-нибудь дорого продаст их, если будет острая нужда в деньгах.

Люша снова принялась восторгаться, удивляться и попросила посмотреть такие удивительные конспекты. Борискин скрылся в другой комнате и вернулся с огромным толстым дерматиновым портфелем, изрядно потертым и поцарапанным. Она быстро прикинула: в ее школьные годы таких портфелей ни у кого не было, все ходили с сумками или рюкзаками, так что, наверное, портфель принадлежит самому отцу Леонида, а может быть, даже и деду. Да, похоже, в этой семье вообще не принято ничего выбрасывать.

— Вот, — Борискин начал торжественно выкладывать на стол содержимое портфеля, — все, что от Ленечки осталось, мы сюда собрали. И школьное, и институтское, и более позднее. И то, что нам хозяева квартиры вернули, тоже здесь.

Под «более поздним», как выяснилось, подразумевались какие-то квитанции об оплате чего-то, договоры на интернет-связь, на ремонтные работы, магазинные чеки, оставшиеся от покупок, и прочая бумажная ерунда, которая уже никогда никому не пригодится. От школьных времен остались два черновика сочинений по русской литературе, по «Петру Первому» Алексея Толстого и по «Господам Головлевым» Салтыкова-Щедрина, и несколько тонких тетрадок по математике периода начальной школы. Самый обильный урожай представляли собой институтские конспекты по дисциплинам, от одного названия которых Люшу задурнило. Для нее всегда оставалось загадкой, какие мозги нужно иметь, чтобы это хотя бы приблизительно понимать, не говоря уж о том, чтобы в этом хорошо разбираться.

Листы, плотно исписанные четким красивым почерком, аккуратно вырисованные схемы, на полях ручкой другого цвета стоят пометки: НУ.

— А что такое НУ? — спросила она, поднимая глаза.

— «Нет в учебнике». Ленечка всегда помечал, если преподаватель давал материал, которого нет в учебнике, потому что на экзаменах это обязательно спрашивали.

— Понятно...

Одна тетрадь, другая, третья... И какая-то тоненькая брошюрка, четыре листочка, скрепленных в книжку, на титульном листе надпись: в самом верху — «Центр «Социолог», посередине — «Анкета для опроса населения», внизу — «г. Серебров, 2009». Люша открыла анкету и стала читать вопросы:

Пол, возраст, образование, семейное положение.

«Занимаетесь ли вы спортом?»

«Смотрите ли вы спортивные передачи по телевидению?»

«Посещаете ли вы спортивные соревнования на стадионах или в спортклубах?»

И еще куча всяких вопросов про отношение опрашиваемого к спорту. Дальше пошли вопросы, касающиеся строительства нового стадиона на окраине Сереброва. Все понятно, проводился социологический опрос с целью выявить отношение населения к этому строительству. Наверное, что-нибудь предвыборное, как обычно. Ну конечно, вот и вопросы, нацеленные на то, чтобы понять, знают ли жители своих депутатов и вообще представляют ли себе, кто у них заседает в муниципалитете и в мэрии. А кого посылают опрашивать население? Само собой — студентов. Сплошь и рядом. Студенты всегда готовы подзаработать, и их намного проще собрать вместе и проинструктировать, чем набирать просто желающих из населения. Ну что ж, можно считать, что одно место студенческой «халтурки» Леонида Борискина установлено. Вот будет здорово, если у Анисимова тоже что-то подобное нарисуется!

Люша быстро свернула разговор, сказала, что посидела бы еще с удовольствием, но ей пора бежать, служба, знаете ли. Спускаясь по лестнице, прикинула, не позвонить ли командиру Пустовиту, но решила, что обойдется пока. Если уж делать работу не для начальства, а для себя, то так, чтобы можно было гордиться. Люша Горлик — человек экономичный, это она про себя знала совершенно точно. Еще мама в далеком детстве говорила о ней: «Наша Валюшка всегда найдет самый короткий путь, у нее от лени развилось чутье на самую легкую дорогу». Ну, положим, насчет лени Люша готова была и поспорить, про лень мама говорила только потому, что маленькой Вале совершенно не давались ни математика, ни физика, ни химия, и мама считала, что девочке просто лень учить материал. А вот насчет чутья — тут мама не ошибалась. С чутьем у Вали Горлик всегда было все в большом порядке.

Оказавшись на улице, Люша поискала глазами укрытие, спряталась под козырек какого-то магазина и вытащила смартфон. Адрес Центра «Социолог» нашла быстро, убедилась, что сайт обновлялся пару месяцев назад, значит, можно надеяться, что информация не устарела. Поискала на карте и хмыкнула: конечно, могла бы и сама догадаться. Центр находился всего в двух кварталах от главного корпуса того института, где учились Леонид Борискин и Егор Анисимов. Добираться придется с пересадкой, сначала на автобусе, потом на троллейбусе. Ну ничего, у нее журнальчик есть, молодец, что купила, как чуяла, что пригодится.

* * *

Девушка в Центре «Социолог» долго не могла взять в толк, почему старший лейтенант полиции Горлик интересуется социологическим опросом 2009 года. Это же было 7 лет назад! Судя по виду, девушке было лет 20, вряд ли больше, скорее меньше, и то, что происходило, когда ей было 12—13 лет, казалось, наверное, преданиями настолько глубокой старины, что даже удивительно, как этим вообще можно интересоваться. Практически археологические раскопки!

— Вы посмотрите в компьютере, наверняка ведь все данные там есть, — настаивала Люша. — Меня интересует список студентов, которых привлекали к опросу про спорт и стадион.

Девушке по какой-то непонятной причине ужасно не хотелось ничего искать в базе данных, и она сопротивлялась изо всех сил.

— У нас нет деления на студентов или не-студентов.

— Не имеет значения, я только посмотрю фамилии. Я же фамилии знаю.

— Я не имею права без разрешения руководства.

— Давайте спросим. Где ваше руководство? Я сама попрошу разрешения.

— Никого сейчас нет. Приходите завтра.

«Убила бы, — подумала Люша и тут же напомнила себе: — Результат и бесконфликтность». Этому ее научили на первой службе, когда установщицей была. Не нужно, чтобы люди о тебе вспоминали. А люди — они такие, все хорошее быстро забывают, а все плохое, негативное помнят годами, пережевывают, другим рассказывают. Допустишь конфликт — считай, задание провалила. Ты должна вернуться с результатом, с информацией, а не с хвостом негатива.

Чем будет заниматься молоденькая девушка на рабочем месте, когда нет никого из руководства? Ответ очевиден. Из доступных развлечений — только компьютер. Значит, или играет, или с кем-нибудь активно общается. И прерываться ей совсем не хочется.

— Вы, наверное, очень заняты, у вас же наверняка полно работы, — Люша изобразила трепетное сочувствие сотруднице, которую злые начальники по уши загрузили заданиями, а сами свалили отдыхать и развлекаться. — У нас тоже так всегда бывает: начальники перед тем, как уйти, всем поручений

навалят выше головы, чтобы мы не расслаблялись.
Я вижу, у вас тут еще один компьютер стоит. Может
быть, вы мне скажете пароли, я сама все найду? Ну,
чтобы вас от работы не отвлекать. Ничего лишнего
я смотреть не буду, честное слово!

На лице девушки отразилось нескрываемое облегчение.

— Там пароль простой, на английской клави-
атуре набираете русскими буквами «Социолог», с
заглавной буквы, вот и все. Включайтесь, а потом я
вам скажу, куда идти. У нас ничего секретного все
равно нет.

Люша довольно быстро нашла информацию об
опросах, проведенных в 2009 году. Действительно,
их было много, поскольку близились выборы. Какие
именно, кого и куда — она вникать не стала, ибо по-
литикой не интересовалась и ничего в ней не понимала. Нашла папку с файлами, касающимися «спор-
тивного» опроса, и чуть не подпрыгнула от радости:
там был не только полный список всех задействованных интервьюеров, но и участки, на которые их
отправляли опрашивать население. На каждый участок, охватывающий примерно 100 квартир, по два
человека. Опрос проводился в течение всего одного
дня. А вот и они — Леонид Борискин и Егор Анисимов, им определили дом 24 по улице Красноармей-
ской и дом 3 по соседней улице Бакулева, буквально
за углом. Не подвело чутье Люшу, не подвело.

— Я нашла, — сообщила она радостно. — Распе-
чатать можно?

— Угу, — промычала девушка, углубившаяся, насколько могла понять Люша, в игру. — Принтер под
столом.

Через несколько минут старший лейтенант Горлик уже выходила на улицу. Вот теперь можно и позвонить.

— Кажется, я нашла, — неуверенным, даже робким тоном сообщила она Андрею Пустовиту. — Борискин и Анисимов участвовали в соцопросах, которые проводил Центр «Социолог». Там неплохо платили студентам-добровольцам. Если хочешь, я сгоняю узнаю подробности, мне тут недалеко.

— Валяй, — отозвался тот довольным голосом. — У меня этот «Социолог» пока не высветился, но в принципе уже мест пять, где Анисимов подрабатывал, я накопал. Если в «Социологе» окажется пустышка, пойдем дальше по списку. Кроме этого центра у тебя еще что-нибудь есть?

— Есть, — уверенно соврала Люша. — Я сейчас инфу дособеру и потом тебе все вместе доложу.

— Хорошо, а я пока пообедаю.

«Обедай-обедай, командир, — весело подумала старший лейтенант Горлик. — А у меня шоколадка есть, можно время сэкономить».

Она потопталась на месте, прислушиваясь к себе. Замерзла, что ли? Или опять озноб, свидетельствующий о том, что где-то совсем рядом лежит решение задачи?

«А чего ее решать-то? — сказала сама себе Люша. — Она решена. Борискин и Анисимов вместе участвовали в опросе в 2009 году, и адрес есть, по которому они вдвоем по квартирам ходили. Что меня не устраивает? Где-то что-то не так... Шесть лет от опроса до убийства... Много... Черт, прямо трясет от холода. Надо вернуться и перепроверить».

Люша покрутила в руке шоколадку, которую уже достала из рюкзачка, порассматривала обертку, сунула в карман. И быстрыми шагами направилась в офис «Социолога».

Девушка-менеджер так и сидела за своим компьютером, полностью погруженная в прохождение уровней.

— Извините, — елейным голоском начала Люша, — очень не хочется вас отрывать, но я сообразила, что не все посмотрела. Можно я еще разочек включусь? Я быстро.

— Ага, давайте, — кивнула девушка, не отрывая взгляда от экрана. — Пароль помните?

— Да-да.

Люша торопливо пролезла между креслом девушки и соседним столом. Включила компьютер, ввела пароль, нашла нужные папки. Конечно, она соврала, пообещав, что «она быстро». Быстро тут никак не получится, нужно проверять каждый из опросов, проведенных с 2009 по 2015 год. Если человек, который постоянно ищет подработки, находит место, где работа не пыльная, а платят неплохо, то он обязательно вернется в это место. Почему она решила, что Борискин и Анисимов работали вместе только на одном опросе? А вдруг нет?

Люша терпеливо просматривала списки интервьюеров последовательно на каждом из проведенных «Социологом» опросов. То ей попадался только один Борискин, то только Анисимов. А вот и оба! В том же 2009 году, в декабре, перед самым Новым годом. Отлично! Распечатаем вместе с адресами, за которыми закреплены мальчики, и идем дальше.

Снова либо один, либо другой... За весь 2010 год — ни одного совпадения. В 2011-м — тоже ни одного. В 2012-м — два раза они вместе участвовали в опросах и были на одном и том же участке. Видно, ребята друг другу понравились, и если совпадало так, что они оба участвуют, просили, чтобы их поставили в пару. Что ж, разумно. Сама Люша поступила бы точно так же. Всегда лучше работать с проверенным напарником.

В 2013 году — одно совпадение. В 2014-м — ни одного. В 2014 году Егор Анисимов в опросах вообще ни разу не участвовал, наверное, был чем-то очень занят, а Шолохов все-таки не ближний свет. И в 2015-м тоже не участвовал, по крайней мере до июня. А в июне его уже убили.

Итого, два участка в 2009 году, два участка в 2012-м, еще один — в 2013-м. Всего пять. На каждом примерно по 100 квартир. Да уж, наглотаются они с капитаном Пустовитом пылищи... Но если подойти к делу разумно, то можно значительно сэкономить усилия.

А уж по части экономии усилий старшего лейтенанта Горлик вряд ли кто обойдет.

Шарков

Как назло, день был под завязку набит мероприятиями, требовавшими его присутствия. Совещание у заместителя министра. Пресс-конференция в связи с задержанием сенатора из Совета Федерации за получение взятки в особо крупном размере. Еще одно совещание, которое должен был проводить уже сам генерал Шарков со своими подчиненными. Работа с документами, требовавшими его подписи. Заседание рабочей группы, созданной для разработки очередной никому не нужной концепции, которая все равно не будет использована, даже если окажется гениальной.

Как жаль тратить свою жизнь на всю эту дребедень... Даже не жизнь, а ее жалкие остатки, которые, вполне возможно, исчисляются часами, а то и минутами. Все может случиться в любой момент.

Валерий Олегович с удивлением осознал, что эта мысль не породила в нем ничего, кроме тупого безразличия. Еще позавчера, даже еще вчера вечером, до того, как внезапно позвонил Костя, а потом привез к нему Фалалеева, генерал то и дело твердил себе: «Если я выживу, если я успею сделать операцию до того, как все разрешится само собой, я буду жить по-другому. Верну Лену, стану ей прекрасным мужем, начну интересоваться искусством и всем, что связано с ее работой, и пусть она приводит своих подружек к нам домой. Буду чаще видеться с отцом. Буду больше времени проводить с внучкой Маришкой. Буду регулярно ходить к врачам, чтобы не допустить такого еще раз». Много, много разных обещаний давал Шарков то ли самому себе, то ли судьбе, то ли небесам, выторговывая только одно: возможность спасти программу и при этом не умереть. Последний разговор с отцом внес разлад в твердую внутреннюю установку, гласившую, что дело — прежде всего, а дело всей жизни — важнее самой этой жизни. Генерал начал сомневаться. Вел бесконечные внутренние диалоги с Олегом Дмитриевичем, пытался спорить, искал аргументы, доказывал. То и дело ему начинало казаться, что он уже согласен с отцом, принял его доводы, осознал свои заблуждения, и нужно не дожидаться истечения трех суток, которые он выговорил для себя у Кости, а бежать в госпиталь и соглашаться на операцию. И тут же перед глазами вставали лица людей, с которыми пройден такой длинный путь, и вспоминались их голоса, и снова всплывало со дна груди то радостное волнение, которым сопровождалась вся работа над программой еще тогда, когда жив был Евгений Леонардович Ионов. В те времена «дело» было синонимом «счастья». Разве это можно забыть? И разве можно это предать?

Внутренние метания Шаркова начинали приобретать форму бессвязного бормотания: «Если я выживу, то я... Нет, если удастся спасти программу, то я... А если я не выживу? Программу спасем, а меня не будет, тогда что? Что я могу предложить взамен?» Он утыкался в тупик, понимая, что торговаться не получается: покойник — не товар, он не имеет ценности, ценность имеет только жизнь, потому что только живой человек имеет возможность совершать поступки. Поступок и его последствия имеют свою цену. Умерший человек свою цену теряет и из торгов выбывает.

Вчера он запутывался в своих рассуждениях, впадал в отчаяние, злился, и все это были эмоции. А сегодня их уже не было. Ему стало все равно. Он узнал, что программу — любимое детище его учителя Ионова, дело всей жизни самого Шаркова — хотят использовать для того, чтобы набить очередные карманы. Валерий Олегович был человеком честным и порядочным, но вот нежным романтиком, как выразился сегодня утром Ханлар Алекперов, он никогда не был. Он умел смотреть на вещи трезво. И поэтому отлично понимал, что у тех, кто намерен использовать программу в своих интересах, ресурс на порядки сильнее, чем у него самого. В этой войне он совершенно точно проиграет.

Собственно говоря, он уже проиграл. Надо найти Игоря Пескова и остановить, иначе он продолжит убивать людей. Надо помочь несчастному Фалалееву вернуть домой дочку. Надо лечь в госпиталь и сделать операцию.

И все. На этом тему можно будет считать исчерпанной.

ИЗ БЛОГА
АННЫ ЗЕЛЕНЦОВОЙ

Во время сегодняшнего эфира хотелось поаплодировать ведущему и при этом набить морду ассистенту, набиравшему массовку. Стыдно и больно было смотреть, как пожилая женщина, с трудом пришедшая в студию, рассказывает о том, как мошенники ее обманули, а люди в зале ржут, как в цирке во время выступления клоунов. Спасибо ведущему, он вел себя достойно, очень по-человечески и уважительно и хоть как-то сгладил некрасивую ситуацию в студии.

Но история старушки, нарвавшейся на мошенников, которые ходят по квартирам и рассказывают про какие-то акции, попутно подсовывая на подпись некие бумаги, напечатанные очень мелким шрифтом, не оставила меня равнодушной. Знакомых у меня много, и есть среди них люди самого разного возраста, и у них тоже много всяких знакомых... В общем, круг достаточно широкий. И выяснилась, друзья мои, вот какая любопытная штука: мало того что на подобное мошенничество попадается много стариков, тут есть еще один фокус. Эти старики никак не могут добиться того, чтобы в полиции у них приняли заявление о совершенном против них преступлении. И здесь присутствуют, оказывается, две толстые тонкости, о которых я и не подозревала. Первая: старики на то и старики, особенно если одинокие, и не могут они ехать в полицию, если она находится далеко от их дома, и не могут сидеть там часами, пока их примет дежурный оперативник. Они пишут свое заявление и отправляют его по почте. А через какое-то время получают свое заявление обратно с предложением устранить недостатки. Устраняют, как могут (а могут не всегда правильно, потому что указания на недостатки сформулированы расплывчато и непонятно) и снова посылают. И снова получают назад с очередным предложением устранить еще какой-нибудь недостаток. И так может продолжаться до бесконечности. А что говорит закон? А закон говорит, что по поступившему заявлению можно либо принять решение о возбуждении уголовного дела, либо отказать в возбуждении дела, либо направить материал в другой орган по подследственности. Всё. Других вариантов нет. И никакого «возвращения заявления» в уголовно-процессуальном законе не предусмотрено. В гражданско-процессуальном — да, есть такое. А в уголовно-процессуальном — извините. Вернули заявление по почте — считай, грубо нарушили закон. А сколько таких нарушений, если б вы знали! Вторая толстая тонкость касается как раз тех самых недостатков, которые требуется устранить. Недостатки эти бывают разные, и требования их устранить могут быть основаны на законе, а могут быть высосаны из пальца. Вот вам пример: заявитель не полностью указал свои паспортные данные или неправильно написал название органа, в который обращается. Ну, тут дело святое, надо переписать заново, чтобы все было правильно. Что должен сделать сотрудник полиции, увидев подобные ошибки в заявлении? Правильно, сказать: «Давайте я вам помогу все сделать как надо, без ошибок» — и помочь. А что полицейские делают на самом деле, догадались? Молодцы!

Но есть и другой вид недостатков, нуждающихся в устранении. Тут перечень поистине бесконечен! Насколько у полицейских хватит фантазии. Например, пишет человек в заявлении: «Из моей квартиры была совершена кража» или: «Мне были нанесены побои и телесные повреждения», а полицейский ему на это: «Вы не имеете права давать в своем заявлении правовую оценку совершенного деяния, заявление принять не могу». Где написано, что я не имею права давать правовые оценки? Нигде! Что значит «я не имею права чего-то писать в своем заявлении»? Это как, позвольте спросить? А где же свобода слова и мысли, гарантированная мне Конституцией? Да я в своих заявлениях что угодно могу написать, хоть нашего мэра гориллой обозвать. Да, это хулиганство, ну так накажите меня за это. Но заявление принять обязаны. Не надо путать Божий дар с яичницей.

А что же происходит с нашими жертвами, которых таким вот нехитрым способом лишили свободы слова? Кто-то переписывает здесь же, на коленках, согнувшись в три погибели (стол и стул, как вы сами можете догадаться, никто потерпевшему не предоставит в надежде, что человек помучается, два-три раза переписывая заявление, устанет и уйдет), кто-то уходит домой и через какое-то время снова приносит заявление с исправленными ошибками, но эту роскошь может себе позволить только неработающий субъект, ибо у работающего просто нет столько свободного времени в течение рабочего дня, чтобы несколько раз ездить за тридевять земель и часами ждать, пока тебя примут. В общем, тоже неплохой вариант вынудить жертву отказаться от попыток подать заявление и добиваться возбуждения дела.

Орлов

Утром Орлов первым делом проверил электронную почту. И как Большакову это удается? Такое впечатление, что он не спит вообще никогда и его помощники тоже отдыхом не балуются. К письму прикреплено несколько файлов. В первом — длинный

135

список тех, кто отбывал наказание в одном отряде с Вадимом Песковым на момент освобождения последнего. Во втором списке — те из них, кто освободился в течение пяти лет после выхода Пескова на волю. Иными словами, во втором списке находились люди, которые были знакомы с Песковым по зоне и теоретически вполне могли навестить его на воле. Ведь говорил же Игорь, что к отцу приходили какие-то незнакомые мужчины. И кто из них в силу своей криминальной деятельности имел выходы на возможности изготовления поддельных паспортов? Правильно, для этого и существует список в третьем файле. Совсем короткий, всего шесть имен. В четвертом файле Орлов обнаружил 12 фотографий: анфас и профиль каждого из шестерых.

«Уважаемый Борис Александрович! — гласило письмо. — На всякий случай высылаю вам полную информацию, потому что ребята работали второпях, при сверке возможны ошибки. Ваш К.Б.»

Ну что ж, ошибки — значит, ошибки. У Орлова нет времени сидеть с этими списками и сличать фамилии и даты рождения. Нужно начать с тех шестерых, а уж если ничего не выйдет, тогда покопаться в этих списках, поискать тех, кого упустили. Сверяли наверняка при помощи компьютерной программы, которая, конечно, ничего не пропустит, но и о человеческом факторе забывать нельзя. В конце 1990-х компьютеризация в местах лишения свободы и во всей системе исполнения наказаний только-только начиналась, огромные массивы информации вводились вручную, и вероятность ошибок очень высока: даже самые старательные работники имеют обыкновение уставать или отвлекаться. Если в одном списке есть некто Иванов 1964 года рождения, а во втором списке имеется Иванов 1965 года рождения, то программа не покажет совпадения, а на самом деле это один и тот же Иванов, просто оператор при вводе данных ошибся на одну цифру, промахнулся на одну клавишу. То же самое может произойти с номером статьи Уголовного кодекса, которая тоже указывается в этих списках. Одна неправильно введенная цифра — и все, человека потеряли.

Борис Александрович включил принтер, распечатал фотографии, сложил в папку и отправился по тому адресу, где проживал Игорь Песков.

* * *

— Ой, а тот мальчик рыженький, значит, ваш помощник? — почему-то радостно всплеснула руками пожилая соседка Пескова. — Симпатичный такой, вежливый.

Начать Борис Александрович решил именно с нее: дама, как сообщил Дзюба, была в курсе, что Игорь постоянно пишет «в инстанции» и получает ответы, поэтому визиту адвоката не удивится и не станет с подозрением в голосе интересоваться, почему это спросить про Игоря решили именно у нее.

— Скажите, а вы сами слышали, как Песковы скандалят?

— Слышала, — охотно подтвердила соседка. — Стены-то тонкие, слышно хорошо. Катя как завизжит: «Не трогай меня! Не трогай ребенка!» Потом что-то грохнет, видимо, Вадик посуду бил, а потом Катя выскакивает с Игорьком и бежит прятаться.

— К вам? — уточнил Орлов.

— Ко мне только один раз прибегала, а так все больше к Нинке на второй этаж бегала или к Зое на четвертый.

— Но к вам же ближе, — удивился он. — Или эти Нина и Зоя были ее подружками?

— Да нет, какие там подружки, — соседка махнула рукой, — Катерина ни с кем в доме не водилась, она ж была птица другого полета. У нее и шмотки всегда импортные были, и продукты дефицитные, уж не знаю, какие такие связи надо было иметь, чтобы так одеваться. И Вадика одевала, и Игорька, они у нее всегда были как игрушечки в витрине, нарядные. Вот ведь судьба какая: все было в семье, полный достаток, а счастья не было, одно горе для всех вышло.

— Не подскажете номера квартир, в которых жили эти Нина и Зоя?

— Нинка была из сорок второй, это на втором этаже, а Зойка — не скажу точно, или из сорок девятой, или из пятидесятой. Они там все за эти годы поменялись и поразъехались кто куда. Таких, как я, которые с самого заселения тут живут, единицы остались.

Орлов быстро глянул в свои записи, хотя был уверен, что помнит все данные наизусть. Да, так и есть, свидетели Нина и Всеволод Бобрики (муж и жена) из квартиры 42, свидетели Зоя и Владимир Полянычко (тоже муж и жена) из квартиры 49, все четверо давали показания и на предварительном следствии, и в судебном заседании. Еще была свидетель Красавина, тоже из квартиры 42, судя по дате рождения — мать кого-то из супругов Бобрик, проживавшая вместе с ними. Итого пять свидетелей, в красках и подробностях рассказавших следователю и суду о том, как перепуганная насмерть Катя Пескова вместе с малолетним сыном регулярно прибегала к ним прятаться от пьяного агрессивного мужа и пережидать, пока дебошир успокоится и заснет, и как она боялась, что когда-нибудь муж просто убьет ее.

— А Ирина Юхнова из тридцать седьмой квартиры еще живет здесь? — спросил Борис Александрович.

Лоб его собеседницы пересекли глубокие морщины.

— Из тридцать седьмой? — переспросила она. — Это вы что-то путаете, тридцать седьмая на первом этаже, однокомнатная, там Клавдия Васильевна живет, она совсем старая уже, почти не выходит. Мы с ней одновременно заселялись. И никакой Юхновой там никогда не было, у Клавы фамилия «Попова», и она всегда одна жила, у нее и нет никого из родни.

Ну все правильно. Именно это и пришло в голову Орлову вчера вечером, когда он обратил внимание на странные совпадения в материалах дела.

— Может быть, вы помните Александра Бежицкого из пятьдесят седьмой квартиры? — задал он очередной вопрос, уже предполагая заранее, какой именно ответ услышит.

— Это какой же этаж? — Дама задумалась, что-то подсчитывая. — Седьмой, получается? Нет, с седьмого этажа я вообще никого не знаю. Забыть не могла, на память пока не жалуюсь. Значит, не знакома была.

— А вот это очень хорошо, что вы на память не жалуетесь, — оживленно заговорил Орлов. — Посмотрите, пожалуйста, эти фотографии: вам никто из этих мужчин не встречался? Может быть, кто-то из них приходил к Песковым?

Пожилая соседка нацепила на нос очки и внимательно рассмотрела все двенадцать снимков.

— Вот этот, — она уверенно показала на одну из фотографий. — Только здесь он намного моложе.

— Вы уверены?

— Совершенно уверена, — кивнула женщина.

— Но ведь столько лет прошло, — с сомнением заметил адвокат.

— Да почему же? — искренне удивилась та. — Всего полгода прошло. А память у меня хорошая, и зрение вдаль прекрасное, я очки только для чтения надеваю или вблизи что-то рассмотреть.

— То есть вы этого мужчину видели полгода назад?

— Именно это я и сказала. — Женщина поджала губы, очевидно обиженная тем, что кто-то позволил себе усомниться в точности ее сведений. — Незадолго до того, как Игорек уехал. Я их обоих видела на улице. Игорек из нотариальной конторы вышел как раз, а этот мужчина, только постаревший по сравнению с фотографией, стоял возле машины, ждал его. Игорь подошел к нему, а я дальше прошла, мне в магазин нужно было. Иду обратно — а они все стоят, разговаривают.

— Игорь вас видел?

— Ну а как же, я же мимо шла, поздоровалась с ним.

— О чем они разговаривали, вы не слышали, случайно?

— Вот чего не было — того не было, придумывать не стану. Обрывок фразы только слышала. Игорек как раз говорил что-то вроде «или девяносто третий, это без разницы, на ходовые качества не влияет». Я, помнится, тогда подумала, что они бензин обсуждают.

Поймав удивленный взгляд Орлова, она добавила:

— Что вы на меня так смотрите? Я до сих пор за рулем, у меня водительский стаж больше тридцати лет.

Да уж, подумал Орлов, если я правильно понял ситуацию, то неудивительно, что Екатерина Пескова только один раз попыталась найти у этой женщины прибежище во время скандала с мужем. С такой теткой нужную кашу не сваришь и лапшу ей на уши не навешаешь. Если бы можно было обойтись без ее показаний, то ее и в суд не вызывали бы. Но, похоже, обойтись было никак нельзя, она же собственными ушами слышала, как скандалят соседи.

Он поблагодарил зоркую и памятливую соседку, заручился разрешением обратиться еще раз, если понадобится, и отправился на седьмой этаж попытать счастья в квартире номер 57.

Дверь ему никто не открыл, и Орлов принялся методично прозванивать оставшиеся три квартиры на лестничной площадке. Наконец открылась одна из дверей. Серьезного вида бородатый мужчина, на вид — ровесник самого Орлова, был явно недоволен тем, что его оторвали от какого-то важного занятия.

— Бежицкий? В пятьдесят седьмой? Нет, не знаю такого. Там сейчас какая-то свистушка живет, ей богатенький спонсор эту квартиру купил.

— А до нее кто жил?

— До нее алкаши какие-то, муж с женой, спившиеся совсем. Квартиру привели в такое непотребное

АЛЕКСАНДРА МАРИНИНА

состояние, что спонсор ее почти год ремонтировал, прежде чем свою бабочку поселил.

— А до алкашей?

— Не скажу точно, когда я сюда переехал в начале двухтысячных, эти пьяницы уже здесь жили. Такую грязь разводили, такую вонь — не передать! Но я припоминаю, что иногда к ним участковый приходил, пытался призвать к порядку, и они ему кричали, что получили эту жилплощадь от своего завода еще при советской власти и никто не смеет им указывать, как им на этой площади жить. Вот что-то в таком роде. Но их фамилия была совершенно точно не Бежицкие. Не то Гришины, не то Грушины, но не Бежицкие.

Было видно, что бородатому мужчине не терпелось вернуться к своему прерванному занятию, потому что хотя он отвечал и довольно развернуто, но сам ни одного вопроса Орлову не задал. Ни кто такой этот Александр Бежицкий, ни для чего Орлов его ищет... А может, просто нелюбопытный, ведь такие люди тоже часто встречаются.

Зарубин

Это было так просто, что даже скучно. Список друзей-приятелей-подружек Кристины Фалалеевой Сергей Кузьмич получил в мгновение ока, в очередной раз возблагодарив технический прогресс за изобретение мобильной связи и за то, что молодежь предпочитает переписываться, а не перезваниваться. Этот список он отнес Большакову, а через три часа полковник вызвал Зарубина к себе. Перед Константином Георгиевичем на столе лежали два отдельных списка, один — тот, который передал ему Зарубин, другой — какой-то еще. В обоих списках желтым маркером было выделено по одной строчке.

— Вот этот гражданин по фамилии Пересункин, — Большаков ткнул концом ручки в выделенную желтым строку из списка Зарубина, — является соседом вот этого человека по фамилии Жвайло.

Последовал новый тычок концом ручки, но уже в другой, не зарубинский список.

— Объясняю диспозицию, — продолжал полковник. — Жвайло принадлежит к группировке, которая заинтересована в том, чтобы вытащить Семенюка. Про Семенюка слыхал?

— Ну а то! — отозвался Зарубин. — Страховая компания. Сидит под стражей. Там дело на миллионы евро.

— А про Грабовского тоже в курсе?

— Ну, примерно. Грабовский тоже прилично хапнул, но пока еще не сел. По крайней мере, так говорят.

— Судя по всему, говорят правильно. Но суть не в этом. Жвайло и его команда хотят, чтобы уголовное преследование Семенюка было прекращено, а против Грабовского — возбуждено. Отец Кристины Фалалеевой имеет выходы на тех, кто может этот вопрос решить. То есть на самом деле отец Кристины ничего не может, не тот у него статус, но внешне все выглядит так, словно у него такая возможность есть. Жвайло и его люди — народ не высокого полета и не гигантского ума. Поэтому они сделали все просто и примитивно. Отца Кристины напугали до смерти. Молодой человек по имени Сергей Пересункин живет в Подмосковье, через дом от Жвайло.

Кристина Фалалеева познакомилась с ним всего неделю назад, но познакомилась близко. Так близко, что ближе уже и некуда.

— Она с ним познакомилась или он с ней? — уточнил Зарубин.

— Конечно, он с ней. Идея понятна?

— Само собой, — широко улыбнулся Сергей Кузьмич. — Сергей Пересункин, тезка, стало быть. Ну ладно, так даже приятнее. Адресок дадите или мне самому поискать?

— Адрес у тебя и так есть, — полковник Большаков протянул Зарубину список. — Это тот редкий по нынешним временам случай, когда человек проживает по тому же адресу, где и зарегистрирован. Думаю, что именно там сейчас девушка Кристина приятно проводит время в компании своего нового ухажера.

— У-у, — разочарованно протянул Зарубин, — значит, никакого ОМОНа, никаких красивостей, никаких юных дев, прикованных цепями в подвале. Даже морду набить некому. Мне одному ехать?

— На всякий случай возьми с собой кого-нибудь покрепче, — усмехнулся Константин Георгиевич. — Мало ли как там у них устроено.

Сергей Кузьмич вернулся в свой кабинет, сделал пару звонков по телефону, а через сорок минут уже ехал в сторону Новорижского шоссе. Рядом с ним, на переднем пассажирском сиденье, возвышался огромного роста детина с широченными плечами и мощной грудной клеткой.

— А они точно там тусуются? — прогудел детина. — Трафик поганый, ехать придется долго, будет жалко, если время зря потеряем.

— Не бойся, дружище, я технарям звонил, они проверили: на протяжении последних суток наш фигурант выходил на связь именно с этого адреса. В последний раз — за двадцать минут до проверки.

— Да ладно гнать, — усомнился детина. — Прям уж точно с адреса.

— Ну, не конкретно с адреса, а из поселка, — признался Зарубин. — Ты же понимаешь, о чем я.

— Именно что, — проворчал детина. — Министерство ваше нищее, техника всю жизнь была позавчерашняя, скажи спасибо, если тебе данные дадут с точностью до трех километров. А ты «с адреса, с адреса»... Фуфло!

— Фуфло, — согласился Сергей Кузьмич. — Как и вся наша служба и вообще вся наша жизнь.

Указанный в паспортных данных Сергея Пересункина адрес они нашли легко. Недорогой маленький коттеджик, высокий заборчик, охраны нет, зато есть кнопка домофона.

— Пошли к соседям, — скомандовал Зарубин.

Детина молча кивнул. Он хорошо знал, как странно устроено мышление людей. Опасны те, кто проходит мимо по дороге: они чужие и от них нужно спасаться за высоким забором, не имеющим прорех. А соседи — это же соседи, свои, знакомые. Хочешь найти дыру в заборе — ищи со стороны соседей.

В соседнем доме, находящемся как раз между коттеджем Пересункина и более солидным домом Жвайло, охраны тоже не было, зато была домработница, которая без лишних вопросов впустила их на участок, услышав, что они «от Пересункина, у него с забором проблемы, говорит, что с вашей стороны». Более того, любезная женщина даже проводила их и показала огромную щель в изгороди, разделявшей участки.

Дверь дома Пересункина была не заперта, Зарубин и его спутник вошли беспрепятственно и, как и ожидалось, обнаружили Кристину Фалалееву, совсем не одетую, совсем пьяную и очень веселую, сидящую на коленях у молодого человека, довольно симпатичного, но тоже весьма нетрезвого и без излишеств в одежде.

— Здорово, тезка, — миролюбиво поприветствовал хозяина Сергей Кузьмич. — А где все?

— Кто все-то? — огрызнулся парень. — Вы кто вообще?

— Значит, никого больше нет? — осведомился Зарубин. — Жалко, а то групповое изнасилование несовершеннолетней нарисовалось бы, и нам приятно, и тебе полезно. Нам — галочка в отчетность, тебе — срок немалый, и все довольны. Так что, точно никого больше нет? Тогда мы девочку забираем, а ты можешь считать, что тебе сильно повезло.

— Я никуда не собираюсь, — не особенно внятно выговорила Кристина. — Чего вы тут командуете? Я в гостях у своего жениха, между прочим.

— Это ты родителям потом объяснишь, а пока давай-ка тряпочки свои натягивай, да и поедем, помолясь.

Девушка с презрительным недоумением посмотрела на своего кавалера, который был к спиртному более устойчив и потому, кажется, быстрее подружки начал догадываться, что не так все просто.

— Чего ты молчишь-то? — с вызовом проговорила она. — К тебе в дом какие-то чуваки вламываются, а ты их даже выгнать не можешь?

При этих словах спутник Зарубина слегка выдвинулся вперед и шевельнул бицепсами. Получилось не страшно, но достаточно внушительно для того, чтобы словосочетание «выгнать не можешь» прозвучало как цитата из научно-фантастического романа. И тут Кристина допустила ошибку.

— Давайте валите отсюда, а то мы сейчас Виталику позвоним, он своих охранников подгонит.

— О! — радостно воскликнул широкоплечий спутник Зарубина. — Еще один тезка нарисовался! Меня тоже Виталиком звать. Давай, звони, зови его сюда, веселее будет.

— Виталик — это, надо полагать, господин Жвайло, который через дом живет, — констатировал Сергей Кузьмич.

Пересункин позеленел и злобным движением скинул девушку с колен.

— Заткнись, дура, — процедил он. — Оденься лучше.

Кристина постепенно начала соображать, что происходит что-то не совсем то, и молча отправилась в угол комнаты, где на полу валялась куча одежды. Пересункин попытался изобразить всем своим видом смелость и независимость, но лицевые мышцы плохо слушались, и мина у него получилась скорее обиженная, чем угрожающе-героическая.

— Чего надо?

Зарубин пожал плечами:

— Да ничего. Деньги себе оставь, девочку нам отдай, и расстанемся друзьями.

— Какие деньги? — окрысился Пересункин. — Ничего не...

— Ой, да ладно тебе! Жвайло дал денег, велел познакомиться с девочкой и предложить ей заработать. А чего? Работа не пыльная, уехать на три дня из города, затариться выпивкой и жратвой и проводить время в свое удовольствие, домой не звонить и делать вид, что тебя похитили. Ведь так, Кристина?

— Пошел в...! — грубо отозвалась девушка, натягивая свитер прямо на голое тело.

— Пойду, пойду, обязательно пойду, — согласился Зарубин. — Только чуть позже. Вы деньги-то как поделили? Небось мальчику побольше, а девочке поменьше, как обычно?

Лицо Кристины исказилось от ярости. Она подскочила к сидящему на диване кавалеру и попыталась вцепиться в его волосы.

— Ты на мне заработать собрался? — визжала она. — Ты сказал, что Виталику от моего папани что-то нужно и для этого мне надо спрятаться на несколько дней, и что он готов мне заплатить! Мне! Мне! Выходит, тебе он тоже заплатил? Сколько?! Говори, падла, сколько он тебе дал!

Широкоплечий приятель Зарубина легко оторвал девушку от Пересункина, который полностью утратил способность к сопротивлению. Очевидно, все мысли его в данный момент были заняты только одним: предстоящим объяснением с соседом по имени Виталий Жвайло, и бьющаяся в истерике, поэтому впившаяся в его волосы Кристина воспринималась примерно как муха, назойливо жужжащая перед самым лицом. Мешает, конечно, но ведь не укусит же.

Юных любовников растащили, Кристину доволокли до ворот и запихнули на заднее сиденье машины. Массивный детина уселся рядом с ней. Перед тем как покинуть дом, Зарубин назидательно сказал хозяину:

— Оденься, а то простынешь. И дверь все-таки запирай, а то видишь, какие бывают неприятности. Да, и еще одно: если хочешь, чтобы тебя не сливали, то деньгами надо делиться по-чесноку, а ты жлоб, за что и поплатился.

Люша

Капитан Андрей Пустовит, судя по всему, пообедал плотно и вкусно. Во всяком случае, настроение у него было вполне благодушным, и старшего лейтенанта Горлик он слушал без раздражения и даже, кажется, без насмешки. После второго визита в офис Центра «Социолог» она снова забежала в первую попавшуюся кафешку, посетила дамскую комнату и вернула себе тот же вид, в котором Андрей видел ее утром. Даже куртку не забыла вывернуть яркой стороной наружу.

— Я вот что подумала, командир, — говорила ему Люша, щедро перемежая слова улыбками, против которых мало кто мог устоять. — В последний раз Борискин с Анисимовым вместе были на опросе в ноябре тринадцатого года. Мы исходим из того, что во время одного из опросов, когда они ходили вдвоем, они у кого-то что-то помыли. Так ведь?

— Ну, — согласно кивнул Пустовит.

— Теперь смотри: допустим, они совершили кражу во время своих последних гастролей, в ноябре тринадцатого. А может быть, и раньше, они же с девятого года на опросах подрабатывали. Но убили-то их аж в пятнадцатом году! В мае и в июне. Даже если предположить, что они оскоромились в последнем из своих совместных походов, все равно времени-то прошло о-го-го сколько. А если не в последнем, то еще больше. Отсюда вопрос: почему потерпевший так долго ждал?

Андрей равнодушно пожал плечами:

— Ну, мало ли почему... Сейчас пойдем с тобой по участковым, спросим, не обращался ли кто с заявлением или с жалобой.

— Это само собой, — быстро согласилась Люша. — А теперь представь, сколько таких жалоб и заявлений было начиная с девятого года на территории, где в общей сложности около пятисот квартир? Велосипеды, детские коляски, кошельки, мобильники... Очень многие люди вообще никуда не обращаются, потому что понимают, что никто все равно ничего искать не будет. А еще куча народу вечно все теряют, но по каждому поводу бегут заявлять о краже. Знакомо?

— А то, — усмехнулся он. — Что предлагаешь?

— Я предлагаю... — Она изобразила смущение. — Просто я подумала, что сначала нам нужно будет найти пятерых участковых, с каждым побеседовать, потом долго ждать, пока они в своих записях найдут то, что нам нужно, потом идти и тупо обходить все пятьсот квартир. Это как-то нерационально. Много времени потеряем, правда же? И я стала думать: а почему все-таки получился такой большой перерыв между самой кражей и обвинением в воровстве?

Ход ее мысли был довольно прост, но логичен. Что реально могут украсть люди, заходящие в квартиру на 10-15 минут для проведения социологического опроса? Что-то совсем небольшое, что можно сунуть в карман. При этом нужно, чтобы в квартире, кроме самого опрашиваемого, других жильцов в момент опроса не было. Тогда один из интервьюеров беседует, а второй под видом «воспользоваться туалетом» может проникнуть в другое помещение и что-нибудь мелкое слямзить. Практика распространена повсеместно: огромное число воров работают в паре и морочат доверчивым людям головы какими-нибудь мифическими акциями, поздравлениями ветеранов и всяким таким подобным. Почему бы не совершить аналогичное преступление, воспользовавшись проведением не мифического, а вполне реального соцопроса?

Итак, что и у кого можно стырить, но так, чтобы владелец не сразу спохватился? Первое, что приходит в голову: старики. У них частенько можно разжиться орденами и медалями, лежащими на видном месте, иногда даже приколотыми на китель или пиджак, висящий в незапертом шкафу. Еще неплохие шансы у воришек выцепить что-нибудь ювелирное, колечко например, сережки, брошку. Старый человек легко может не заметить пропажу. А вот после его смерти наследнички заметят все! Начнут делить вилки-ложки-ножи. Люди нынче считать хорошо умеют и выгоду свою соблюдают. И уж чего можно ожидать после смерти бабушек и дедушек, знают заранее и с точностью до копейки. Не досчитались медали, не нашли колечко — что будут делать? Сначала, конечно, перессорятся, станут обвинять друг друга, потом выяснять, не отдал ли покойник эту вещь сам кому-нибудь, в подарок например. А потом могут начать искать воров.

— Ну и как они, по-твоему, этих воров найдут? — недоверчиво спросил Пустовит.

— Да какая разница! — сверкнула очередной улыбкой Люша. — Может, как раз к участковому и обращались, или сразу в дежурку побежали. Люди знаешь какие изобретательные бывают! Такие способы поиска могут придумать, какие полицейским даже в голову не придут. Суть-то не в этом.

— Ну-ну, — Андрей одобрительно кивнул, — излагай дальше, чего ты там придумала.

— Теперь смотри, командир: нам не годятся такие семьи, где умершему наследуют только женщины, особенно если они немолодые. Нам нужно из этих пятисот квартир выделить те, где старики жили одни, потом умерли и среди наследников есть мужчины активного возраста, от двадцати до примерно сорока пяти лет. Сыновья или внуки. Ну, или зятья.

— Логично, — согласился Пустовит. — А ты не такая дура, как кажешься.

Люша даже глазом не моргнула. Она давно привыкла к тому, что ее считают человеком, прямо скажем, недалекого ума. Ну в самом деле, разве можно считать умной девицу, которая наряжается и красится, как она? Иначе чем «дурой» и не назовешь. А бывает, и похлеще словечко подберут. Но Валентину Горлик это не задевало и не обижало. Она вообще была лишена какой бы то ни было амбициозности, а о тщеславии и говорить нечего. Люша легко признавала главенство любого, с кем работала, называла «командиром» и предоставляла право командовать собой. И давно уже научилась не реагировать на любые нелестные замечания в свой адрес. Она их словно бы и не замечала вовсе. Весь смысл жизни, ее центр и суть были сосредоточены на Диме, все прочее имело значение ровно в той мере, в какой позволяло или, наоборот, мешало Люше быть рядом с любимым.

— Возможно, я и не права, командир, и на самом деле все было как-то по-другому, — предусмотрительно заскромничала Люша. — Но я подумала, что с этого можно хотя бы начать, это было бы разумно. А уж если не получится, тогда пойдем обычным путем, сплошняком и частым гребнем.

— Ладно, там поглядим, — неопределенно ответил Андрей.

Он выяснил по телефону, за какими участковыми закреплены нужные им адреса и где этих участковых искать. Кое в чем повезло сразу: оказалось, что им придется беседовать не с пятью инспекторами, а только с тремя, ибо в некоторых случаях адреса, где проводились опросы, находились близко друг от друга и принадлежали к одной и той же территории обслуживания.

Из трех участковых двое оказались недавно работающими, навскидку ничего сказать не могли и долго копались в своих компьютерах, журналах, блокнотах и записях. Третий же топтал участок больше десяти лет, поэтому ответы на свои вопросы Люша и Андрей Пустовит получили достаточно быстро.

— Не так страшен черт, как его малютка, — весело констатировал Андрей, когда они собрали нужные сведения. — Квартир, в которых проживали или проживают старики без молодых, всего семьдесят четыре из пятисот. Из этих семидесяти четырех схоронили уже тридцать девять, это если считать с девятого года.

153

— А если с тринадцатого, то семь, — подхватила Люша. — Вот с них и начнем. Как ты считаешь, командир?

Начали, вполне понятно, с того участка, на котором в данный момент и находились, закончив собирать информацию у третьего из инспекторов.

— В квартиру не суемся, — строго инструктировал Пустовит. — Если все было так, как ты думаешь, то в этой квартире может оказаться тот самый убийца или его семья, а мы к нему с вопросами придем, дескать, не обнаруживали ли вы пропажу и не пытались ли найти воров. Усвоила?

«Без тебя сообразила бы», — весело подумала Люша, но вслух, разумеется, произнесла совсем другое.

— Поняла, командир.

— Пойдем по соседям, будем узнавать, кто наследники, что за люди, не было ли разговоров о краже. Усвоила?

— Так точно, командир, усвоила.

Андрей критически осмотрел Люшу с головы до ног, словно в первый раз увидел. Недовольно покачал головой:

— Видок у тебя... Несерьезный какой-то.

— Могу изменить, — с готовностью откликнулась она. — Ни разу не вопрос. Любой общепит с туалетом и пять минут времени.

— Давай. А то тебя в дом к приличным людям приводить стыдно. Ты утром сказала, что замуж выходишь. Я вот удивляюсь, как это кто-то захотел на тебе жениться?

— Я же с дурью работаю, пушеры, дилеры, барыги, народ всякий сколотый. Среди них приличные почти не попадаются. Приходится соответствовать. Наркобароны — они в столицах осели или в особняках, а я на улице работаю, где публика попроще.

И снова первая попавшаяся забегаловка, туалет в которой был маленьким и не особенно чистым, пахло в нем отвратительно. Но Люша привыкла. Краситься и смывать косметику по нескольку раз в день ей приходилось довольно часто, и далеко не всегда удавалось сделать это в комфортных условиях.

Ей забавно было видеть, как изменилось лицо Андрея, когда она появилась перед ним с умытым лицом и вывернутой золотисто-коричневым цветом наружу курткой. Он сперва не узнал Люшу и глядел с недоумением, не понимая, почему незнакомка подошла и встала рядом с ним. Потом узнал и долго рассматривал.

— Кошмар, — наконец выдохнул капитан. — Лучше бы ты не умывалась. Или ты как-то по-другому перекрасилась?

— Нет, все натурально, — улыбнулась Люша.

— Кошмар, — снова повторил он. — Понимаю твоего жениха. Беру свои слова назад.

— Да ладно, — она беззаботно махнула рукой, — не извиняйся, все нормально. Я привыкла.

* * *

Легенда у них была самая незатейливая: в последние годы широко распространились махинации с квартирами одиноких пенсионеров, нам поручено проверить, все ли в порядке с квартирами тех, кто скончался за последние несколько лет, и кому эти квартиры теперь принадлежат, наследникам или каким-то посторонним лицам. Далее следовала примерно следующая цепочка:

В вашем доме проживал Иван Иванович Иванов, он умер в прошлом году...

Он не говорил, что к нему приходили какие-то подозрительные люди?

Он не жаловался на то, что у него что-то пропало?

А наследники у него были? Кому квартира отошла?

И что это за люди? Какого возраста? Чем занимаются?

Наследники не рассказывали, что после смерти старика чего-то не досчитались в квартире?

А вот Петра Петровича Петрова вы знали? Он жил в вашем доме и умер три года назад...

А вообще никто из ваших соседей не жаловался на то, что приходили какие-то непонятные люди и после их ухода чего-то ценного не досчитались?

И так далее. На часть вопросов ответы давались, на часть — нет. Все-таки анонимность жизни имеет место быть, хотя, безусловно, не такая высокая, как в столичном регионе.

На первом из отработанных участков ничего подходящего не нашлось, хотя все сведения о наследниках мужского пола Люша и Андрей на всякий случай добросовестно записали.

Поехали в другую часть города, где неподалеку друг от друга находились еще два адреса. Энтузиазма у капитана Пустовита заметно поубавилось, видно, он надеялся зацепить нужную рыбку с первого же захода. Машину вел молча, на немногочисленные Люшины вопросы отвечал скупо и с явной неохотой.

— По-моему, ты какую-то фигню придумала, — сказал он, паркуя машину перед одним из нужных им многоквартирных домов. — Таким методом мы ничего не найдем.

— Но ты же согласен с тем, что нужно искать там, где Борискин и Анисимов бывали вместе.

— Ну, да, в принципе, согласен.

— Значит, мы все делаем правильно. Просто если идти сплошняком по всем квартирам, то есть риск как раз и нарваться на убийцу.

— Это в том случае, если твоя версия верна, — возразил сердитым голосом Андрей. — А если нет? Тогда мы в любом случае рискуем на него нарваться.

— Командир, ну какая ж работа в полиции без риска? — засмеялась Люша. — Не было бы риска — зарплата была бы меньше. А так хотя бы время сэкономим.

На втором участке, том самом, который обслуживал давно работающий участковый, дело пошло поживее. Инспектор действительно хорошо знал свою территорию и, что в наше время огромная редкость, проживающих на ней людей, поэтому заранее снабдил оперативников сведениями о тех, кто всегда обо всем и обо всех осведомлен и полностью в курсе жизни дома. Даже двое подозреваемых наметились.

— Ох, и мерзкий же тип, — сказали им о сыне пожилой женщины, скончавшейся в 2014 году. — По всему дому ходил, во все квартиры звонил, требовал, чтобы ему деньги вернули. Дескать, он точно знает, что мамаша всем в долг давала, ничего не записывала, забывала и возврата не требовала, а он, мол, не позволит себя обирать. Всю душу из нас вынул.

Вторым подозреваемым стал правнук ветерана, участника войны, дожившего до 97 лет. Он соседям не докучал, жил в квартире прадеда со своей подружкой, приводил многочисленных приятелей, но шумели не сильно и музыку громко не включали. Однако ведь ветеран, участник войны... Значит, ордена и медали. Жена ветерана скончалась очень давно, но всю жизнь работала в системе снабжения, стало быть, денежки водились, а где денежки — там и ювелирка. И правнук в хорошем возрасте, чуть за двадцать.

В результате обхода на этом участке всех домов, куда приходили погибшие Борискин и Анисимов, удалось собрать весьма полную информацию. Спасибо участковому, нацелившему оперативников на «правильных» соседей. Единственным пробелом оказалась квартира, принадлежавшая старушке, умершей в 2010 году. Наследники у нее были, но соседи ничего про них не знали.

— Они, видно, люди состоятельные, им и так есть где жить. А квартиру они сдают, в ней уже третьи или четвертые жильцы поменялись.

— Может быть, сама хозяйка квартиры, покойница, что-то про свою семью рассказывала? — спросил Андрей. — Дети там, внуки, зятья-невестки...

— Нет, она замкнутая была, закрытая, ни с кем не общалась и не делилась. Наверное, характер ужасный был, иначе дети бы приезжали, навещали. Я так думаю, что она со всей своей родней давно рассорилась, вот никто к ней и не ездил.

Отработали участок только к девяти вечера.

— Завтра с утречка в третье место поедем, — уныло проговорил Пустовит. — Или сначала правнука и мерзкого типа оприходуем?

— Можем поделиться, — предложила Люша, — для экономии сил и времени. Ты займешься по своим каналам правнуком и сынком, а я пойду по квартирам. И надо бы еще поговорить с квартирантами наследников замкнутой бабули, может, они что-то интересное расскажут о ее детях и внуках. Они же наверняка знакомы с хозяевами хаты, которую снимают.

— Пустое это, — сердито отозвался Андрей. — Если злобная бабка действительно со всеми рассорилась и ни с кем не общалась, то ее наследники никак не могут точно знать, что у нее есть, а чего нет. Они у нее не бывали. А вдруг она все свои ценности давным-давно продала или раздарила? У них нет никаких оснований подозревать кражу.

— Тоже верно, — мирно согласилась Люша. — Но если уж мы все равно здесь, давай зайдем? Потеряем пять минут, зато совесть будет спокойна.

Андрей еще не ответил, а она уже набирала на панели домофона код, который дал им участковый. Капитан нехотя поплелся за ней.

Квартира, некогда принадлежавшая замкнутой нелюдимой старушке, находилась на пятом этаже. Дверь им не открыли. Для порядка позвонили еще раз. Подождали. Тишина.

— Ну вот, значит, не судьба, — сказал Андрей, и Люше показалось, что в его голосе прозвучало злорадство. Дескать, придумываешь ерунду, только время зря теряем.

— Тебя куда подвезти? — спросил он, когда вышли на улицу и подошли к машине.

— Я сама доеду, не загружайся.

— Ты? — Он посмотрел насмешливо, даже почти ехидно. — Сама? Доедешь? Да ты двух минут на автобусной остановке спокойно не простоишь. Думаешь, я не заметил, как на тебя мужики реагируют? Причем любого возраста. Эх, не надо было тебе грим свой смывать. С ним как-то спокойнее было, ну, свистушка безмозглая, морда вся раскрашена, наряд в глаза бросается, таких миллионы по улицам ходят. Их и не замечает никто. А тебя натуральную попробуй не заметь... Садись, довезу, даже до квартиры провожу, чтоб не украли. Ты, небось, у подружки какой-нибудь остановилась? Или, как большая, в отеле?

— Да прям, в отеле! — фыркнула Люша, садясь на пассажирское сиденье. — Я ж тут у вас партизаню, без командировочных. А свои деньги на отель тратить — жаба душит. У престарелой родственницы. Подружки, конечно, тоже имеются, но я подумала — тетка старенькая, давно я ее не навещала, вот и совместила.

— Про свои деньги — оно понятно, — кивнул Андрей. — А жених-то что же, финансово не поддерживает? Жлобится?

— Да откуда у него лишние деньги! Он такой же, как мы, эксперт в нашем ОВД. Еще и ребенку от первого брака помогает.

Пустовит в изумлении глянул на нее, забыв, что ведет машину.

— За дорогой следи, — сердито сказала она, на мгновение испугавшись: ей показалось, что они сейчас врежутся в тормозящий у остановки автобус. — Чего ты на меня так смотришь? Никогда не слышал о том, что у людей бывают первые браки и от этих браков рождаются дети, которым нужно помогать?

— Ну, блин, — выдохнул капитан. — Ну, ты даешь! Я-то был уверен, что ты выходишь замуж за какого-нибудь крутого папика. Или на крайняк за звезду, певца там, или актера, или телеведущего. С такой-то внешностью...

— Мой Димка и есть звезда, — невозмутимо, но с плохо скрываемой гордостью ответила старший лейтенант Горлик. — И крутой. И вообще, он — гений.

Андрей только хмыкнул в ответ. Слов у него не нашлось.

Орлов

Шедший всю ночь и все утро дождь сменился колючей снежной крупкой. Орлов проверил телефон, прочитал сообщение от Большакова: встреча с психологом Верой Максимовой состоится в 16 часов на квартире у Ионова. «Если вы не успеваете доехать, присоединяйтесь в скайпе», — гласило сообщение. Борис Александрович прикинул маршрут, сверился с картой, на которой в режиме онлайн показывались пробки и затруднения в трафике, и понял, что не успевает ни к Ионову, ни к себе домой. Вернее, он успел бы, если бы не нужно было непременно заехать в городскую коллегию адвокатов. Встреча в коллегии была назначена давно и отмене не подлежала.

Он постарался как можно быстрее решить все вопросы в коллегии, но плотность пробок нарастала прямо на глазах, как обычно и случается в ноябре при такой погоде: то осадки, то мороз, а машины еще не переобуты, из-за чего водителям на летней резине приходится существенно снижать скорость. И ведь не припаркуешься теперь возле тротуара, нужно искать платную парковку, а их недостаточно, и найти свободное место в разгар рабочего дня — вопрос огромного везенья. Придется искать какой-нибудь дворик в надежде приткнуться.

Дворик со свободным местом нашелся, правда, далеко не с первой попытки, и Борис Александрович начал было нервничать, но все-таки успел поставить машину минут за 10 до назначенного времени. Достал айпад, проверил, ловится ли в этом месте Интернет и работает ли скайп. Вроде бы все в порядке.

Итак, что мы имеем? На предварительном следствии восемь свидетелей — соседей Песковых по дому — давали показания, из которых явствовало, что Вадим Семенович Песков на протяжении длительного времени страдал запойным пьянством, устраивал в семье скандалы, терроризировал жену Екатерину и малолетнего сына Игоря, угрожал убийством и гонялся за женой то с ножом, то с топором. Из этих восьми свидетелей пятеро — жильцы квартир на втором и четвертом этажах, они были допрошены как на следствии, так и в судебном заседании. О скандалах и о том, что Песков гонялся за женой с ножом и угрожал убийством, знают со слов погибшей, очевидцами не были. Еще один свидетель, пожилая соседка, с которой Орлов сегодня разговаривал, своими ушами слышала, как Екатерина кричала: «Не трогай меня! Не трогай ребенка!», как что-то грохотало, но бегающего с ножом в руках Пескова она ни разу не видела. Более того, она и голоса Пескова при этих скандалах не слышала. Еще два свидетеля, Ирина Юхнова и Александр Бежицкий, давали показания следователю, но на суде не присутствовали. Сторона обвинения предоставила официальные документы о том, что Юхнова находится в длительной командировке, а Бежицкий находится в Ленинграде на лечении в Военно-медицинской академии, поэтому суд разрешил прокурору зачитать их показания, данные на предварительном следствии.

В общем-то, ничего особенного. Процедура законом предусмотрена и в судебном заседании не нарушена.

Однако имеется одно небольшое, но противное «но». Шестеро свидетелей из восьми рассказывали о том, как Пескова убегала от домашних скандалов в мае и июне. Бобрики утверждали, что подобных эпизодов было пять или шесть, у Поляньчек Катя спасалась еще раза четыре плюс один раз у своей соседки по этажу, той самой пожилой дамы, которая тридцать лет назад еще не была, конечно, пожилой. Итого как минимум десять случаев за два-три месяца. Те же соседи, которых в суде не допрашивали, рассказывали о том, что Песков страшно ревновал и терроризировал жену на протяжении всего последнего года перед убийством. И надо же такому случиться, что оба свидетеля не смогли явиться на суд... Какая неприятность!

Но это еще не все. Александр Иванович Орлов, готовясь к подаче кассационной жалобы, имел право ознакомиться с протоколом судебного заседания. Лишить этого права его не могли, однако для того, чтобы протокол оказался напечатанным на машинке, нужно было бы ждать довольно долго, а кассационный срок невелик, по тогдашнему закону — всего десять суток с момента вынесения приговора. Поэтому Александру Ивановичу предоставили рукописную запись, сделанную секретарем судебного заседания в ходе слушания дела, а уж Орлов-старший выписал оттуда все, что физически мог успеть. Успел он много. И теперь Борис Александрович имел полную возможность убедиться в том, что в описательной части приговора есть некоторые несовпадения с протоколом — фактически со стенограммой судебного заседания. В приговоре, например, как и полагается, указываются имя, отчество, фамилия свидетеля, год рождения и место проживания, в протоколе же места проживания не было. Ошибка секретаря? Возможно. Но как-то странно она ошибалась: по шестерым свидетелям вся информация в протоколе есть, а по двоим — нет. Именно по тем двоим, чьи показания зачитывал обвинитель по материалам уголовного дела. По тем двоим, которые утверждали, что пьянство и скандалы с рукоприкладством начались в семье Песковых за год до убийства.

Что сказала бы обладающая хорошей памятью, внимательная и въедливая соседка Песковых, если бы перед судом встал человек и начал рассказывать, что живет в квартире 37 и далее по тексту? Она бы заявила, что этот человек в их доме не живет, а в квартире 37 проживает Клавдия Васильевна. Нет, такое дело не годится. Да и Бобрики с Красавиной, и Полянычки могли удивиться. Пусть они не такие внимательные и не так хорошо знают всех жильцов дома, но все-таки риск есть, не говоря уж о присутствовавшей в зале публике: людей нельзя было не пустить на заседание, никаких оснований объявлять слушание закрытым не усматривалось, а сколько среди них могло оказаться соседей Песковых, которые тоже отреагируют на неизвестные фамилии? Поэтому представитель прокуратуры обошелся нейтральной формулировкой «свидетель Юхнова, такого-то года рождения, показала». А кто такая эта Юхнова и где живет, присутствующим в зале суда знать не обязательно. Может, подружка погибшей Кати, или дальняя родственница, или сослуживица. Именно так и оказалось записано в неотредактированном варианте протокола. А в приговоре все уже было как нужно.

Что произошло? Зачем это было сделано? Кому-то было очень нужно, чтобы в убийстве Екатерины Песковой признали виновным ее мужа Вадима? Для чего? Чтобы вывести из-под обстрела истинного убийцу? Но получается, что этот истинный убийца — фигура очень и очень значительная, потому что в дело пошли подлог и фальсификация, о которых знали и следствие, и прокуратура, и, скорее всего, суд. В уголовном деле появились показания двух несуществующих свидетелей, проживающих якобы в одном доме с потерпевшей, с обвиняемым и со всеми остальными свидетелями. И именно показания этих свидетелей создают у следствия и суда неприглядную картину того, как на протяжении года происходит мучительный распад прежде благополучной семьи, Вадим постепенно спивается и деградирует, превращаясь из любящего мужа в монстра и чудовище. Без ведома следователя эту аферу было бы не провернуть, ведь он, проводя допрос свидетеля, обязан посмотреть его паспорт и вписать паспортные данные в протокол. И без участия гособвинителя никак не вывернешься, ведь нужно же как-то объяснить ему, почему не рекомендуется, зачитывая показания свидетелей, оглашать в судебном заседании их фальшивые адреса. И судью нужно предупредить, чтобы не вздумал счесть показания этих свидетелей настолько важными, что встанет вопрос о переносе судебного заседания до появления возможности их личного присутствия. Те, кто был заинтересован повесить убийство Екатерины Песковой на ее несчастного мужа, обставились со всех сторон. Молодцы!

И похоже, Александр Иванович Орлов все это просчитал и понимал. Потому и не стал, во имя благополучия своей семьи и семьи сына, копать глубже. А Борис-то все время думал, что отец искренне считал Вадима Пескова виновным...

Так кто же убил мать Игоря? Вероятнее всего, любовник. Или законная супруга этого любовника. Одним словом, кто-то из той среды, в которой Екатерина так любила вращаться и заводить знакомства. Кто-то достаточно высокопоставленный и имеющий очень сильные связи. Ну, или очень много денег. За три месяца допиться от полного здравия до состояния, в котором можно убить, сложно. Не очень правдоподобно выглядит. А вот за год — вполне реально.

Получается, Игорь был совершенно прав, когда не верил в то, что его отец — убийца. И вся его фанатичная борьба за восстановление справедливости не была бессмысленна.

Айпад запиликал сигналом: Орлова вызывали в скайпе. Борис Александрович ответил на вызов, пристроил гаджет так, чтобы в камеру попало его лицо, достал свои записи и приготовился к докладу.

Большаков

Пришлось создавать видеоконференцию, чтобы в обсуждении могли поучаствовать и Дзюба, и застрявший в пробках адвокат Орлов. Вера Максимова приехала первой и терпеливо ждала возле подъезда: ключей от квартиры Ионова у нее не было. Она ежилась от холода и надвигала поглубже капюшон, чтобы спрятать лицо от ледяного дождя, смешанного со снегом. Большаков тоже выехал заранее, и хотя приехал позже Веры, но все равно, когда они поднялись в квартиру, до назначенного времени сбора оставалось еще минут двадцать.

— Замерзла? — спросил Константин Георгиевич, заметив, что Вера не стала снимать куртку. — Давай пять капель горячительного налью в рамках профилактики простуды.

От спиртного Вера отказалась.

— Лучше потом. Сейчас нельзя мозгами рисковать, момент ответственный.

Большаков включил компьютер, проверил скайп, произвел все необходимые манипуляции, которые позволят Орлову и Роману подключиться к общему разговору. Ему хотелось поговорить с Верой о том, что его тревожило, и Константин Георгиевич решил, что сейчас момент вполне подходящий. И время есть, и третьих лиц нет. Шарков звонил недавно, приедет точно ко времени, а то и опоздает минут на пять-десять.

— Как ты думаешь, мне не нужна помощь специалиста? — спросил он прямо в лоб.

Вера удивленно посмотрела на него, вытащила руки из рукавов куртки и накинула ее на плечи.

— Специалиста в чем? В какой области?

— В психологии, не знаю... Или уже в психиатрии.

Она уселась в кресло, поджав под себя ноги, запахнула полы куртки.

— Поконкретнее можно? Костя, мы с тобой знакомы пятнадцать лет, давай без экивоков.

— Ну, если без экивоков... Ты мне скажи как психолог: я не произвожу впечатления человека, у которого есть проблемы с психикой?

— Нет, не производишь. А должен?

Большаков глубоко вздохнул и рассказал о своих страхах. Жена хочет усыновить ребенка. А он боится, ему кажется, что он не сможет еще раз пройти через то, что пришлось пережить, пока росли и взрослели Лина и Славик. Он понимает, что Юлии Львовне этот ребенок необходим. Он все понимает. Но он боится. И ему кажется, что страхи его имеют нездоровую природу.

— Я даже подумал, что у меня тяжелый невроз, — признался он в заключение. — А ты что думаешь? Если у меня действительно невроз, то я не имею права начинать растить и воспитывать маленького ребенка, я его просто изуродую своим воспитанием.

Вера рассмеялась, звонко, но негромко.

— Костик, да ты здоровее всех полицейских, которых я знала! Ты абсолютно здоров. Если бы было допустимо такое выражение, то я бы сказала, что ты просто патологически здоров. Таких умных и в то же время здоровых вообще не бывает. Природа же скупая, она дает чего-то много, а остального по чуть-чуть, поэтому дураки обычно здоровее умных. На тебе природа явно ошиблась, отсыпала и ума, и характера, и психического здоровья щедрой рукой. Судя по твоим детям, с физическим здоровьем у тебя тоже все в порядке.

Они помолчали.

— Ты не хочешь приемного ребенка? — спросила Вера.

— Я боюсь. Боюсь, что не смогу опять пройти через это... Через постоянный страх, ежеминутное беспокойство... Боюсь сорваться, не справиться. И тогда Юля останется с ребенком и инвалидом на руках.

— Понятно.

Вера снова замолчала, глядя на Большакова серьезно и внимательно, без малейшего следа насмешки.

— Костик, в одной умной книге я вычитала замечательную по своей простоте мысль: нельзя ехать на машине, глядя в зеркало заднего вида. Понимаешь, о чем я?

— Не очень, — признался Константин Георгиевич.

— Тогда пойдем последовательно. Дорога позади и дорога впереди — это одна и та же дорога?

— Если это шоссе — то да, одна и та же.

— Когда смотришь в зеркало заднего вида на ту часть шоссе, которая осталась позади, можно сделать вывод о том, какое шоссе впереди?

— Ну, в принципе, можно, — ответил он, не особенно, впрочем, уверенно. — Полотно такое же... Хотя нет, не обязательно. Позади все могло быть гладко, а впереди колдобина или еще что-то.

— Хорошо, — кивнула Вера, слегка улыбнувшись. — Можно даже допустить, что колдобины никакой нет и шоссе такое же гладкое впереди, как и позади. Так можно вести машину, ориентируясь на зеркало?

— А другие машины? Другие участники движения? Они же меняются каждую секунду, и меняется вся дорожная ситуация...

Он запнулся.

— Ты права. Я идиот. Спасибо, Верочка.

Она, похоже, согрелась, стянула куртку и собралась встать с кресла. Большаков протянул руку, взял куртку.

— Сиди, я повешу. Хочешь чаю?

Вера отрицательно помотала головой.

Генерал Шарков приехал без опоздания, минута в минуту, велел подключаться, пока он сварит кофе. Впервые за все годы он собрался варить кофе только для себя, даже не предложил остальным. Это было так не похоже на Валерия Олеговича! И полковник Большаков понял, что генералу совсем хреново.

Орлов рассказывал долго и подробно, его все время перебивали вопросами, Вера что-то строчила в большом блокноте с твердой обложкой, который она пристроила себе на колени. Большаков то и дело поглядывал на нее и удивлялся: она совершенно не умела работать за столом, дома у нее все записи лежат на полу, и он множество раз видел, как она ползает на коленях вокруг своих материалов, то садясь по-турецки, то подворачивая ногу под ягодицы. Если нужно было что-то записывать, Вера предпочитала делать это как угодно — сидя на полу, на диване, в кресле, но только не за столом. Стулья и столы она использовала тогда, когда нужно было оглашать выводы и заключения.

«Обдумывание — это мое личное дело, — объясняла Вера. — А доклад — это работа, и все должно быть по-деловому».

Когда выслушали Бориса Александровича, Шарков требовательно посмотрел на Веру. Та легко выскользнула из кресла, в котором сидела, свернувшись клубочком, и Константин Георгиевич подивился ее совсем еще девичьей гибкости. Сам он, просидев без малого час в такой позе, разгибал бы ноги и спину медленно и со скрипом. Вера пересела к столу, поправила очки в красивой оправе, зачем-то дернула себя за выбившийся из прически кудрявый локон.

— Итак, что мы имеем? — начала она сухим строгим тоном.

Она всегда начинала так, словно перед ней сидели нерадивые ученики, но очень скоро, буквально через несколько минут, сбивалась на свой обычный тон, слегка насмешливый и, на поверхностный взгляд, даже будто бы легкомысленный.

Ребенок, выросший в деструктивной среде. Между родителями конфликт, мать занимается материальной стороной жизни, внимания и тепла сыну не дает. Зато отец много времени посвящает ребенку. Это особенно важно в первые три года жизни. О патологии беременности и патологии в родах сведений нет, поэтому говорить об органических поражениях центральной нервной системы на данный момент нельзя. Но родители ссорятся, и ребенок это чувствует. Идет сензитивный период, когда ребенок без критики воспринимает все происходящее, становясь на сторону одного из родителей. Совершенно очевидно, что Игорь принял сторону отца, доброго и внимательного. Дети очень наблюдательны, они прекрасно видят ложь и фальшь. Если мама постоянно лгала, рассчитывая на то, что ребенок маленький и ничего не поймет, то она глубоко заблуждалась. Если она ссорилась с папой, полагая, что сын этого не заметит, то заблуждалась еще глубже.

Трагедия произошла, когда ребенку было 12 лет, ранний пубертатный период, самый благоприятный для формирования ядерной психопатии под влиянием тяжелой психотравмы. В вину отца мальчик не верил, он искренне не понимал, как его папа, такой добрый и заботливый, мог кого-то убить, тем более свою жену. То есть ребенок получил двойную травму: внезапная и ужасная смерть матери и несправедливое, по его мнению, обвинение и осуждение любимого отца. Психопатия формировалась по параноидальному типу.

К тетке, опекавшей его, Игорь никаких чувств не испытывал, воспринимая сестру отца как неизбежное зло, которое нужно просто перетерпеть, коль уж нельзя до совершеннолетия жить одному. Людям подобного типа свойственно потребительское отношение к другому человеку, то есть использование его для реализации основной идеи. Можно предположить, что в подростковом возрасте основной идеей Игоря было «стать взрослым и помочь отцу доказать свою невиновность», а для этого вполне подходила тетка и вся ее семья — в любом случае это лучше, чем жизнь в детском доме. После освобождения отца из колонии и возвращения из армии Игорь, по всей видимости, рассчитывал использовать именно отца, как это ни парадоксально. Отец виделся ему источником главной помощи в деле реабилитации. Но Вадим Семенович от участия в деле отказался, оставив Игоря один на один с идеей доказать, что милиция плохая, прокуратура тоже плохая, суд ничем не лучше и была совершена огромная несправедливость. Впоследствии, уже после смерти отца, Игорь точно так же потребительски отнесся к своей жене Жанне: она была для него привлекательна ровно до тех пор, пока сочувствовала его борьбе и сопереживала. Как только ей надоела эта борьба и разговоры о ней, Игорю надоела и сама Жанна.

Опираясь на сведения о том, что Игорь не курил, не употреблял спиртного, не увлекался играми, можно с большой вероятностью утверждать, что он вообще не склонен к аддиктивному поведению, у него вряд ли формируются негативные химические зависимости. Ему не нужны искусственные стимуляторы, он ловит кайф от другого — того, что порождает у него более сильные эмоции.

Вся предыстория активности Пескова по написанию писем и жалоб дает основания говорить о том, что он разочаровался в методе медленного поступательного движения. Его действия не привели к желаемому результату. Когда ему предложили принять участие в программе, он с энтузиазмом согласился, полагая, что таким путем он намного быстрее реализует свою идею, свое стремление доказать всем, что система несовершенна и несправедлива. Отца уже давно нет в живых, а ненависть к правоохранительной системе осталась и с каждым годом наливалась соками и зрела. Фабула «реабилитировать отца», то есть «защитить обиженного», переродилась в фабулу «уничтожить обидчика». Но медленное движение — не для него, Игорь это уже пробовал и убедился в том, что это не работает так, как ему хотелось бы. Он хочет рывка, броска, единого удара, которым сможет разрешить все проблемы.

— Дальше идет самое сложное, — говорила Вера, машинально постукивая кончиком ручки по исписанным листам в блокноте. — Песков начинает обрывать связи с жизнью. Увольняется с работы. Уезжает из города, в котором родился и прожил сорок лет. И зачем-то посещает нотариуса. Кто-нибудь думает так же, как я?

— Мы не знаем точно, посещал ли он нотариуса, — подал голос Орлов. — Мы знаем только, что Песков выходил из нотариальной конторы.

— Борис Александрович, — недовольно проговорил генерал, — мы не в судебном заседании. Нам не приговор нужно выносить, а понять логику. Продолжайте, Вера.

— Если принять во внимание, что у Пескова с самого начала не было теплых родственных отношений ни с кем из семьи Фокиных, то имеет смысл спросить себя: каким образом ему удалось привлечь себе в помощники племянника Алексея? И вот тут нотариальная контора очень уместно звучит. Отказаться от родного города. Отказаться от работы. Отказаться от квартиры. Вполне логично и последовательно.

— Ты хочешь сказать, что Песков пообещал племяннику свою квартиру в обмен на помощь? — спросил Константин Георгиевич. — А где же он собирается жить после того, как осуществит задуманное? Или он абсолютно уверен, что его поймают и посадят?

— Я думаю, Песков уверен, что он больше не будет жить, — тихо проговорила Вера. — Тут два варианта. Либо он надеется на то, что его убьют при задержании, либо он планирует суицид. У него произойдет то, что называется «встречей с законченностью». Он выполнит свою миссию, спасет страну от прогнившей системы, и больше ему жить незачем. Неинтересно. Не в кайф. Он даже не станет ждать, пока народ, как он планирует, поднимется на кровавый бунт, возьмет в руки вилы и пойдет убивать полицейских, прокуроров и судей.

— А почему? — послышался в комнате голос Романа Дзюбы. — Почему он не захочет подождать и своими глазами увидеть плоды собственных трудов? Я бы точно захотел.

— Потому что он параноик. Для параноика фабула бредовой идеи должна быть чуть-чуть недостижима. И тут тоже только два варианта: либо нужно сформулировать идею так, чтобы ее было невозможно в полной мере реализовать, и тогда можно с упоением бороться за нее до самой смерти, чувствуя собственную мессианскую значимость, либо нужно просто не дожить до момента реализации.

Вера сделала паузу, словно еще раз обдумывая сведения о Пескове.

— Мне почему-то кажется, что Игорь Песков выберет второй вариант. Точнее, он его уже выбрал. И обставлен этот вариант будет ярко и красочно.

— Плохо, — подвел итог полковник Большаков. — Племянника трогать нельзя до тех пор, пока мы не поймем, где сам Песков. Игорь в чем-то простоват, конечно, но в чем-то очень хитрый и предусмотрительный, и пока мы не узнаем, как Алексей общается с Песковым, мы не можем подступаться к пацану. Одно неверное слово, одно крохотное подозрение — и племянничек пошлет дядюшке сигнал о том, что нужно менять место и скрываться. Кстати, у кого-нибудь есть идеи, как это так получилось, что Фокин оказался квартирантом Зеленцовой? Неужели совпадение?

— Не думаю, — Вера тряхнула головой, отчего из собранного на затылке свободного узла выпали еще два или три локона. — Это может быть частью плана. Для усиления кайфа. Как стопка водки в кружке пива. Если Алексей Фокин — хакер и для него нет проблем взломать базы разных УВД, то что может ему помешать взломать личные компьютеры любого из вас? У вас, Валерий Олегович, в компьютере есть перечень людей, сотрудничающих с программой?

— Конечно, — угрюмо отозвался Шарков.

— И у тебя, Костик, тоже?

— Тоже, — подтвердил Константин Георгиевич.

— И у меня есть, — продолжала Вера, — но со мной ваш Песков, слава богу, не знаком. А с вами знаком. Так что поинтересоваться списком наших друзей — милое дело.

— А дальше все просто, — задумчиво подхватил Большаков. — Алексей взламывает базы, но поскольку он ничего в них не меняет, то взлом остается незамеченным. Он просто читает информацию. Выбирает то, что подходит, и сбрасывает дядюшке. Когда Игорь выбрал место своего первого преступления, он посмотрел, есть ли у нас куратор в этом городе. Может быть, куратора не оказалось, и он начал искать другой город. А может быть, ему повезло, и он сразу попал на Серебров, где у нас Аркадий Михайлович. С адресом и со всеми пирогами. Нужно было найти квартиру поближе к дому Аркадия, для остроты ощущений. Через пять минут он уже знал, что в том же доме сдается квартира. Хорошая штука Интернет, полезная. Только вредная иногда.

— Но квартира была занята, — снова вступил в разговор Дзюба. — Если я правильно помню, Анна говорила, что прежние жильцы съехали примерно в середине апреля, после этого квартира сразу же была выставлена в агентстве как свободная, и через несколько дней объявился этот Никоненко. Если только Пескову в агентстве сказали, что эта квартира скоро освободится...

— Вполне могли сказать, — кивнул Шарков. — Обычно хозяева квартир и риелторы заранее знают, что жильцы собираются съезжать. Другое дело, что Анне Зеленцовой почему-то никто в агентстве не сказал, что ее квартирой интересовались. Или ей говорили? А, капитан?

— Я выясню, — ответил Роман. — Если нужно, спрошу прямо сейчас, Анна в соседней комнате.

— Спроси, спроси. А еще лучше — пригласи ее, мы сами ее поспрашиваем, — сказал генерал. — Аркадий говорил, что ты полностью ввел ее в курс дела. Так?

— Так, товарищ генерал. Ну, не совсем полностью, конечно, но... В общем, почти.

— Ну тогда и зови свою красавицу, пусть тоже поучаствует, про племянника расскажет. Все-таки она его полгода наблюдает, в отличие от тебя, капитан.

— Товарищ генерал... — нерешительно проговорил Роман. — А данные Анны тоже есть в вашем компьютере?

— Нет, — усмехнулся Шарков, — не волнуйся, у меня только сведения о региональных кураторах.

— А у Аркадия Михайловича они есть?

— Должны быть. — Шарков помрачнел. — Ты прав, капитан. Надо проверить. В этом случае тебе нужно быть во сто крат осторожнее. Если Фокин знает, что Анна тоже в программе, и скажет об этом своему дядьке, то Игорь может такое накрутить... Вот же клятый Интернет!

Он с остервенением стукнул кулаком по своему колену.

— Когда все на бумажках было, жили намного спокойнее. Сжег бумажку — стер информацию, и хрен кто что докажет. Носишь бумажку в кармане, никому не показываешь — можешь быть уверен, что никто не прочитает. А теперь... Живем, как на пороховой бочке. Скоро самыми востребованными людьми в сфере информационной безопасности станут те, кто может запоминать и долго не забывать большие массивы информации. Посадить такого человека в одиночку, отобрать телефон, кормить-поить через капельницу, никого к нему не подпускать — тогда можно будет чувствовать себя хоть чуть-чуть уверенно. Дожили, блин!

В комнате повисло неловкое молчание. Генерал сорвался, да еще при Вере... Необычно. Нехорошо. И пугающе.

Шарков обвел присутствующих взглядом, потом посмотрел на экран компьютера — на лица Орлова и капитана Дзюбы. Вздохнул, недовольно поморщился.

— Прошу прощения. Нервы, — коротко произнес он. — Капитан, девушку пока не беспокой нашими опасениями. Все проверим. Пригласи ее, мы с ней побеседуем.

Разговор с Анной много времени не занял. Она быстро сообразила, в чем суть вопросов, и сразу ответила:

— Наверняка это Оксана из агентства. Она уже давно носится с идеей выдать меня замуж. Сто пудов — это она. Вот же мерзавка! А я еще удивлялась и радовалась, что квартира так быстро сдалась после прежних жильцов... Обычно не меньше месяца проходит, пока новые кандидаты появятся. Выходит, Оксана с новым клиентом заранее договорилась, а мне ничего не сказала. Небось денег с него срубила... Гадина!

— Роман, выясни, — скомандовал Большаков.

— Конечно.

Анну попросили поделиться своими наблюдениями за квартирантом, но ничего существенного она не рассказала. Жилец как жилец, только несамостоятельный, ничего по хозяйству не умеет. Нет, друзей в Сереброве не заводит, во всяком случае, Анна ни разу не замечала, чтобы он кого-то приводил к себе. И сам он редко выходит из дому, сутками сидит за своим компьютером, буквально живет в нем.

— Может быть, вы просто не знаете, выходит он или нет? — строго спросил генерал Шарков.

— У меня глаза есть, — чуть резковато ответила Анна. — На улицах грязь непролазная, и если бы он часто выходил, то в прихожей пол был бы ужасный. А пол почти все время чистый, и обувь сухая и чистая, я же вижу, я уборку постоянно делаю.

— Вы не замечали каких-то внезапных изменений в его поведении, в настроении? — спросила

Вера. — Может быть, в какие-то моменты он вдруг начинал нервничать, делался напряженным, а потом все проходило? Не припомните?

— Вроде нет, — задумчиво ответила Анна. — Хотя я могла и не заметить, я не присматривалась. Вообще стремилась держаться от него подальше, чтобы он ко мне не лез.

— А давайте проверим, — предложил вмешавшийся в разговор Дзюба. — Вот, например, первого ноября.

Первого ноября в Тавридине был убит Георгий Петропавловский.

— Нет, — Анна покачала головой, — я так не вспомню. Подождите, я в своих файлах покопаюсь. Только мне нужно ноутбук принести, он в другой комнате.

Она принесла ноутбук и стала что-то смотреть в нем.

— Вот, первого ноября я в своем блоге писала о том, как мошенники обманывают пенсионеров... Да, сначала я посмотрела ток-шоу, я его каждый день комментирую в блоге, там были две старушки, которые из зала все время пытались встрять с разговорами о том, как их обманули... Да, теперь вспоминаю, в этот день я покупала в супермаркете замороженные овощи, они оказались плохие, а я собиралась делать ризотто с овощами, и я подумала, что вот такие старушки могут покупать только дешевые продукты, а дешевых хороших не бывает, они все или порченые, или просроченные, или поддельные... Помню, в тот день я принесла этому ко...

Она сбилась, запнулась, слегка покраснела.

— Квартиранту ужин принесла, извинилась, что обещанное блюдо не смогла сделать, он был совершенно спокойным. Не злился, не нервничал, все как обычно.

Точно так же проверили и другие даты, когда Песков совершал свои «парные» убийства. Насколько Анна Зеленцова могла вспомнить, ничего необычного в поведении ее квартиранта в эти дни не замечалось.

— Аня, вы помните точную дату, когда заселился Никоненко? — спросил Константин Георгиевич.

— Нет, но могу посмотреть, у меня же договор есть.

— Посмотрите, пожалуйста.

Лицо Анны исчезло с экрана, остались только Дзюба и Орлов.

— Ну что ж, вернемся к Пескову, — сказал Шарков. — Борис Александрович полагает, что Екатерину Пескову убил любовник, имеющий настолько мощные связи, что милиция в лице оперов и прокуратура в лице следователя пошли на фальсификацию материалов следствия. К сожалению, все это было почти тридцать лет назад, и крайне маловероятно, что нам удастся сейчас установить перечень последних любовников Песковой. Судя по тому, что рассказал нам Борис Александрович, имя им — легион. Да сейчас это уже и не имеет такого значения...

— Извините, можно я скажу? — перебил его голос Анны.

Большаков заметил смущенное и почти испуганное лицо Романа и слегка покачал головой. Еще бы ему не испугаться: девочка посмела влезть и перебить самого генерала, большого начальника! Но девочка-то не знает, что Валерий Олегович — генерал и начальник, сидит себе дядька в пиджаке, рассуждает...

Шарков чуть заметно улыбнулся и кивнул.

— Говорите, Аня. Кстати, вы договор посмотрели?

— Да, Никита заселился двадцать третьего апреля.

— Спасибо. Так что вы хотели сказать?

— Я хотела... Не знаю, может, это неуместно, и я вообще только по себе могу судить... Ну, короче, если этот ваш Песков всю жизнь думал, что папа хороший, а мама плохая, то он должен был все время искать подтверждения.

— Я не понял, — отозвался Шарков.

Вера улыбнулась и резким движением сняла очки.

— А я поняла. Анна права. Для здорового человека нормой является любовь к обоим родителям. Нелюбовь или даже ненависть к одному из них действует разрушающе. Человек чувствует себя виноватым в том, что не может любить одного родителя так же сильно, как другого, и все время ищет подтверждения своей позиции, то есть ковыряет старые обиды и подыскивает все новые и новые доказательства того, что он прав и имеет все основания для этой нелюбви или ненависти. Если Игорь понимал или даже точно знал, что мать давала отцу поводы для ревности, то он, по идее, должен был попытаться найти ее любовника. Просто для того, чтобы убедиться, что он плохой человек и, значит, мать тоже была плохая, если изменяла хорошему папе с таким плохим дядей.

— А если дядя оказался бы хорошим? — спросил Константин Георгиевич. — Тогда вся конструкция развалится.

— О нет, — улыбнулась Вера. — У параноиков конструкции не разваливаются, на то они и параноики. Они любую информацию перевернут, перекроят и объяснят именно так, чтобы она полностью укладывалась в их представление о мире.

— Но Игорь никогда не заводил разговоров о любовнике матери, — заметил Орлов. — Ни со мной, ни с моим отцом, насколько мне известно. Похоже, он в этом направлении даже и не думал. Или...

— Или! — подхватил Дзюба. — То-то мы голову ломали, почему он вдруг сорвался!

— Проверишь? — деловито спросил Большаков.

— Конечно. Прямо сейчас и начну.

Дзюба

Роман выключил скайп и внимательно посмотрел на Анну. То, что она сказала, было, безусловно, дельным. Но ведь когда Орлов рассказывал о детстве Игоря и своих находках со свидетелями по делу Вадима Пескова, ее рядом не было. Потом, когда Шарков попросил пригласить Аню, чтобы задать ей вопросы про агентство, Дзюба ходил за ней в соседнюю комнату.

— Подслушивала? — спросил он с деланым равнодушием.

Она смутилась и отвернулась.

— Ну а что такого? И я не подслушивала специально, просто слышала, звук-то громкий, а я пока еще не глухая, — сердито ответила Анна. — Из тебя лишнего слова не вытянешь, ты все время что-то скрываешь, и я начинаю чувствовать себя полным ничтожеством, с которым даже нормально поговорить нельзя.

— Мышонок, я ничего от тебя не скрываю, кроме совсем маленьких секретиков, которые связаны с моей работой. Ну вот честное пионерское!

Дзюба лихо отсалютовал, стараясь сделать так, как видел это в старых фильмах про детей. Сам он пионерскую организацию уже не застал.

Анна снова повернулась к нему. Теперь в ее глазах стояли злые слезы.

— Вы меня все время отстраняете, как будто я вам враг какой-то. Как будто не доверяете мне. Люша вчера обещала, что мы с ней вместе будем всюду ходить и все узнавать, а сегодня с утра заявила, что ничего не надо и она сама справится.

— Мышонок, я же тебе объяснял еще вчера: Люша будет работать в паре с местным опером. Ни ты, ни я им не нужны. Ну что в этом обидного-то? Да, мы планировали изображать веселую компанию, которая приятно проводит время, но наше руководство распорядилось иначе. Я понимаю, ты слишком давно работаешь сама на себя, сидишь дома, и все эти соображения про начальников, их взаимоотношения и их решения просто не приходят тебе в голову.

— Ну да... А вот совещание началось — и ты меня не позвал, как будто меня это все не касается.

«Сглупил, — упрекнул себя Роман. — Не сообразил. Вот и нарвался».

— Я не хотел тебя отрывать, у тебя же своей работы полно.

— И про то, что этот козел влез в мою квартиру по липовым документам, ты тоже не сказал.

— Но ты ведь и сама слышала, — сопротивлялся Дзюба. — Чего зря воздух сотрясать? Тебе Валерий Олегович все объяснил.

«Остается надеяться только на то, что она не расслышала или не поняла ту часть разговора, где мы говорили о компьютерах и о данных наших сотрудников», — огорченно подумал он и тут же назвал себя дураком и растяпой: когда имеешь дело с таким тревожно-мнительным человеком, как Анна Зеленцова, следует быть особенно внимательным и предусмотрительным, ведь она подслушивает и вообще старается знать как можно больше не из праздного любопытства, а исключительно из неистребимой потребности знать, не говорят ли о ней чего-то плохого. И ведь она, поняв, что ее квартирант Никита на самом деле племянник Пескова, Алексей Фокин, не испугалась и не задала по этому поводу ни единого вопроса, ибо этот факт значит для нее неизмеримо меньше, нежели страх, что от нее дистанцируются, ее отодвигают, ей не доверяют. Вот же характер! И как она, бедная девочка, живет с таким характером?

— И сейчас опять ты собираешься что-то делать, искать какую-то информацию, а мне не говоришь, — упрямо продолжала Анна.

А в самом деле, почему бы не воспользоваться ее помощью в поисках? Результат получится в два раза быстрее, если искать параллельно на двух компьютерах.

Он улыбнулся.

— Если ты готова помочь — я буду только благодарен.

Слезы в глазах Анны моментально высохли.

— Что нужно сделать?

— Нужно выяснить, не пытался ли Игорь Песков найти через социальные сети людей, которые знали его мать. Давай поделимся и начнем. Я возьму Фейсбук, например.

— Ну, тогда я начну с ВКонтакте. Как ее имя? Екатерина?

— Да, Екатерина Пескова.

Роман порылся в своих записях и добавил:

— На всякий случай — она пятьдесят третьего года рождения. Убита в восемьдесят восьмом.

— Ага, зафиксировала, — отозвалась Анна деловым и уже совсем не сердитым голосом.

Роман ввел в строку поиска имя Екатерины Песковой и долго пролистывал список пользователей с таким именем, потом так же мучительно долго продвигался вниз по перечню постов этих пользователей, пока наконец не добрался до текстов сообщений, в которых упоминались эти слова, и снова принялся листать и читать, чтобы попытаться найти те, которые датировались ранней весной. Если они вообще были. Черная кошка в темной комнате, особенно если ее там нет... Но если они правильно думают, то в жизни Игоря Пескова что-то случилось именно весной, в марте-апреле. Что-то такое, что заставило его принять свое решение. В принципе, это может быть чем угодно, любым событием, даже и не событием, а мыслью, услышанным словом, случайно увиденной сценой на улице, и совсем не обязательно оно связано с любовником убитой матери.

Он методично прокручивал страницы, чувствуя, как от мелькания букв и картинок возникает неприятное жжение в глазах и легкое головокружение. Нельзя ослаблять концентрацию, нельзя ничего пропускать, а сообщений с упоминанием имени «Екатерина Пескова» так много... Интернет начал подвисать, как частенько бывает после окончания рабочего дня, когда активные пользователи возвращаются домой и выходят в сеть, и приходилось ждать, пока загрузится очередная страница.

«Как хорошо, — малодушно подумал Дзюба, зажмуриваясь, чтобы унять жжение в глазах, — конечно, работу тормозит, но зато можно дух перевести. Как же их много, этих Екатерин Песковых! И зачем про них пишут столько сообщений? Была бы у матери Игоря какая-нибудь совсем редкая фамилия, было бы намного легче...»

Июнь, май, апрель... Нельзя расслабляться, нельзя отвлекаться... Надо читать все подряд, каждое сообщение... А вот это, кажется, близко к теме: «Екатерина Пескова или Надежда Хмаренко? Найдите десять отличий! Пройдите тест!» И две фотографии. Явно старые, сделанные пленочным фотоаппаратом. На одной изображено какое-то торжество вроде банкета, за обильно накрытым столом сидят двое мужчин и между ними женщина, у всех троих в руках бокалы, все смеются. Лицо женщины, красивое, веселое, обведено красным кружком. На второй фотографии женщина с мальчиком лет пяти-шести, они стоят на улице перед широким витринным окном, над которым красуется вывеска «Пицца-хат». И тоже красный кружок вокруг головы женщины. На первый взгляд, обе дамы совершенно не похожи: разные прически, разный стиль одежды. Но если всмотреться, то сходство очевидно. Даже и не сходство, а, пожалуй, полная идентичность. Хотя про идентичность может сказать только экспертиза, а так, на глазок если, то действительно большое сходство. Двойники? Бывает.

Никаких комментариев под постом не было. Дзюба подвел стрелку к аватарке автора, щелкнул мышью, зашел на личную страницу, полистал посты, чертыхаясь в адрес человека, который сам ничего не пишет, но каждый день делает по 20—30 репостов. Тест он нашел, для чего пришлось долистать страницу до мая. И это был уже не репост, а оригинальный пост. Выходит, этот деятель, именующий себя в Фейсбуке «Мишка-Мишка», все-таки иногда сам что-то пишет. Роман стал листать дальше, вот уже апрель, вот самый конец марта... Вот оно! Репост фотографии с банкета. И текст: «Прошу максимальный репост!!! На этой фотографии — Екатерина Пескова, 1953 г. рождения, уроженка Серпухова. Разыскиваю тех, кто ее знал!» Автор сообщения — некто под именем «Сынок» и без фотографии на аватарке. Под постом 12 комментариев. Дзюба собрался было их прочитать, но вовремя спохватился и окликнул Анну:

— Мышонок, я тут что-то нашел. Ты не подойдешь ко мне? А то у меня уже так глаз замылился, что я не пойму, оно это или не оно.

Анна мгновенно вскочила со своего места и подбежала к нему.

— Где? — Она жадно впилась глазами в экран его компьютера.

Рассмотрела фотографию, тяжело вздохнула.

— Ты первый нашел... А я опять лузер, никакого толку от меня.

— Погоди, мы еще комментарии не прочитали. Может, это совсем не то, что нужно.

Он открыл комментарии.

Мишка-Мишка: «Пескову не знаю. Но она — точная копия нашей соседки Надежды Хмаренко. Когда я был маленьким, мы жили в одном доме, я с ее сыном Кирюхой в один детсад ходил».

Сынок: «Спасибо, что откликнулись, но это ошибка».

Мишка-Мишка: «Какая на фиг ошибка?! У меня глаз — алмаз! У меня фотография есть, могу показать».

Сынок: «Покажите».

Мишка-Мишка: «Смотрите сами. Я хорошо помню, когда эту фотку сделали. Это 95 год, мы с мамой и тетя Надя с Кирюхой ходили пиццу есть, моя мама взяла с собой фотоаппарат, она их и сфоткала. А мужик в серебристом пиджаке, который на твоей картинке рядом с тетей Надей, это ее муж, Филипп Хмаренко».

И фотография, та самая, с мальчиком.

Сынок: «А фотографии Надежды с мужем у вас нет, случайно?»

Мишка-Мишка: «Нету. Дядя Филипп фоткаться не любил».

Сынок: «А сейчас вы по-прежнему живете по соседству с Надеждой?»

Мишка-Мишка: «Не, давно переехали. Где они сейчас живут — понятия не имею».

Мишка-Мишка: «Ты фотку-то рассмотрел? Убедился, что я прав?»

Сынок: «Не уверен. Екатерина Пескова умерла в 1988-м».

Мишка-Мишка: «Не знаю, кто там и когда умер, а тетя Надя Хмаренко была отлично жива в 1995-м. И даже в 2000-м, пока мы еще рядом жили».

— Ерунда какая-то, — растерянно проговорила Анна, прочитав комментарии вслух. — Наверняка ошибка, Пескову же убили.

— Или не убили, — задумчиво отозвался Дзюба.

— То есть?

— Да сам не пойму. Может быть, это чистой воды лажа. Ну увидел этот Мишка-Мишка кого-то похожего на свою соседку, вот и написал.

— А как же муж?

— Про мужа мог и наврать для красного словца, для убедительности. И тут же приплел, что, мол, дядя Филипп не любил фотографироваться. Интернет тем и привлекателен для многих, что в этом виртуальном пространстве можно врать и не краснеть.

Анна помолчала, потом попросила увеличить фотографию с банкета во весь экран. Долго рассматривала ее.

— Действительно, очень красивая женщина, — сказал она. — А этот, в серебристом пиджаке, какой-то... Не знаю даже, как объяснить... Простоватый, что ли... Нет, не простоватый, не так я говорю. Знаешь, у Екатерины вид, как будто она королева и королевой родилась. А у этого, в пиджаке, вид, как у князя, который поднялся из грязи. Нувориш. Гудвин, а если это все-таки не лажа? Если Надежда Хмаренко и в самом деле Пескова? Тогда что получается?

— Тогда получается, что Вадим Песков жену не убивал, и никто вообще ее не убивал. И сидел несчастный Песков непонятно за что.

— Но как такое может быть?

— Мышонок, в этом мире может быть все, что угодно. Будем разбираться.

— Мне продолжать искать в других сетях? Или больше не нужно?

— Нужно. Я еще здесь пороюсь, может, еще кто-то на пост откликнулся. А ты продолжай Контакт шерстить. Если больше ничего не найдем, значит, скорее всего, случайное сходство. А если еще что-то накопаем, то это уже основание для выводов.

— Ага, — послушно кивнула Анна и вернулась к своему компьютеру.

Роман скопировал фотографию, сделанную на банкете, собрался было отправить ее электронной почтой Большакову, но остановился: а вдруг Фокин-Никоненко и в самом деле периодически контролирует почту полковника и генерала? Вдруг дядюшка Игорь дал ему такое задание? От греха подальше...

Он переснял фотографию на телефон и отправил в Москву эмэмэс.

Шарков

—Давайте отпустим Бориса Александровича, ему в машине сидеть неудобно, наверное, — предложил Большаков.

После начала совещания прошло больше двух часов. Дзюба давно уже занимался поисками в Интернете, а двое полицейских, адвокат и психолог все пытались составить хотя бы минимальную связную картину из разрозненных кусочков информации о событиях тридцатилетней давности. Картина никак не составлялась, и все устали. Тяжелее всех пришлось Орлову: ни попить, ни поесть, ни в туалет сходить, ни ноги размять.

Орлов поблагодарил и отключился. Большаков вышел из скайпа и выключил компьютер.

— Что скажешь, Верочка? — обратился он к Максимовой. — Насколько, по твоим ощущениям, племянник может быть в курсе дел дядюшки?

Вера снова надела очки и пробежала глазами свои записи.

— О Пескове мы знаем чуть больше, об Алексее Фокине — меньше, поэтому давайте я поставлю вопрос иначе, — начала она. — До какой степени Игорь Песков захотел бы посвящать племянника в свои планы? Племянник не производит впечатления человека с активной жизненной позицией, и Игорь понимает, что в соратники по боевому делу мальчик Алеша ему не годится. Алеша нужен в качестве технической помощи, потому как он умеет то, чего не умеет сам Песков. Никаких давних доверительных и теплых отношений между дядей и племянником нет, насколько мы можем судить. И это однозначно говорит в пользу того, что Песков не доверит Алеше свое детище. Параноики вообще недоверчивы, даже по отношению к близким членам семьи. Песков, скорее всего, просто купил мальчишку: знал, в насколько стесненных жилищных условиях мучается семья тетки, и предложил парню квартиру в обмен на помощь. Об истинной цели своей деятельности наверняка что-то наврал. Такое безобидное вполне.

— Что же безобидного можно наврать, когда просишь взламывать базы УВД и персональные компьютеры? — недоверчиво отозвался Шарков.

Вера пожала плечами:

— Человеческая фантазия безгранична. Особенно если врешь тому, кому не хочется ни во что вникать, но кто хочет получить обещанную награду во что бы то ни стало. А мальчик Алеша, если доверять впечатлениям Анны, существо довольно равнодушное ко всему, что не входит в круг его прямых интересов. Вот представьте: парень двадцати четырех лет, живет с матерью, бабкой, сестрой, ее мужем и двумя маленькими племянниками, причем работа у него на удаленке, то есть сидит этот Алеша целыми днями в своей каморке, а за дверью постоянно шум, гам, гвалт, дети бегают и визжат, бабка телевизор все время включает, вечером, когда вся семья собирается, вообще не продохнуть... Да, он наверняка работает в наушниках, но ведь его постоянно дергают, мальчишки забегают и отвлекают, бабка с вопросами пристает. Алеше хочется железа всякого накупить, чтобы беспрепятственно отдаваться своей страсти, а куда его впихнуть? В его каморке и так не повернуться. И тут появляется дядя Игорь со своим предложением: ты мне помоги, ничего особенного не нужно, все сугубо по твоей специальности, а я тебе за это квартиру отдам. Хорошую, просторную. Мне кажется, такой парень, как Фокин, не станет особенно ломать голову над вопросом, за что это ему такое счастье, просто радостно ухватится за свой шанс.

— Согласен, — задумчиво кивнул Валерий Олегович. — Был бы я на месте Игоря, я бы наплел племяннику примерно следующее: есть человек, который в прошлом году совершил преступление, например убийство, но я не знаю, где и когда точно он это сделал и кого именно убил. Мне о нем рассказал один бывший зэк, который вместе с моим отцом срок мотал. Убийца этот очень богатый, и если я смогу узнать, кого, где и когда он убил, то смогу слупить с него огромные деньжищи и свалить за границу, а квартиру оставлю тебе, дарственную оформлю. Вот под такую легенду легко можно оправдать и взлом наших баз, и взлом персональных компьютеров людей, служащих в полиции. Кстати, о тех, кто мотал срок вместе с Вадимом Песковым: Костя, ты отправил кого-нибудь разобраться с тем типом, которого опознала соседка Песковых?

— Отправил. Результата пока нет.

Телефон Большакова издал мелодичный сигнал, означавший получение сообщения. Он взглянул на фотографии, сделанные с экрана компьютера, на которых был первый пост «Сынка» со всеми открытыми комментариями. И отдельно, во весь экран, фотография Екатерины Песковой в обществе двоих неизвестных мужчин. Текст получился очень мелким, и прочитать его Константин Георгиевич смог только с огромным трудом. Потом прочел еще раз, уже вслух.

— Покажи-ка, — потребовал Шарков.

Он долго пристально вглядывался в фотографию, то отводя телефон подальше, то приближая к глазам.

— Ну надо же, — протянул он наконец, вернув телефон Большакову. — Вот никогда бы не подумал... Пропал — и пропал, больному, как говорится, легче.

— Вы его знаете? — с любопытством спросила Вера.

— Лично — не удостоился чести, — усмехнулся Валерий Олегович. — Но персона известная в определенное время и в определенных кругах. Подпольный миллионер, маклер по живописи и антиквариату. Имени его не помню, вернее, помню, что имен было не то пять, не то шесть, и какое из них настоящее — точно не скажу.

— Но имя «Филипп Хмаренко» среди них было?

— Не помню, — признался генерал. — Столько лет прошло... И кличка у него была какая-то художественная, связанная с живописью... Я в те годы квартирными кражами занимался, у нас фотография этого деятеля была в альбоме, который мы терпилам показывали, вот лицо и примелькалось, запомнилось.

— Запомнилось, значит, лицо, — недоверчиво заметил Константин Георгиевич. — Может, путаете?

— Может быть, — со вздохом согласился Шарков. — Но вряд ли я ошибаюсь, это ведь было в моей молодости, а долговременная память, как нас учила наша Вера, не ослабевает с годами. Что в молодости запомнил, то навечно вбито в голову. И учитывая, в каких сферах предпочитала вращаться мадам Пескова, подобное знакомство более чем вероятно. А если принять во внимание все прочие ее характеристики, то можно смело утверждать, что знакомство это было весьма интимным.

Большаков молча прошел по комнате от окна до двери и обратно, покусывая губы.

— Вопрос в том, так ли это на самом деле или вы ошибаетесь и Мишка-Мишка этот тоже или ошибается, или врет, — сказал он.

— Вопрос не в этом, — тут же возразила Вера, — а в том, поверил в это Песков или нет. Если поверил, то это многое объясняет.

Шарков посмотрел на часы, протянул руку к лежащему на столе телефону полковника и переслал фотографии себе, проверил, дошли ли, после чего отправил их еще кому-то, приписав короткое сообщение.

— Кому? — спросил Большаков.

— Хану. Он — единственный крутой спец по организованной преступности, которому я могу доверять.

— Думаете, он знает?

— Думаю, он точно знает, у кого нужно спросить, — усмехнулся Валерий Олегович. — Хан и спросит аккуратно, и сам болтать не будет.

Он хотел еще что-то добавить, но в это время завибрировал телефон Шаркова: на время совещания генерал отключил звук рингтона. На дисплее высветилось имя вызывающего абонента: Алекперов.

— Удивили вы меня, товарищ генерал, — прозвучал в трубке твердый спокойный голос Хана. — Я был уверен, что вы сами прекрасно знаете, у кого можно и нужно спрашивать об этом персонаже.

— У кого же?

— У Олега Дмитриевича Шаркова, вашего батюшки. Он, наверное, единственный, кто скажет вам правду. Если не он — тогда вообще никто. Все остальные или только предполагают, что там произошло, или будут молчать умышленно.

Генерал медленно спрятал телефон в карман пиджака, потом зачем-то вынул, долго рассматривал, вертя в руках, потом снова убрал.

— Да, дорогие мои, — неторопливо и негромко произнес он, — кажется, мы с вами попали... Пока не понял куда: не в то в болото, не то в дерьмо, но место поганое.

Дзюба

Отправив сообщение Большакову, Роман снова принялся листать страницы в поисках либо знакомой фотографии, либо упоминания имени Екатерины Песковой в нужном контексте. Потом сообразил, что можно включить в поиск и сочетание «Екатерина Пескова Надежда Хмаренко». Пока что находились только обе фотографии в посте «Найди десять отличий». Ленивый Мишка-Мишка додумался только до того, чтобы оформить спорные снимки в виде теста, но на то, чтобы сделать сам тест, не хватило то ли мозгов, то ли возможностей, то ли энтузиазма. Интересующиеся или просто любители подобных тестов нажимали на ссылку, честно ломали глаза в поисках отличий, потом обнаруживали, что занимаются этим впустую, ибо никакого инструментария к тесту не прилагалось: ни пометок, ни стрелок, ни даже банальных «вопрос-ответ». Наверное, злились, а может, смеялись... Некоторые из них делали репосты, дескать, посмотрите, как вас можно развести. Некоторые даже писали комментарии, адресованные автору поста. Естественно, гневные, оскорбительные и издевательские.

— Гудвин, ты в Нанске был когда-нибудь?

— А? — очнулся Дзюба. — В Нанске? Был пару лет назад в командировке. А что?

— Похоже, эта фотка у «Пицца-хат» сделала в Нанске.

Он подскочил к Анне, встал у нее за спиной, сощурил уставшие глаза, чтобы лучше видеть слова на экране.

— Ты что делаешь?

— С Мишкой-Мишкой переписываюсь. Сейчас он живет в Перми, а в девяносто пятом жил в Нанске.

— Аня!

Он в ужасе схватился за голову.

— Ну а что такого? Я вижу — он в сети, так почему не попробовать? Занятный такой парень, отвечает охотно, сразу видно, что ему скучно, готов поболтать с незнакомкой.

Она обернулась к Дзюбе:

— Ты чего так побледнел?

— Аня! — только и смог повторить он.

— Да брось ты, не укусит он меня. Это же Интернет, великая сила и она же великая защита. Смотри, я ему написала, что стала рассматривать фотку и узнала нашу пиццерию, типа мы туда с подружками любили ходить. Ну, вроде того, что я тупая и не сообразила, что фотка-то девяносто пятого года и за двадцать лет все сто раз поменялось уже. И город назвала другой, не Серебров. Этот Мишка тут же начал меня лечить, что это Нанск и теперь на этом месте узбекский сетевой ресторан, и вообще ту пиццерию еще до миллениума закрыли. А сам он с родителями переехал в Пермь в самом начале двухтысячных. С грамотностью у него, конечно...

Анна фыркнула и рассмеялась.

— Мне как филологу трудно такое читать, а уж тем более соответствовать при переписке, но я стараюсь, знаками препинания пренебрегаю, всякие скобки-двоеточия вместо смайликов рисую. Ну чего ты, Гудвин? Пацан сам готов общаться, грех же не попользоваться. Давай, говори, что нужно у него узнать.

— Насчет Надежды Хмаренко и ее мужа, — вздохнул Дзюба. — Только ради бога, Мышонок, очень осторожно, чтобы он ни в коем случае не прочухал, что тебя интересует именно его соседка. Про золотое детство, про фотоаппарат, ля-ля-тополя... Потом незаметно переходи к тесту, обсуждай с ним сходства и различия и таким путем выводи на обсуждение личности. Поняла? Сама никаких прямых вопросов не задавай, но сообщения формулируй так, чтобы стимулировать Мишку отвечать то, что нужно. Сумеешь?

— Я вообще-то филолог, а не психолог, — огрызнулась Анна. — Как умею — так и работаю. А почему нельзя прямые вопросы задавать?

— Мышонок, мы с тобой не знаем, кто такой этот Мишка и что у него за семья. А вдруг его родители поддерживают тесный контакт со своими бывшими соседями? А вдруг сам Мишка продолжает дружить с их сыном Кирюхой, с которым они в один детсад ходили? Если супруги Хмаренко имеют отношение ко всему нашему делу, а мы с тобой сейчас натопчем, как слоны в посудной лавке, то они через час будут знать, что кто-то ими интересуется. А может быть, уже давно знают, ведь фотография Екатерины Песковой висит в сети полгода. Но полгода ничего не происходило, и они могли успокоиться. А мы сейчас поднимем волну — и все, они забеспокоятся и мало ли чего натворят.

Анна внимательно посмотрела на него.

— Гудвин, а если я накосячу и сделаю что-то не так, тебя за это накажут?

— Само собой, — усмехнулся Дзюба.

— Выговор объявят? Или уволят?

— Могут и уволить. Зависит от масштаба ошибки.

— Но ведь ошибка-то будет моя, а не твоя. Меня они не уволят.

— Мышонок, — он вздохнул, потер глаза, зевнул. Господи, как же он устал! — Задание дали мне, и ответственность вся тоже на мне. Как бы дело ни повернулось, виноватым все равно буду я. И это правильно. А мы питаться будем или как?

— Ой!

Анна вскочила, едва не сбив стоящего за ее креслом Романа с ног.

— Вот же я курица! Я же мясо бросила размораживаться, хотела фрикадельки накрутить... Отвлеклась на Пескову и забыла про все.

Она дошла до двери, резко повернулась и снова подошла к включенному компьютеру.

— Нельзя так уходить, Мишка может решить, что я совсем свалила, и если ему сейчас больше не с кем поговорить, то тоже может выйти из сети. И жди его потом, пока появится. Черт, не надо бы мне прерываться, а то сорвется с крючка.

Она снова села, быстро набрала в окне сообщений несколько слов.

— Ладно, — решился Дзюба, — фрикадельки я, конечно, не одолею, но давай хотя бы бутерброды сделаю.

— Ага, — кивнула Анна, не оборачиваясь, — сделай.

Он поплелся на кухню, радуясь, что появился законный повод минут пять не таращиться на экран, от вида которого его уже тошнило. Большаков молчит, ничего не отвечает. И никакой ясности нет.

Большаков

— У меня есть маленькая идейка, как нам еще чуть-чуть высветить характер Фокина, — внезапно сказала Вера Максимова. — Может быть, ничего и не получится, но если получится, то я попытаюсь что-нибудь вытащить.

— Говори! — потребовал Шарков. — Сама видишь, у нас такое положение, при котором ничем пренебрегать нельзя, хватаемся за соломинки, как утопающие.

— Вызовите Романа, я поговорю с девушкой и проинструктирую ее.

Константин Георгиевич, не говоря ни слова, подключился к скайпу. Через несколько секунд на экране появилось лицо Дзюбы: глаза красные, губы пересохшие, налитые обычно щеки ввалились. В углу рта застряла хлебная крошка, похоже, сидит за компьютером с бутербродом в руке.

— Пригласи Анну, — потребовал полковник. — Вера хочет с ней поговорить.

— Иду, бегу, — послышался голос Анны, — сейчас, момент, он мне отвечает.

— Кто кому отвечает? — спросил Большаков.

Дзюба неожиданно смутился.

— Аня попробовала написать этому Мишке-Мишке, увидела, что он в сети, и написала. А он ответил.

— Зачем?

— Она... Ну, мы подумали, что если все это правда, то можно узнать адрес, где он жил, когда соседствовал с Надеждой Хмаренко и ее мужем Филиппом. Тогда полегче будет.

— Умно, молодцы, — кивнул Константин Георгиевич. — Только аккуратно, Рома, я тебя прошу.

«Хороший парень, — подумал он. — Ясное дело, инициатива принадлежит девочке, она первая сообразила. Но если что-то пошло бы не так или мы с генералом не одобрили бы, Ромка готов взять ответственность на себя, якобы это он придумал. Очень хороший человек этот Ромка. Жаль будет, если система его испортит».

— Фотография девяносто пятого года сделана в Нанске, — доложил Роман. — Мишка-Мишка жил в этом городе до начала двухтысячных, потом семья переехала в Пермь. Я попросил Анну вытащить все, что можно, про Хмаренко...

Он не успел договорить, на экране появилось лицо Анны Зеленцовой, и Большаков невольно залюбовался ее шоколадными миндалевидными глазами, сверкающими из-под растрепанной темно-рыжей челки.

— Я здесь!

Большаков развернул ноутбук так, чтобы в камеру попало лицо Веры.

— Анечка, вы могли бы прямо сейчас навестить Фокина? Повод есть?

— Есть, посуду забрать, я же ему еду на три дня оставляла в контейнерах и в кастрюлях. А зачем?

— Вчера Фокин получил довольно приличную сумму наличными. Посмотрите, пожалуйста, нет ли каких-то признаков того, что он ее потратил. Может быть, появились новые вещи, одежда, спиртное дорогое. Или еда, которую вы оставляли, осталась несъеденной, то есть можно полагать, что он ходил в ресторан. В общем, вы женщина, сами сообразите, на что обратить внимание.

— Конечно, не вопрос, я сбегаю.

Дзюба

Дзюба вышел следом за Анной в прихожую.

— Ключи не забудь забрать, — напомнил он.

С момента их возвращения в Серебров вчера поздно вечером Анна к своему квартиранту не заходила: еды у него достаточно, она же собиралась отсутствовать три дня, а вернулась раньше.

— Не забуду. За ключами и приду. Если меня долго не будет, посматривай мои сообщения, напиши Мишке пару слов, чтобы не сбежал. Только культурой речи не сверкай, попроще как-нибудь.

— Да у меня и нет ее, культуры этой, — усмехнулся Дзюба ей вслед.

Шарков

Пока ждали возвращения Анны, Вера объяснила свою задумку. По тому, как человек распоряжается деньгами, можно многое понять о его характере, а по тому, как он распорядится внеплановыми, внезапно появившимися деньгами, можно делать кое-какие предположения о его жизненной ситуации. Вариантов масса: всю сумму отложить; отложить почти все, купив только что-то самое необходимое или для сиюминутного удовольствия; далее варианты бесконечны по мере увеличения суммы истраченного вплоть до «спустить все до копейки». Большое значение имеет не только порядок экономии или расходования свалившегося с неба богатства, но и перечень того, на что оно потрачено.

Анна вернулась быстро.

— Он купил новый лэптоп, — сообщила девушка. — Сразу похвастался, как только я вошла. Сказал, что выполнил дорогой денежный заказ, ему заплатили. Сидит теперь ковыряется, начинку делает. Доволен до соплей.

— Марка, модель? — быстро спросил Большаков.

— Я на телефон щелкнула, у него в прихожей коробка валяется. Ну, на всякий случай, чтобы ничего не перепутать.

Она посмотрела на дисплей своего телефона и продиктовала буквы и цифры. Константин Георгиевич записал, молча кивнул, открыл айпад и сразу начал искать в Интернете информацию. Пользоваться телефоном для поиска в Интернете он не любил: и буквы мелкие, а зрение уже не такое острое, как в юности, и клавиатура маленькая, трудно попадать крупным мужским пальцем в нужный кружочек.

— Еду всю смел, — продолжала Анна. — Из одежды ничего нового не заметила. В шкафах не рылась, конечно, но этот ко... в смысле Никита этот всегда вещи на стулья бросает, вечно у него бардак. Бутылок новых нет. Я и в мусорке проверила, там только несколько пустых бутылок из-под кока-колы.

— Отлично, Анечка, спасибо вам большое, — улыбнулась Вера. — Вы нам очень помогли. Если что-то еще узнаете про Хмаренко — подавайте сигнал, мы здесь, будем ждать.

Она выключила скайп, просмотрела записи, сделанные во время разговора с Анной.

— Что можно сказать... — задумчиво протянула она. — Костя, ты нашел лэптоп?

— Момент.

Константин Георгиевич двигал пальцем по краю экрана.

— Вот, нашел. Молодец Алеша Фокин, уложился точно в сумму. Эта модель стоит сорок девять тысяч семьсот тридцать рубликов.

Вера удовлетворенно кивнула, стукнула концом ручки по раскрытому блокноту.

— То есть он спустил всю сумму разом. Это очень хорошо.

— Почему хорошо? — удивился генерал Шарков.

— А вы порассуждайте. Во-первых, это говорит о том, что Алексей Фокин не боится будущего. То ли он совсем глупый и просто не приучен думать о нем, то ли он точно знает, что дело близится к концу и уже совсем скоро он станет законным обладателем московской квартиры, а для полного счастья ему нужно только отдельное жилье и новый хороший ноутбук. Больше его ничего не интересует. Смотрим дальше: если ему так сильно нужен новый, более навороченный ноутбук, то почему он его уже давно не купил? Ответ: потому что его доходов тестировщика на это не хватает. Отсюда вывод: он довольно слабый тестировщик, то есть совсем не гений программминга и вообще компьютерного дела. Высококлассные спецы имеют шанс получать действительно высокооплачиваемые заказы, а Фокин перебивается маленькими дешевыми заказиками. Он любит это дело, он готов работать день и ночь, но, как говорится, тямы не хватает. Взломать базу УВД — это он может, но взломать, например, систему банка и нахимичить там в пользу своего кармана он не может совершенно точно. Даже оплачивать аренду квартиры он сам не может, иначе в Москве давно бы уже съехал от своего многочисленного семейства. За него сейчас платит дядюшка. Алексей, конечно, не гигант мысли, но и не совсем идиот, надо полагать, то есть нормальный средний парень. И как нормальный средний человек он не может не понимать, что дядины денежки не бесконечны. Их много, это правда, но кто его знает, сколько времени он будет искать по всей стране человека, которого он собрался шантажировать? А вдруг деньги закончатся раньше, чем он найдет этого псевдоубийцу?

— Положим, про шантаж убийцы — это я с ходу придумал, навскидку, — заметил Валерий Олегович. — Вряд ли угадал.

Вера тряхнула головой, заправила за ухо выбившиеся кудряшки.

— Это не важно. Важно то, что у Пескова есть какой-то план, который он озвучил племяннику. Может, он ему сказал, что ищет возможность связаться с инопланетной цивилизацией или хочет организовать выборы себя на должность губернатора какой-нибудь области. Не имеет значения. Алексей знает, что у дяди есть план, который требует неопределенного времени. Разве разумный человек станет при таких исходных данных тратить деньги на новый ноутбук? А вдруг у дяди с планом не заладится и жить станет не на что, а квартира все еще не принадлежит Фокину?

Шарков слушал внимательно, не сводя глаз с Веры, даже на Константина Георгиевича не смотрел.

— Ты полагаешь, что план Пескова близок к завершению, и племянник об этом знает? — медленно спросил он.

— Или догадывается, — подтвердила Максимова.

— Что еще можешь сказать? — подал голос Большаков.

— Фокину действительно не интересно ничего, кроме компьютера и работы. Он жаден, это еще ваш Фалалеев отметил, но не скуп. То есть иметь деньги хочет, а экономить, откладывать, одним словом — не тратить, не умеет. Не слишком чистоплотен морально, если учесть, с какой легкостью он согласился с предложением Фалалеева. И вообще с понятиями чести и достоинства у Алеши довольно вяло, чтобы не сказать грубее. Молодой мужчина, считающий для себя возможным жить на деньги родственника, с которым почти не знаком? То есть поступить к нему на содержание, фактически сесть на шею. Да еще и принять от него дорогой подарок в виде квартиры. Притом что есть крыша над головой, одежда и еда? Это уж извините.

— Но про квартиру — это ведь тоже только предположение, — возразил Большаков. — Просто мы сделали этот вывод на основании того факта, что Песков посещал нотариальную контору. Вернее, если совсем точно — выходил из нее. Все это очень и очень умозрительно. Конечно, мы все это проверим, но не раньше завтрашнего дня.

— Не имеет значения, — упрямо ответила Вера. — То, что Песков никогда раньше не проявлял интереса к племяннику и между ними нет давних доверительных отношений, можно считать установленным. Поэтому совершенно очевидно, что завлечь мальчишку себе в помощники, уговорить уехать из дома в провинцию и выполнять какие-то непонятные задания можно было только на условиях очень хорошего вознаграждения. Пусть не квартира, пусть что-то другое. Но что-то Песков ему пообещал, и оно достаточно ценное и значимое для Фокина.

Она помолчала, потом решительно закрыла блокнот.

— Если вам нужна более короткая формулировка, то скажу так: Алексей Фокин — слабый и трусоватый любитель халявы, готовый в любую минуту предать. У вас с ним проблем не будет.

Вера посмотрела на часы.

— Я вам еще нужна?

Валерий Олегович подошел к окну, выглянул на улицу, покачал головой.

— Верочка, город все равно стоит, никуда не доберешься.

— А я ножками и на метро, — улыбнулась психолог. — Вот посмотришь на вас, и начальником становиться не захочешь. Когда еще до закрытия Фонда у меня была хорошая зарплата и появилась возможность купить машину, я прямо нутром почуяла: не надо, с каждым годом ездить будет все труднее, машина превратится в обузу. И ведь как в воду глядела. Вам, начальникам, теперь придется ждать, пока это безобразие рассосется, а я свободна, как ветер!

Генерал Шарков предпочитал оценивать дорожную ситуацию по старинке, на глазок, в отличие от полковника Большакова, который больше доверял Интернету. Константин Георгиевич ткнул пальцем в иконку приложения, показывающего карты и пробки.

— Центр весь темно-красный, — констатировал он. — Там все стоит. А вот Третье кольцо почему-то двигается свободно, по нему, конечно, дольше получится, но...

Он начал набирать в строке поиска домашний адрес Веры, и приложение тут же услужливо выбросило ему все недавние адреса — и Веры, и Шаркова, и его собственный.

— Верочка, до твоего дома обещают час сорок. Могу подвезти. Рискнешь?

— Спасибо, Костик, но час сорок — это много, на метро я минут за пятьдесят доберусь. У меня назначена консультация, человек придет, мне нельзя опаздывать.

Вера ушла, оставив полковника и генерала вдвоем. Как только за ней закрылась дверь, Валерий Олегович словно бы стал ниже ростом и меньше в объеме. Как будто воздух из него выпустили.

— Пойдем кофейку выпьем, поговорим, — сказал он.

Большаков направился следом за ним на кухню. На этот раз генерал сварил кофе на двоих, взяв большую джезву.

— Ну, Костя, с чего начнем, с вопросов или с ответов? — устало проговорил Валерий Олегович.

— Лучше, наверное, с ответов. Когда сформулируем ответы, станет понятно, какие еще нужно задать вопросы. Если только...

— Что? — вскинулся Шарков.

— Я подумал, что вы захотите сразу ехать к Олегу Дмитриевичу.

— А толку-то? — усмехнулся генерал. — Ехать буду часа три, не меньше. Знаешь современный анекдот? Разговор по телефону: «Ты едешь домой? — Нет, я стою домой». Если в течение двух часов пробки рассосутся, то я к отцу за час доеду, те же три часа и выйдут. Давай подводить итоги.

Итоги выходили странными и неутешительными. Екатерина Пескова, выйдя замуж и родив сына Игоря, продолжала вести достаточно свободный образ жизни, прикрывая и оправдывая его необходимостью «вращаться в кругах», заводить и поддерживать нужные знакомства, «доставать и устраивать». В длинной череде ее любовников оказался и некий деятель криминального мира, связанный с антиквариатом и большими деньгами, условно называемый Антикваром. В какой-то момент Екатерина принимает решение отделаться от постылого мужа и начать новую, ну вот просто совсем-совсем новую жизнь, ослепительную и полную радостей и всеразличных удовольствий. Здесь встает вопрос: почему нельзя было просто взять и развестись с Вадимом Песковым? Но вопросы они договорились задавать потом. Сейчас — только фактура.

А фактура такова, что была задумана довольно-таки примитивная комбинация, целью которой являлось: объявить Екатерину Пескову убитой, ее мужа привлечь за это убийство и посадить, сын как сирота попадает или к родственникам, или в детский дом, вследствие чего сама ветреница получает полную свободу уехать куда угодно со своим любовником Антикваром, и счастливые молодожены могут жить в новом месте под новыми именами и с новыми биографиями.

Антиквар пользуется сильной поддержкой в каких-то структурах, ибо в одиночку ему такую комбинацию было бы не провернуть. Задумка-то сама по себе — ничего особо сложного, а вот выполнить, да так, чтобы все чистенько, все аккуратненько, — это нужно иметь мощные подпорки и среди оперов, и в следствии, и в прокуратуре, и в суде.

Готовиться начали загодя, судя по тому, что рассказал Орлов, — месяца за три до запланированной операции. Екатерина начала подпаивать своего малоустойчивого к алкоголю мужа, зная, что он быстро опьянеет и заснет мертвецким сном, ни кричать, ни скандалить не будет. Такой уж у него организм. Как только Вадим засыпал, Екатерина начинала подавать реплики, да погромче, чтобы соседи слышали. Кричала, била посуду, швыряла об стену разные предметы. Сыну при этом строго-настрого наказывала сидеть в своей комнате и не выходить, потому что папка пьяный, сердитый, может ударить, а то и убить. Видимость дебоша изображала недолго, минут десять максимум, только чтобы довести до сведения соседей, потом врывалась к Игорю, забивавшемуся от страха в угол или под письменный столик, хватала его за руку и тащила либо на второй этаж к Бобрикам, либо на четвертый этаж к супругам Поляныччо. Как вести себя с добросердечными доверчивыми соседками, что и какими словами говорить — Екатерину, вероятнее всего, проинструктировали. А может, и сама сообразила. В течение трех месяцев мадам Пескова кропотливо создавала (и создала-таки!) хорошую свидетельскую базу для своей легенды под названием «Жизнь в аду»: жильцы как минимум трех квартир слышали скандалы и крики, еще в двух квартирах красочно подтвердят (с ее слов, разумеется, но это останется за скобками), как ужасно вел себя Вадим, как ревновал жену, как дрался с ней и угрожал убийством.

Наступил решающий день — июльское воскресенье, теплое и сухое, даже жаркое. Семья Песковых еще в пятницу вечером приехала на дачу. Всю субботу Екатерина понемножку подпаивает мужа, не давая ему, с одной стороны, заснуть, с другой — протрезветь. Когда стемнело окончательно, ближе к полуночи, устроила страшный скандал и выгнала мужа из дома. Иди, мол, куда хочешь, и до утра не возвращайся. Вадим, подкаблучник и мямля, послушно ушел. Минут через десять мать велела Игорю пойти найти отца и побыть с ним, а то ведь пьянющий, как свинья, упадет где-нибудь, да так и заснет. Это известно со слов Игоря, который неоднократно рассказывал и следователю, и адвокату, а потом и сыну адвоката, как мама посылала его найти папу и не отходить от него ни на шаг, пока не проспится.

Игорь искал отца около получаса — тот хоть и пьяный был, но успел уйти довольно далеко по лесной тропинке. Когда мальчик его нашел, Вадим уже крепко спал под кустом. Игорь устроился рядом, сначала сидел, потом прилег, подстелив под себя куртку. Рядом храпел отец: на лбу кровавая ссадина, одна штанина задралась чуть ли не до колена, другая чем-то испачкана. Мальчику было страшно. Но он был всего лишь мальчиком, и рядом был пусть и пьяный, но любимый папа.

Он сам не заметил, как заснул. Проснулся, когда уже было совсем светло, вставало солнце и пели птицы. Отец по-прежнему спал рядом. Хотя... Не совсем по-прежнему. Вадим Семенович спал, но под другим кустом, и головой не в ту сторону, как было, когда Игорь его нашел, а в противоположную. Мальчик начал его будить, разбудил, и они побрели в сторону дачи. А там пожарные машины, милиция, «Скорая»... Дом сгорел, на пожарище обнаружены обгоревшие останки. Опознавать нечего.

Версия сложилась сразу и была подтверждена всеми материалами дела. Показания Игоря Пескова были расценены вполне грамотно: мальчик спал и не может с достоверностью утверждать, что отец ночью никуда из леса не уходил. Заснул — отец был рядом, проснулся — тоже рядом, но между этими двумя моментами прошло как минимум часов пять. Ребенок спал. Отец был пьян и не помнит ничего. Была возможность у Вадима Пескова совершить убийство жены? Была. Был у него мотив? Был. Есть у него подтвержденное алиби? Нет. О чем тогда еще говорить?

Чей именно обгоревший труп был обнаружен на даче Песковых — пока неизвестно. Наверное, какой-нибудь бродяжки или проститутки с трассы. Никаких анализов ДНК в ту пору еще не ведали, а уж о том, чтобы в заключении судмедэксперта все было написано как нужно, позаботились. И про группу крови, и про зубную карту. Екатерина Пескова с горячо любимым Антикваром той же ночью убыла из столицы нашей Родины в неизвестном направлении, и документы у них были уже на имена Надежды и Филиппа Хмаренко. Может быть, сразу в Нанск и направились, а может быть, сначала где-то в другом месте осели, а уж потом в Нанск перебрались.

В Москве же тем временем началась активная работа по приведению в идеальный порядок уголовного дела по обвинению Пескова Вадима Семеновича в убийстве супруги. Трех месяцев организаторам всей затеи показалось маловато, они решили дотянуть отвратительное агрессивное поведение Вадима Пескова до года, для чего в ход пошли фальсифицированные протоколы допросов свидетелей, Юхновой и Бежицкого, якобы проживающих в том же доме. Вероятнее всего, сама по себе необходимость этой мерзкой комбинации возникла весной, а осуществлять ее нужно было не позднее лета, иначе потом Песковых на дачу не заманишь. У них просто не было времени растягивать удовольствие на полгода-год. В то же время хотелось, чтобы дело выглядело как-то... ну, поубедительнее, что ли. Все-таки Песков, при всех своих недостатках, в злоупотреблении спиртным раньше замечен не бывал. Начать пить человек может в любой момент, но вот сколько времени ему нужно, чтобы допиться до такого состояния, в котором убиваешь жену и потом этого не помнишь? Три месяца — сомнительно. Шесть — уже лучше. А еще лучше — год. Показания липовых свидетелей, проживавших по липовым адресам, оформили протокольчиками, справочками для суда запаслись, все честь по чести. С прокурором, утверждавшим обвинительное заключение, поговорили. С гособвинителем, выступающим в суде, воспитательную работу провели. Судье дали понять.

Хорошее было раньше законодательство, при советской власти-то! Адвокат допускался к делу только тогда, когда предварительное следствие заканчивалось. И времени на изучение дела и подготовку к процессу можно дать побольше, а можно и поменьше. А уж потом, после отказа в удовлетворении кассационной жалобы, дело спрятали так надежно, что и концов не найдешь. Вряд ли оно вообще существует еще, это дело по обвинению Пескова В.С. по ст. 103 УК РСФСР. Скорее всего, уничтожено от греха подальше.

Вадим Песков получает срок и отбывает в колонию. Возвращается тихим, спокойным, воцерковленным, сына в его борьбе никак не поддерживает, говоря, что «сам виноват, не надо было пить». Да и за что бороться, если он действительно ничего не помнит? А вдруг и в самом деле — убил? Черт его знает... Игорю тоже несладко: с одной стороны, он не верит в то, что его любимый отец мог убить человека, но с другой — понимает, что дать голову на отсечение не может, ведь спал же, а когда проснулся, папа лежал в другом месте, и видно, что вставал. То ли к соседнему дереву по малой нужде отходил, то ли и вправду до дачи дошел и...

С бывшими дружками по зоне Вадим Семенович общаться не стремился. После освобождения и до самой его смерти то один придет, то другой на огонек заглянет, но дольше получаса ни одна встреча не длилась: притихший мирный человек, искренне каявшийся в своей вине, был уголовникам не интересен, толку от него никакого. Некоторые пытались втереться через сына, Игоря, просили позвонить или иным каким образом связаться, если отец одумается и вспомнит о крепких законах содружества и совместного выживания на зоне. Но отец не одумался.

А Игорь каждый раз после таких визитов пристрастно выспрашивал у Вадима Семеновича, что за человек приходил, да зачем приходил, да чем он живет-дышит. Отец, чистая душа, рассказывал все, что знал. Именно так Игорь Песков и узнал, что одним из тех, кто оставил номер телефона и просил звонить, был небезызвестный в криминальных и милицейских кругах Сева Колчан, он же Всеволод Альбертович Колчанников, знаменитый, помимо всего прочего, тем, что через него можно было достать любой документ, вплоть до удостоверения сотрудника ФСБ, а уж общегражданские паспорта, свидетельства о рождении и браке, водительские удостоверения — вообще плевое дело. Легко и быстро. Чисто и надежно. Сева ухитрялся делать такие документы, которые выдерживали почти любые проверки, кроме совсем уж серьезных. Но дорого. Очень. А если в паспорте какие-то данные должны быть по выбору заказчика, то еще дороже. Что там соседка слышала? Что про девяносто третий бензин разговаривали? Нет, товарищи дорогие, не про бензин они говорили, а про год рождения в том паспорте, который предназначался для племянника Алеши Фокина. На самом деле Алексей родился в 1992 году, но в данном случае — «или девяносто третий, это без разницы, на ходовые качества не влияет».

Многое в этой конструкции основано на фактах, рассказах самого Игоря Пескова и материалах дела, многое — на домыслах. В том числе и та часть, которая связана с днем сегодняшним. Спасибо девушке Анечке — дельную мысль подсказала о том, что человеку, у которого внутри такой раздрай, как у Игоря, захочется искать подтверждения своей правоте, чтобы заглушить чувство вины. Потянули за эту ниточку — и вытянули фотографию Екатерины Песковой в обнимку с Антикваром. А это означает, что Игорь узнал: не погибла мама-то, жива-живехонька, с новым мужем и новым сыночком небо коптит. Конечно, совсем не обязательно, что она и до сих пор жива, но уж во всяком случае, не отец ее убил, и вообще никто ее в 1988 году не убивал.

Что будет делать такой человек, как Игорь Песков? Начинаем загибать пальцы и вспоминать выводы, сделанные Верочкой Максимовой: про то, что мать всех обманула и осталась жива, он теперь знает, это раз. В том, что никто не станет сегодня копаться и разбираться в старом деле, он убедился неоднократно, это два. Полиция беспомощна и некомпетентна, по твердому убеждению Игоря, это три. Он уезжает из родного города, бросив работу и, вероятнее всего, завещав племяннику квартиру или оформив дарственную, это четыре. Племянник ведет себя так, словно знает, что близится конец проекта, это пять. Человек такого склада, как Песков, будет искать «встречи с законченностью», это шесть. Вывод: остался последний эпизод, в котором Игорь намерен лишить себя жизни, но так, чтобы вина пала либо на мать, если она еще жива, либо на ее нового мужа, либо на их сына.

Если вывод верен, то найти Игоря Пескова никакой сложности не представляет. Нужно только выяснить, где теперь проживает семья Хмаренко. Игорь где-то там, рядом. Присматривается, принюхивается, примеривается. Если Надежда жива, то задача усложняется, ведь она может его узнать. А вот если она уже скончалась, то все проще намного, Антиквар, он же Филипп Хмаренко, никогда сына своей любовницы, а впоследствии жены, скорее всего, не видел. И сын Кирилл тоже брата единоутробного не видел, даже о его существовании не знает. С Филиппом и Кириллом можно даже близко познакомиться, втереться в доверие, все разузнать: как живут, чем живут, где бывают, чем увлекаются, какие привычки. Одним словом, все, что необходимо знать для успешного и эффективного планирования самоубийства, после которого семейке Хмаренко небо с овчинку покажется. Сколько времени на это потребуется Игорю? Месяц? Два? Но не пара недель — точно. Игорю нужен интервал между эпизодами, даже если вся информация уже собрана. Все-таки уйти из жизни — задача не менее трудная и страшная, чем убить человека. Значит, время есть, и можно пока расслабиться.

Теперь вопросы, на которые нужно получить ответы.

Где в данный момент находится Всеволод Альбертович Колчанников, он же Сева Колчан? Готов ли он поведать, зачем встречался полгода назад с Игорем Песковым? А может быть, он готов даже вспомнить, на какое имя он сделал ему паспорт? Про племянника-то мы знаем, что он теперь Никита Никоненко, а вот Игорь каким именем нынче зовется? Вряд ли Всеволод Альбертович ответит на эти вопросы легко и с открытой, как говорится, душой. Поиск человека для налаживания контакта потребует изрядного времени. Но тут уж ничего не поделаешь.

Где в настоящее время проживают Надежда и Филипп Хмаренко, если они еще живы? А если умерли, то где их сын Кирилл?

Кто и зачем придумал эту чудовищную комбинацию в 1988 году? И почему нельзя было сделать все намного проще, путем самого обычного расторжения брака? Есть некоторая надежда, что на эти вопросы ответит отец Шаркова.

Каким образом Игорю Пескову удалось поселить своего племянника именно в тот дом, где находится квартира Аркадия Михайловича? Действительно ли дело во взломе персональных компьютеров Большакова и Шаркова? Или это все-таки совпадение? Или не совпадение, но и не взлом, а еще какой-то третий вариант? Это нужно выяснить обязательно, иначе трудно двигаться дальше, руки связаны.

И, наконец, последний, но на самом деле — первый по важности вопрос: что делать с программой в свете новых данных, полученных вчера от Руслана Максимовича Фалалеева?

— Прав был Евгений Леонардович, — сказал генерал, когда Большаков закончил рассказывать эпопею с вызволением Кристины Фалалеевой из лап похитителей, — совсем отупели уголовники. Финансовые мошенники и компьютерщики умнеют на глазах, а эти... Развалились совсем, до такой тупости дошли! Эх, не закрыли бы программу — сейчас бы самое время настало всю эту шушеру одним махом прихлопнуть, они окончательно страх потеряли, думать ленятся, подстраховываться — ума не хватает, жадные, мозги жиром заплыли. Помнишь, какие изящные комбинации наши советские уголовнички нам преподносили в свое время? Песня! Романс! А теперь — одни похабные частушки, да и те не в рифму.

— Согласен, — кивнул полковник. — Позволю себе напомнить, что сегодня истекает трехдневный срок. Вы мне обещали.

— Да иди ты! — рассердился Шарков. — Какой еще трехдневный срок при таких раскладах! Сам видишь, какая ситуация.

— Валерий Олегович, если вы не ляжете в госпиталь, то завтра вам может стать уже все равно, какая будет ситуация, — жестко ответил Константин Георгиевич, глядя прямо в глаза генералу. — Не надо так на меня смотреть, я вас щадить все равно не буду и изображать понимание не буду.

Плечи Шаркова опустились, спина сгорбилась, и в этот момент он показался Большакову старым и больным. «Генерал держится, сколько может, — подумал он, — но силы у него на исходе».

— Знаешь, о чем я подумал? — тихо заговорил Шарков. — Надо отдать Игоря этим, которые наблюдают за нами. Пусть они его сами возьмут. Если они и так знают о нашей программе, то что бы Игорь им ни рассказал — для них это не будет новостью, более того, они прямо заинтересованы в том, чтобы информация не ушла дальше. Пусть они его берут и делают с ним что хотят. Будет им почет и слава на все министерство, ну как же, взяли убийцу, который по всей стране колесил и трупы всюду разбрасывал. У нас все равно ресурса нет на это, Дзюбу нужно возвращать на место, он и так слишком долго отсутствует, в Нанск или куда там еще — его уже не отправишь. Посылать за Игорем кого-то другого — моих возможностей не хватит, два раза подряд один и тот же фокус у меня не пройдет. А у этих, — он с нажимом произнес слово «этих», — и люди есть, и средства, и полномочия.

Большаков молчал. У него было что сказать генералу, но он не мог понять, подходящий ли для этого момент. Судя по тому, что сейчас предложил сам Валерий Олегович, Шарков, пожалуй, готов если не принять, то хотя бы обдумать идею.

— Согласен, — кивнул Константин Георгиевич. — Давайте исходить из того, что о программе знают те, кто хочет ею воспользоваться в собственных интересах. Как они собираются это делать? Они не станут ждать, пока система и в самом деле задохнется и забуксует, ибо в этом случае есть риск, что вычистят всех, в том числе и их самих. Они хотят уловить тот момент, когда необходимость перемен станет очевидной для высшего руководства, но перемен незначительных, кадровых и структурных, и под это дело они распихают на все хлебные должности своих людей. Которые тут уже наворовали — слазьте, дайте дорогу молодым и голодным. У нас с вами есть возможность выбить у них почву из-под ног.

Шарков глянул с интересом и недоверием. Но интерес показался Большакову тусклым, а недоверие — тяжелым.

— Каким образом?

— Закрыть программу. Не бросить, а закрыть и переориентировать. Перестать действовать в этом направлении. Тогда эти, — он тоже сделал ударение на последнем слове, — своего светлого часа не дождутся. Будут ждать, ждать, ждать... И все напрасно. А мы с вами продумаем новую идею и начнем действовать в другом направлении.

— У тебя, поди, уже и идея есть? — усмехнулся Шарков.

Он сидел за столом, тяжело опираясь на руки, и вся его фигура выражала угрюмую усталость.

— Ты хоть понимаешь, Костя, что ты мне предлагаешь? Программа — дело всей моей жизни. От меня жена ушла, а я даже не нахожу времени и сил подумать о том, почему она ушла. Что было не так в нашем браке? Что я сам делал не так? Нужно ли мне что-то предпринимать, чтобы вернуть Елену? И если нужно, то что и как? Любой нормальный мужик на моем месте думал бы только об этом, думал бы день и ночь, а я... Сегодня поймал себя на мысли, что вообще об этом не думаю. Потому что думаю только о том, как спасти программу от Игоря. Даже о том, чтобы выжить, я думаю меньше. Программа — это ведь не только идея, это и люди, которые нам поверили и нам помогают. Ты хочешь, чтобы я все это предал? Ты хочешь, чтобы я снял с себя ответственность за них?

— Три дня назад вы говорили другое, — мягко заметил Константин Георгиевич. — После разговора с отцом, помните?

— То было три дня назад, — генерал поднял голову и посмотрел на Большакова со злостью, — а это — сегодня. Ладно, говори, что у тебя за идея.

— Валерий Олегович, вы никогда не задумывались, почему все говорят, что в начале двухтысячных мир стал другим?

— А что, так говорят? — неподдельно удивился Шарков.

Злость в его глазах моментально погасла. Ему стало интересно.

— И почему?

— Потому что люди получили возможность выходить в Интернет с мобильных девайсов. За границей — чуть раньше, в нашей стране — примерно с пятого года. Настала эпоха мгновенного распространения информации по всему миру и мгновенного же ее получения и реагирования. Это очень мощное оружие, особенно в деле формирования и становления гражданского общества, и мы можем придумать, как его использовать. Вспомните, идея программы зародилась тогда, когда Интернета не было вообще, а персональные компьютеры были у единичных счастливчиков. И тогда, совершенно естественно, ставка была сделана на изменения внутри системы «преступность — правоохранительные органы». Иначе и быть не могло. В последние годы мы в связи с закрытием Фонда исключили преступность из сферы своего внимания и сосредоточились только на правоохранительных органах, потому что на большее у нас нет сил и средств. Давайте попробуем выйти из рамок системы. Мы не будем ее разваливать, мы будем работать с обществом. С людьми. С общественным мнением. С гражданской позицией. С формированием правосознания. Здесь нам пригодятся все наши журналисты, блогеры, адвокаты — одним словом, все, кто с нами работает сейчас. Нужны будут еще социальные психологи, социологи, политологи, ученые-правоведы. Новых людей нужно будет набирать, но ни с кем из прежних соратников мы не расстанемся. Вы никого из них не бросите и не предадите.

Шарков долго ничего не отвечал, уставившись глазами в одну точку. Потом тяжело поднялся, сполоснул под краном джезву, включил чайник, достал кофемолку.

— Сделаю еще кофе и поеду к отцу. Пора.

Бросил взгляд на Большакова.

— Будешь?

— Буду, — кивнул полковник.

Он больше ничего не спрашивал. Знал, что Шаркову нужно подумать.

Валерий Олегович молча сварил кофе, терпеливо стоя у плиты и наблюдая за поднимающейся шапкой пенки. Три раза снимал с конфорки и ставил назад. Потом влил несколько капель холодной воды. Все по старым правилам.

Разлил по чашкам. Сел к столу.

— Костя, дай мне еще одну ночь, — глухо проговорил он. — И один день. Хотя бы для того, чтобы выяснить, где сейчас Игорь, и с чистой совестью отдать его.

— Выяснить это мы можем хоть сейчас, — заметил Большаков. — Выясним, где Хмаренко. Игорь там же. Надо только в этом убедиться.

— Погоди, — генерал болезненно поморщился. — Сперва я должен поговорить с отцом. Вся эта бодяга по времени совпала с его увольнением. Если он что-то знает, то вполне возможно, его именно поэтому и выперли из органов. Принципиальный был, молчать не хотел. Мне нужно убедиться, что я не нанесу ему вреда, если предам огласке историю с Антикваром, или как там его звали на самом деле. Он старый, Костя, старый и слабый, живет один, и защитить его некому. Если я ненароком его подставлю, не будет мне прощения. Если ты сейчас начнешь пробивать информацию о Филиппе Хмаренко, кто знает, чем и как это может аукнуться.

Большаков залпом выпил очень горячий сладкий кофе, обжег язык, крякнул от досады.

— Я вас понял, Валерий Олегович. Знаете, что мне сегодня Вера сказала? Нельзя вести машину, глядя в зеркало заднего вида. Умная мысль, правда?

— Вера, — рассеянно повторил генерал, — Вера... А ты знаешь, Костя, что она тебя любит? Давно уже, лет десять, если не все пятнадцать.

— Знаю, — спокойно ответил Большаков.

Ни один мускул не дрогнул. Выдержка!

— А ты сам?

— И я ее люблю, — так же спокойно, даже невозмутимо сказал Константин Георгиевич.

— И что? Так и будешь сидеть на заднице ровно?

— Буду. Я несу ответственность за Юлю. Ее жизнь сегодня такая, какая есть, потому что она стремилась быть мне хорошей женой. И она ею была. За это она имеет право рассчитывать, что следующие как минимум двадцать лет я буду ей хорошим мужем. Мне жаль, что так случилось. Наверное, мы с Верой были бы очень счастливы вместе. Но Юля хочет взять приемного ребенка, и я должен быть рядом и помочь его вырастить.

— Не пожалеешь?

Непонятно, чего больше в голосе генерала — иронии или сочувствия.

— Все может быть, — Большаков улыбнулся открыто и почти весело. — Поживем — увидим. Все равно ведь не узнаю, пока жизнь не проживу.

Дзюба

В конце концов Роман понял, что если не встанет из-за компьютера хотя бы на пятнадцать минут, то просто сойдет с ума. Они с Анной рыскали по всему Интернету в поисках упоминаний Надежды, Филиппа или Кирилла Хмаренко. Упоминаний находилась масса, но при ближайшем рассмотрении оказывалось, что люди не те. На одного только Кирилла Хмаренко поисковик выдавал двенадцать миллионов результатов. Легче застрелиться сразу... Начинать следовало, конечно, с личных страничек в соцсетях, чем они с Анной сейчас и занимались. Но Дзюбе нужен был перерыв, иначе он не поручится за свой здравый смысл.

Он встал, прошелся несколько раз по комнате, поотжимался, выполнил упражнения на дыхание. Вроде бы стало полегче. Анна сидела за своим компьютером, не отрываясь, и Роман в который уже раз подивился тому, что девушка, казалось, не нуждалась в перерывах. Как это она так ухитряется? Может, секрет какой знает?

Ему вдруг мучительно захотелось позвонить Дуняше. Или хотя бы написать. «Глупости, — сердито сказал себе Дзюба. — Не нужно. Не трогай ее». Но тоска оказалась сильнее. Он снова сел за компьютер, зашел на свою страничку, где сбоку висел список «друзей», которые в данный момент находились в сети. Рядом с фотографией Дуняши мигала жирная синяя точка: она в сети. Скорее всего, дома, за своим компьютером. Или не дома, но тоже за компьютером, то есть совершенно точно вышла со стационарного устройства, а не с мобильного, иначе значок был бы другим, не точкой, а телефончиком. Не дома... У него?

Ему стало тошно и больно. Отвлекся, называется! Только хуже стало.

— Мышонок, — начал было он.

Что дальше говорить — не знал, просто чувствовал, что нужно что-нибудь сказать, завязать разговор, переключить внимание с мыслей о Дуняше на другой предмет.

— Сейчас, момент, — отозвалась Анна.

И через пару секунд обернулась к нему. Щеки раскраснелись, глаза горят.

— Я его нашла, кажется! Только он тухлый какой-то.

— Кого нашла? Филиппа или Кирилла?

— Кирилла. Указаны город Нанск и год рождения восемьдесят девятый. Вроде он, правильно?

— Похоже, да. А почему тухлый? Что это значит?

— У него есть страничка в «Одноклассниках», но он туда не заходил с двенадцатого года. Я пытаюсь через участников групп выяснить, куда он подевался, почему не выходит. Никто пока не ответил.

— А групп много?

— Больше десятка. И в каждой до фига народу. Но группы какие-то не сильно активные, в них народ почти не общается, только постами делятся. Друзьям его тоже написала, но шансов мало.

— Почему?

— Да у него друзей полторы тысячи с лишком! Это означает, что на самом деле он с ними не общается. Из этой кучи максимум десяток — активные контакты, а остальные просто так, для красивости. Будто сам не знаешь, как это бывает.

— Знаю, — огорченно кивнул Роман.

Он действительно знал: если страница открытая, то сообщения о том, что некто хочет стать вашим другом или «присылает заявку на добавление в друзья», приходят с завидной регулярностью. Причем в «друзья» просятся какие-то совершенно незнакомые люди и бог весть по каким причинам. Если принимать всех, то и полторы тысячи наберешь, и больше. В результате в твоей ленте появляются все новости и посты этого «друга», а личного общения все равно нет, ибо о чем можно разговаривать, то есть переписываться, с человеком, которого в глаза не видел? Но любителей набирать таким вот манером когорту «друзей» очень много, это Дзюба знал совершенно точно.

— Я написала тем друзьям Кирилла, которые сейчас в сети, — продолжала Анна. — Но по закону подлости именно они и окажутся туфтовыми. Штук двадцать сообщений отправила. Подождем, может, кто ответит.

— А в других сетях ничего?

— Я только «Одноклассников» проверила, больше ничего не успела.

— Тогда я попробую в других местах поискать. Везучая ты! Или знаешь секрет, как искать?

— Да никакого секрета, Гудвин. Ты же, наверное, только имя и фамилию вводишь?

— Ну да.

— А ты введи еще год рождения и город. Сразу круг сузится.

Тьфу ты! Роман мысленно выругался. Проще пареной репы. Совсем он заработался, выдохся, элементарных вещей сообразить не может.

Ну, раз так, то подойдем к делу творчески, решил он. Не будем ждать милостей от природы.

Он ввел в поисковик «Филипп Хмаренко Надежда Хмаренко Кирилл Хмаренко». Вот и посмотрим, что получится. Наверняка ничего путного, но хотя бы ради любопытства можно узнать, насколько сузится круг поисков. Если искать по упоминаниям одного человека — выпадает больше десяти миллионов результатов. А если по всем трем сразу?

Выпало 315 000. Тоже немало, но все-таки...

Почему Кирилл Хмаренко не заходил на свою страничку с 2012 года? Обычно такое происходит, когда человек обнаруживает, что в другой соцсети ему удобнее. Может, интерфейс больше нравится или еще какие-то причины. Страничку в покинутой сети не удаляет, просто перестает ею пользоваться, перебирается на виртуальное жительство в другое место. Значит, нужно действительно искать в других сетях.

Какие еще причины могут быть? Болезнь, например, психическое заболевание, когда человек полностью теряет интерес к общению и к контактам с внешним миром. Тогда и других страничек нет. Просто исчез человек из Интернета — и все.

Что еще? Посадили. Мотает Кирюха Хмаренко срок на зоне, никаких тебе Интернетов, никаких соцсетей. Тоже вариант.

Или умер. Но в двадцать два — двадцать три года — скорее погиб.

В любом случае что-то произошло в 2012 году. И искать нужно именно там. Понятно, что методом обычного просмотра до материалов 2012 года они с Аней добрались бы еще очень не скоро, ведь поисковик выдает сначала последнюю по времени информацию либо ту, которую чаще запрашивают.

А если совместить имя Кирилла с названием города и с датой «2012 год»? Спасибо Ане, направила мысль в нужном направлении!

— Гудвин! — окликнула его Анна. — А ты чего хотел сказать-то?

— Когда? — не понял Роман, выныривая из собственных размышлений.

— Ну, перед тем, как я тебе про тухлого Кирилла сказала. Ты что-то начал говорить, а я тебя перебила, стала про страничку в «Одноклассниках» трещать.

— А, это... — он махнул рукой. — Хотел спросить, что там твой Мишка-Мишка пишет, нет ли чего новенького.

— Да ну его, он про себя больше всего на свете любит рассказывать, что ни спрошу — он ответ на себя, любимого, выворачивает. Но если по крупицам из текста выковыривать, то семья Хмаренко жила, прямо скажем, не бедно, денег у них было много, но люди они довольно замкнутые, ни с кем из соседей близкой дружбы не водили. Мишкина семья — единственное исключение, и то только потому, что пацаны в один садик ходили, и мамочки то и дело кооперировались и договаривались, кто детей в сад отведет и кто заберет. Мишка, если я правильно поняла, на пару лет старше Кирилла, то есть он ходил в старшую группу, а сын Хмаренко — в самую малышовую. В тот раз, в девяносто пятом году, именно Надежда была инициатором похода с детьми в пиццерию, Мишка это хорошо помнит, потому что его отец тогда был недоволен и сказал что-то вроде: «Богатенькая соседка решила нас облагодетельствовать», а мама стала Надежду защищать и говорить, что она хороший человек и она не виновата, что муж у нее такая бука нелюдимая. Понятно, что между репликами родителей логическая связка пропущена, но ребенок так запомнил. Ему восемь лет тогда было, помнит-то все, а понимает еще не все. Больше ничего интересного пока нет.

Бука нелюдимая... Ну само собой, станешь тут букой, когда живешь чужой жизнью по чужим документам. А если еще и сама жизнь сложная и опасная, то сам бог велел посторонних близко к себе не подпускать.

Оппа! Это еще что такое? «Трагедия в Нанске».

«6 сентября 2012 года. Вчера в Нанске, на озере Круглом, взорвался катер, принадлежащий жителю нашего города, предпринимателю Филиппу Хмаренко, владельцу галереи «Ренессанс». Трагедия произошла, когда вся семья Хмаренко — сам Филипп, его жена и сын — выехали на водную прогулку. Надежда Хмаренко и ее 23-летний сын Кирилл погибли, 69-летний Филипп Хмаренко получил тяжкие увечья. Сейчас Ф. Хмаренко находится в реанимации, врачи борются за его жизнь».

Вот и приехали...

— Мышонок, по Кириллу — отбой, — устало проговорил Дзюба. — Он погиб в двенадцатом году. И Надежда тоже. На катере взорвались. Осталось только выяснить, выжил ли Филипп.

— Ох, ни фига ж себе! — ошеломленно выдохнула Анна, обернувшись.

— Иди отдыхай.

— Как — отдыхай? — возмутилась она. — А про Филиппа узнать?

— Я сам справлюсь. Иди, Мышонок. Совсем я тебя заездил, мне аж самому стыдно.

— Ничего не заездил! — заупрямилась Анна. — Ну Гудвинчик, миленький, ну пожалуйста, не прогоняй меня, давай я помогу, а? Я не могу уходить спать, когда работа не до конца сделана, для меня это как незакрытый гештальт, я и заснуть нормально не смогу, промучаюсь до утра.

Спорить с ней было бесполезно, это Роман отчетливо понимал. Да и не хотелось, если честно.

— Ладно, тогда будем делиться: я возьму тот информационный портал, на котором прочитал про взрыв, и буду его шерстить дальше. А ты поищи публикации на других ресурсах в Нанске за период после пятого сентября двенадцатого года. Галерею «Ренессанс» тоже надо не забыть.

Примерно через час картина стала более или менее понятна. На галерею «Ренессанс», вернее, на здание, которое она занимала, давно точили зубы. Владелец «Ренессанса», Филипп Хмаренко, в свое время приобрел это здание при помощи огромного количества нарушений. Был он человеком состоятельным, и какое-то время его финансов хватало на то, чтобы платить властным структурам за «крышу», то есть за то, чтобы «плохим парням» не выдавали нужные бумажки, дающие основания для перехода права собственности на здание. Но финансы постепенно истощились. Тогда галерист прибег к немонетизированному методу обеспечения поддержки. Информационные источники ничего с точностью не утверждали, но довольно прозрачно намекали на то, что господин Хмаренко широко практиковал организацию подделок и продаж живописных полотен, а также осуществлял помощь заинтересованным лицам в контрабанде подлинников произведений живописи из России. Уж за что именно с ним и всей его семьей так жестоко расправились — достоверно не известно, то ли за махинации с полотнами, то ли за упрямство и нежелание отдать здание, но факт остается фактом: взрыв на озере Круглом — результат криминальных разборок. Надежду и Кирилла Хмаренко похоронили там же, в Нанске, Филипп выжил, но остался инвалидом, потеряв обе ноги, да и других травм было предостаточно. Здание галереи у него, естественно, выкупили по мизерной цене, уж по такой мизерной, что честнее было бы сказать: отобрали.

Информация о трагедии появлялась ежедневно в течение первой недели, а через месяц о ней все забыли. Последнее, что удалось найти, — упоминание о том, что, по словам бывшего помощника Хмаренко, некоего господина Савина, Филипп Владимирович вынужден продать и бизнес, и дом, чтобы оплатить дорогостоящее лечение и уход, поскольку отныне он будет постоянно нуждаться в помощи. «У Филиппа еще остается городская квартира в Нанске, и он намерен жить в ней после того, как вернется из Европы, где проходит лечение и реабилитацию», — заявил г-н Савин.

Больше ничего. Для информационного пространства Филипп Владимирович Хмаренко словно умер. И непонятно, жив ли он, а если жив, то где находится, по-прежнему в Нанске или где-то еще.

Шарков

— Сынок? — удивился Олег Дмитриевич, когда Шарков вошел в квартиру отца. — Что-то ты зачастил. Скучно дома без Ленки, что ли?

— Мне скучно не бывает, — усмехнулся Валерий Олегович.

Он понимал, что нужно начать с традиционных вопросов о самочувствии, обменяться какими-то бессмысленными по сути, но обязательными по ритуалу репликами и только потом задавать те вопросы, ради которых он приехал сегодня. Но произносить лишние слова у генерала не было сил. Он прошел в комнату, где отец, уютно устроившись на диване, смотрел телевизор, включенный на канале «Наше старое кино». На экране молодой красавец Евгений Самойлов щеголял в военной форме — шел фильм «Сердца четырех». Рыжий кот Ганя, чувствуя себя под защитой обожаемого хозяина, угрожающе проворчал что-то такое, что должно было выражать крайнее неудовольствие приходом гостя, серая изящная Настя только голову повернула в сторону Шаркова и окинула его презрительным взглядом изумрудно-зеленых глаз.

— Ты голоден, сынок? — заботливо спросил Олег Дмитриевич. — Хочешь, сарделечки сварю, это быстро, я вчера хорошие купил, говяжьи, свежие.

— Не надо, папа, я не голоден. Мне нужно с тобой поговорить.

Шарков достал из кармана телефон, вывел на дисплей фотографию Екатерины Песковой и того уголовника, чье лицо он хорошо помнил, а вот имя забыл.

— Посмотри, пожалуйста. Ты его узнаешь?

Олег Дмитриевич долго приноравливался, то снимая очки, то надевая, щурился, отодвигал телефон подальше от глаз, снова приближал...

— Господи, чего ж так мелко-то! — раздраженно воскликнул он. — Вот взяли моду на телефоны фотографировать. Нет, чтоб как раньше, карточку напечатать, да формат побольше сделать...

Шарков молча раздвинул пальцами изображение, теперь лицо мужчины, обнимающего Пескову, занимало весь экран.

Отец рассматривал фотографию человека, которого Шарков условно называл Антикваром, и на лице его отражался весь спектр эмоций от узнавания до ненависти.

— Так как, папа? — повторил Шарков. — Узнаешь?

— Ленчик. Леонид Борисович Каляйкин, погоняло Левитан.

«Точно! — мелькнуло в голове у Шаркова. — Левитан. А я никак вспомнить не мог. Интересно, откуда такая кликуха? То есть понятно, что живопись, искусство, это я и раньше знал, но почему именно Левитан, а не Репин, к примеру, или Ван Гог?»

— Левитан? Почему?

— По живописи был спецом. А картины Левитана особенно любил. И смотреть любил на них, и подделывать.

Шарков переместил снимок так, чтобы хорошо видно стало лицо женщины.

— А ее знаешь?

— Любовница Ленчика, Катерина Пескова, Катька-Косметичка, — с недоброй усмешкой ответил отец. — И откуда ж они выплыли спустя столько лет?

— Я надеялся, ты сам мне расскажешь. Выплыли они оттуда, куда сплыли в восемьдесят восьмом. Не знаешь, куда и почему?

Олег Дмитриевич долго молчал. Не то вспоминал, не то обдумывал, о чем рассказать, а о чем умолчать. Потом вздохнул, взял рыжего пушистого Ганю, усадил к себе на колени, начал поглаживать.

Сухие подрагивающие пальцы старика утопали в густой длинной шерсти.

— Ленчик был у меня на связи. Как мне удалось его зацепить — не спрашивай, история некрасивая, но эффект свой дала. Естественно, я его не оформлял, такими источниками, как Леня Левитан, не разбрасываются. Леня был крупным барыгой, специализировался на антиквариате и произведениях искусства, от него я получал информацию о том, кто и за какие деньги покупает. Меня, как ты понимаешь, интересовали только работники торговли и общепита. Реализовать я мало что смог, уровень у меня был низковат, но знал я действительно много. Ну, да ты и сам все понимаешь. Когда у Ленчика сделался роман с Катериной, я и ее отработал, мне ведь о Лене нужно было многое знать, чтобы крепко его держать. Так вот, среди контактов Левитана был Сева Колчан...

— Всеволод Колчанников? — уточнил удивленный Шарков.

— Он, родимый. На КГБ работал, докладывал им про иностранцев, которые у Лени или через Леню делали приобретения. Левитан в том числе и вывозить подлинники помогал. Широкого профиля был специалист. У Севы был свой бизнес, небольшой, но прибыльный: он через своих шефов в КГБ мог устраивать липовые документы любой степени сложности. Хоть паспорт, хоть бумажку, удостоверяющую, что вывозимый предмет является ширпотребом, а не произведением искусства или национальным достоянием.

— Колчан до сих пор этим живет.

— Значит, не угомонился, сердешный, — покачал головой Олег Дмитриевич. — Так вот, где-то примерно за год до того, как меня уволили, Катьку-Косметичку убили. Обвинили мужа. А Ленчик в это же время пропал из Москвы, ну просто день в день. И почему-то никто не работал версию о том, что Катерину убил любовник, прямо заклинило всех на муже. Мне это не понравилось, я — к Севе, так, мол, и так, не обращался ли к тебе Левитан в последнее время, ведь если он любовницу свою грохнул и подался в бега, то ему документы нужны. У Севы глаза круглые, непонимающие. Не обращался. И я точно уверен: он не врал. Я ведь за Левитаном постоянно приглядывал, своими людьми его обставил, и если бы он хоть на пять минут с Севой пересекся, я бы об этом знал. Вот и задумался я: куда же это Левитан намылился после убийства своей любовницы, не имея на руках новых документов? Уж не грохнули ли и его тоже? Дурацкие вопросы я тогда себе задавал.

Губы отца искривила горькая ухмылка.

— Наивным был. Столько лет проработал, а все в лучшее верил, надеялся на что-то. В общем, пошел я со своими сомнениями к следователю, который вел дело об убийстве Косметички. Он юлит, глаза отводит, то панибратствовать пытается, то хамить. Ничего я от него не добился. А на следующий день меня вызвали...

Олег Дмитриевич ткнул большим пальцем себе за спину, в стену.

— Туда. И популярно объяснили, что если я не хочу просидеть в майорах до самой пенсии, то мне нужно быть осмотрительнее и не мешать осуществлению важной государственной задачи по выявлению иностранных граждан, приезжающих в нашу страну с не самыми благовидными целями. Вот прямо так и сказали, слово в слово. Они, дескать, надеются на мою рассудительность и правильное понимание целей и задач, стоящих перед ними, поэтому в качестве жеста доброй воли готовы разъяснить мне ситуацию, но предупреждают: если я этой информацией воспользуюсь, то мне не будет ни хорошо, ни плохо. Понимаешь?

— Ни хорошо, ни плохо, — повторил Шарков. — И что это означает?

— Это означает, что мне будет никак. Теперь понял?

— Понял. И что они тебе рассказали?

— Леня Левитан был им нужен в другом городе для создания совместного предприятия, на которое они будут приманивать нужных им иностранных бизнесменов. У Ленчика личные качества были для этого подходящие, и знания соответствующие, и навыки. А Леня влюбился в свою Катерину так, что уезжать из Москвы ни за что не соглашался. Уперся рогом — и ни в какую. Или с ней ехать, говорит, или не поеду вообще. А заставите уехать без нее — завалю вам всю работу. Одним словом, Леню переклинило. Он понял, что заменить его некем, а время поджимает, нужно ехать, оформлять все документы на открытие предприятия, счета и все прочее, у конторы тоже планы и графики, и с них тоже спрашивают за нарушение сроков. И Левитан стал диктовать свои условия. Дескать, хочу, чтобы Катерина была со мной в качестве законной жены, потому как она беременна моим ребенком. Если же она разведется с мужем, то сын останется с ней, суд с отцами детей не оставляет, и придется брать мальчишку с собой, а как ему объяснить, что у мамы теперь другое имя? И вообще, развод при наличии несовершеннолетних детей — дело небыстрое. А у них сроки горят, время упускать нельзя, потому как эти совместные предприятия в то время появлялись пачками и если нишу кто-нибудь займет, то придется тратить дополнительные усилия на то, чтобы ее освободить, а за это тоже в конторе по головке не гладят. Я так понял, что под собственным именем Катерину отправлять вместе с Ленчиком было нельзя, у западных...

Олег Дмитриевич откашлялся, подыскивая наиболее корректное выражение, которое отражало бы его мысль.

— Скажем так: у западных компетентных органов тоже своя разведка, и получше нашей. Они, прежде чем иметь дело с советским бизнесом, тщательно проверят, что за человек, каково его окружение. Советский бизнесмен — фигура новая, непонятная, не изученная, а потому опасная, требующая осторожности и тщательной предварительной проработки. Допустим, Ленчику соорудят новую биографию, красивую и привлекательную для иностранного партнера. И тут выяснится, что его жена — шалава, которая крутилась в среде ворюг и расхитителей. Хорошо выйдет?

— Не особенно, — согласно кивнул Шарков. — Значит, в интересах решения государственных задач нужно было сделать так, чтобы Пескову не искали ни муж, ни сын. Плюс кого-то нужно было посадить за ее убийство. Правильно я понял?

— Правильно, сынок. И знаешь, что я тебе скажу? Мне стыдно.

— За что?

— За то, что был идейным дураком. За то, что верил в лучшее. Я ведь только потом осознал причину, по которой они мне все рассказали. Сперва даже не удивился, воспринял как должное. Мы — офицеры, мы — органы правопорядка, должны помогать друг другу, какие могут быть секреты между своими? Ну, не буквально такими словами думал, но примерно в этом направлении. И только когда вышел из кабинета, где мне все эту байду поведали, вдруг спросил себя: а с чего это они так разоткровенничались? Могли бы наврать что-нибудь приличное, если уж вообще снизошли до объяснений, а то и просто не обратили бы внимания на мой поход к следователю. И когда я сам себе честно ответил, мне стало стыдно.

Отец снова умолк, уставившись невидящими глазами в мелькающие на экране телевизора кадры.

— Они хорошо работали, — снова заговорил Олег Дмитриевич. Голос у него теперь был надтреснутым и подрагивающим, было видно, как трудно и неприятно ему касаться того болезненного вопроса. — У них на каждого из нас было полное досье, они про всех знали, кто чем живет и чем дышит и кого на чем можно взять. Про меня они знали, что я честный, идейный и трусливый. Что, сынок, не ожидал? Не хочешь про своего отца такое слушать?

Он часто задышал, и на глазах под морщинистыми веками выступили слезы. Шарков ждал, не произнося ни слова.

— Они знали, что я честный, поэтому если они начнут врать, а я почую подвох, то буду копать дальше. И пойду, как говорится, по команде, то есть сперва к своему начальству, потом выше и выше. Это им не особо страшно. Но если я выйду за рамки системы или обращусь к адвокату, который будет назначен на суд, то кто его знает, что выйдет. Поэтому лучше всего сказать мне правду, это безопаснее. Они знали, что я идейный и мне можно заморочить голову сказками о государственных задачах и интересах. И они знали, что я слаб и труслив. Я не хотел уходить на пенсию в звании майора. И я очень не хотел умирать. Мне не интересно, Валерка, осуждаешь ты меня или что... Я с этим стыдом живу уже много лет, притерпелся. Твое сочувствие мне тоже не нужно. Ты спросил — я ответил. Все.

— Но ты же все равно через год ушел в отставку майором, — заметил Шарков. — Что же, они не сдержали свое слово? Не помогли тебе продвинуться?

— Обманули, — снова усмехнулся отец.

Он уже дышал ровно, глаза были сухими.

— Времена такие были — кадры менялись, как картинки в калейдоскопе, только-только тебя назначат — и уже снимают. Преемственности никакой, каждый в свою дуду дует и свою выгоду пытается соблюсти побыстрее, пока не турнули. Никакие обещания не выполнялись. Нигде. Ты вспомни этот клятый год, восемьдесят восьмой: летом Катю-Косметичку якобы убили, я начал нос свой совать куда не надо, мне быстро окорот дали, золотые горы посулили, а двадцатого октября — хлоп! — у нас новый министр, да не из милицейских или комитетских, а вообще строитель. Видно, контора испугалась, что с ним трудно будет договориться, никакие разговорчики про оперативную необходимость с ним не проходили, ты же помнишь операцию «Чистое поле», когда этот новый министр отменил бюджетное финансирование оплаты негласного аппарата.

Мы тогда всю платную агентуру растеряли, остались единицы, кто готов был бесплатно, за «спасибо» давать информацию. А как работать? Приходилось опираться только на компромат, больше никак людей работать не заставишь. Компромат можно найти, если он есть, а можно и создать искусственно, если его нет или глубоко копать неохота. Вот после этого решения министра основная грязь из всех щелей и полезла. В общем, подавился я своей честностью и идейностью, а трусостью подтерся. Вот такая история, сынок. Мнение твое мне не интересно, поэтому если оно у тебя есть, то держи при себе. А теперь скажи, почему ты вдруг про Ленчика Левитана вспомнил?

Генерал пересел на диван, рядом с отцом, рассеянно коснулся ладонью шелковистой серой шерстки, кошка Настя тут же гневно зашипела, выгнула спину и отскочила, забравшись на спинку дивана, прижалась к голове хозяина. Будут тут всякие мало того что приходить без приглашения, так еще и трогать!

— Не бойся, моя маленькая, не бойся, моя золотая, — тут же ласково заворковал отец, — это Валерка, сынок мой, ты же его знаешь, он тебя не обидит.

Поднял руку, почесал мягкий кошачий животик.

— Зря ты, Валерка, кошек не любишь, очень нервы успокаивают. А тебе, особенно теперь, когда Ленки нет, нужно как-то нервное напряжение снимать. Пьешь небось?

— Бывает, — не стал отрицать Шарков. — Не так, чтобы прямо пить запоем, но... Как всегда. А кто не пьет?

— Я, — твердо ответил Олег Дмитриевич. — Я не

пью. А мог бы. Ты ведь помнишь, как я себе позволял. Жизнь под откос чуть не пустил. Теперь вот не пью, потому что Настя с Ганей мне нервы успокаивают. Одна рюмочка раз в неделю — не в счет. Так что там с Ленчиком-то? Неужто жив еще, пройдоха?

Валерий Олегович пожал плечами. Может, жив, а может, и нет уже. Но в 2012 году был еще жив. Сообщение от Большакова он получил, когда ехал в машине. Молодцы ребята, Дзюба и девушка эта, Анечка! Выкопали из недр Интернета, выловили в бесконечном океане информации Филиппа Хмаренко, в прошлом — Леонида Борисовича Каляйкина.

— Его тоже система кинула. Не нужен стал. Никто его не прикрывал уже давно, барахтался без поддержки, как мог, угодил в криминальные разборки. В результате — взрыв, жена и сын погибли, сам остался инвалидом без обеих ног.

— Жена и сын? — переспросил отец. — Катька-Косметичка, что ли?

— Да, была Екатериной Песковой, умерла Надеждой Хмаренко.

— Ишь как... — Олег Дмитриевич покачал головой. — И зачем он тебе теперь сдался? Почему ты про него вспомнил?

— Сын Песковых, похоже, добрался до Левитана. Он ведь все эти годы не верил, что отец совершил убийство. Бился, боролся, писал во все инстанции, чтобы дело пересмотрели, но все без толку. Теперь понятно, почему. Упорный он. Не сдался. Вот и нашел.

— И чего? — В голосе отца зазвучал вялый интерес. Вроде и хочет услышать ответ на вопрос, а вроде и все равно ему...

— Пока не знаю.

— Ну как это — не знаю? Убить, что ли, собрался Ленчика? Или отношения выяснять?

— Я же сказал: не знаю! — сердито ответил Шарков. — Чужая душа — потемки. Разве угадаешь, кто что сделает? Мы даже не знаем, жив ли Левитан. Может, помер уже, все-таки после взрыва травмы были очень серьезные, он даже за границей лечиться собирался, бизнес продал, дом загородный. Ладно, папа, поеду я домой. Устал.

Шарков поднялся, собрался уходить.

— Погоди, погоди, — заторопился Олег Дмитриевич, вставая с дивана. — Как — уходить? А чайку? Или, может, все-таки сарделечки сварить? Давай я быстренько...

— Не хочу, папа, правда не хочу.

— Олежка как? Давно звонил?

— Сегодня. Все в порядке у него.

— А Маришка? Здорова?

— Здорова, не волнуйся.

— С Ленкой не видишься? Не общаешься?

Отец не хотел его отпускать, задавал вопросы, те самые, с которых обычно начинался разговор. Вот поди пойми человека! Вроде родной отец, все про него должно быть известно и понятно, а Валерий Олегович не может ответить на простой вопрос: отца и в самом деле волнует, видится ли его сын с женой, или он просто скучает в своем добровольном затворничестве и цепляется за любого собеседника? Ничего особо сложного в этом вопросе нет, и чтобы на него ответить, нужно быть просто внимательным к человеку, к тому, что он говорит и делает, как он думает и чувствует. А он, Шарков, к отцу не внимателен. И ничего-то, как выясняется, про него не знает и не понимает. А с Леной что получилось? То же самое. Ничего не знал и знать не хотел, ничего не замечал. Весь погрузился в служебные дела и в программу. А жизнь проходит мимо... Люди проходят мимо... Приходят в его жизнь и уходят из нее...

Шарков тряхнул головой, отгоняя неприятные и несвоевременные мысли, стал обуваться в прихожей.

— С Леной я перезваниваюсь, спрашиваю, не нужна ли помощь, может, деньги или еще что-то.

— А она что?

— Говорит, что все в порядке и ничего не нужно.

Он застегнул куртку и уже протянул руку к замку, чтобы открыть дверь, когда отец задал новый вопрос:

— Сынок, а ты почему мне Ленькину фотографию показал? Откуда узнал, что я могу что-то рассказать?

Шарков улыбнулся.

— Есть у нас один спец, про организованную преступность все знает, и не только про современную, а начиная с далеких советских времен.

— Кто таков?

— Алекперов. Ты его вряд ли знал, он еще не работал, когда ты вышел в отставку.

— Да как же не знал! — всплеснул руками Олег Дмитриевич. — Керим Алекперов, следователь! Конечно, я его знал! Мощный был человек.

— Это его сын. Ханлар Керимович. Я сначала фотографию Левитана ему показал, а он мне ответил, что если кто и знает хоть что-нибудь, то только ты.

— Значит, просочилось все-таки...

Олег Дмитриевич пошевелил бровями, и было не очень понятно, означает это недоумение или огорчение. Генерал пожал плечами.

— Щели всюду есть. И у них, и у нас. Оттуда, я думаю, вряд ли протекло, а вот следователь, к которому ты ходил со своими соображениями, вполне мог потом болтать о том, что не все верили в виновность Пескова, которого он так ловко укатал на «десяточку», а были и такие, которые пытались свалить вину на любовника погибшей. Вот так и осело где-то.

Олег Дмитриевич, казалось, не слушал сына. Глаза у него были печальные, задумчивые и обращенные куда-то внутрь. Или не внутрь, а в какую-то точку, которая для генерала Шаркова была невидимой и недостижимой.

— Сын Керима... Еще даже не служил, когда я ушел... Совсем пацанчиком был... А теперь вот самый крутой спец в своем деле... Целая жизнь прошла, новое поколение выросло и заматерело, в силу вошло... Мир изменился... А я вот все живу... Зачем? Пора мне, наверное...

«У тебя сын до генерала дослужился, — подумал Валерий Олегович, — а ты его все малышом видишь. Правду говорят, что свои дети до седых волос остаются детьми. Удивился, услышав про Хана, понял, что дети выросли, но — чужие. Не свои».

У Шаркова заломило виски, за грудиной возникла тяжесть. Господи, папа... Нет, не может он сейчас оставить старика и уйти домой.

Валерий Олегович решительно расстегнул молнию на куртке.

— Пап, можно, я у тебя переночую?

— Да как же...

Олег Дмитриевич растерянно глядел на сына.

— Ты же в «гражданке». Форма-то... Или тебе завтра на службу не надо?

— Форма в кабинете, я сегодня там переоделся. Так как? Можно?

— Ну конечно, — обрадовался отец. — Мы с тобой чайку выпьем, поговорим. А может, все-таки сарделечки сварю, а? Свежие, хорошие...

— А давай! — широко улыбнулся генерал и повесил куртку на вешалку в прихожей.

СЕДЬМОЙ МОНОЛОГ

Я убил обоих. Это было нелегко, но я справился. Последовательность, тщательность, продуманность и аккуратность — вот мои верные спутники. Прекрасное Око помогало мне, и удалось все выполнить на удивление быстро, что являлось, безусловно, хорошим Знаком. Я выследил этих парней, одного за другим. Выяснил, куда и когда они обычно ходят, какими маршрутами, подыскал на этих маршрутах подходящие точки, отвечающие двум обязательным требованиям: темнота и безлюдность. Первым уничтожил усатого толстяка, который за минувшее время стал еще толще. Потом, через три недели, расправился с очкариком. Мне не было их жалко. Они — воры, лишившие мир шанса быть спасенным.

Я ни минуты не сомневался в правильности того, что задумал и так успешно осуществил. В музыке два ключа: соль и фа, скрипичный и басовый. Два лада: мажор и минор. Два основных знака альтерации: диез и бемоль. У музыканта два уха, чтобы слышать, и две руки, чтобы извлекать звуки из инструмента. «Два» есть не что иное, как волшебное число великой музыкальной гармонии.

И тот факт, что воров, укравших мою музыку, тоже оказалось двое, не мог быть случайным. Все закономерно и все правильно. Я принес Прекрасному Оку две жертвы, чтобы заслужить прощение.

И снова наступил долгий период ожидания. Я уже меньше вслушивался в самого себя и опять погрузился в работу, уверенный, что Прекрасное Око оценило мои старания искупить вину, мое упорство и целеустремленность. Порой мне даже казалось, что утраченное в тот несчастливый день состояние вот-вот вернется... Я не опускал рук, трудился изо всех сил и жил надеждой.

И вдруг... Из новостей я узнал, что ровно год спустя и точно в том самом месте, где я убил усатого толстяка, нашли труп. Кто-то испортил, изуродовал мою прекрасную, гармоничную, такую продуманную картину жертвоприношения! Кто-то разрушил мою великую идею! Теперь Прекрасное Око вновь отвернется от меня.

Я был в отчаянии. Не мог придумать, как исправить ситуацию и как вымолить прощение у моего покровителя. Но Прекрасное Око не только всесильно, оно и справедливо. Оно увидело мои страдания и все-таки вернулось, чтобы помочь. Я отчетливо понял это, когда внезапно проснулся среди ночи, осененный мыслью: чтобы исправить испорченную картину, нужно просто ее доделать, дописать. Удвоить волшебное число, возвести его в квадрат. Если мой враг и преследователь, замысливший помешать мне сочинить особенную музыку и тем самым спасти мир, перечеркнул число «два» и поставил вместо него «три», то я должен это «три» превратить в «четыре». Самое главное — успеть. Мой враг разгадал мою идею искупления, и кто знает, не вздумает ли он повторить ее? Не собирается ли он принести жертву в то же время и в том же месте, где прожил свои последние минуты очкарик, только опять с интервалом в один год? Мой враг... Чего он хочет? Только помешать мне? Или скопировать то, что я сделал, и обратить благосклонность Прекрасного Ока на себя, чтобы самому стать Избранным? Однако чего бы он ни хотел, чего бы ни добивался, лично для меня это означало только одно: я должен успеть достичь квадрата волшебного числа первым. Тогда Прекрасное Око поймет, что я действительно лучший. Я достойный. И должен оставаться Избранным.

Вор! Он украл мой великий замысел, нарушил совершенную, идеальную гармонию, до достижения которой мне оставалось несколько секунд! Нет, нет, это не он, не он... Гармонию нарушили другие, и за это понесли наказание. Наказание было тщательно продуманным, Прекрасное Око наверху должно было увидеть мою инсталляцию, оценить и простить меня, мое несовершенство, и дать мне снова те мгновения, когда я могу достичь идеальной гармонии. Целый год я ждал, пока Прекрасное Око увидит и оценит. Ждал и надеялся. И вдруг я обнаружил, что на моем пути встал еще один вор! Вор, укравший мою грандиозную идею, испортивший красоту инсталляции и превративший волшебное, магическое число в нечто невообразимое и пошлое. Есть только один, только один способ исправить это: придумать нечто более грандиозное, более совершенное.

И я придумал. Мое магическое число должно быть возведено в квадрат, умножено на самое себя. Вор сам подсказал мне идею. Какая ядовитая насмешка! Этот тип хотел мне помешать, а вышло так, что помог. Он хотел встать между мной и Прекрасным Оком, а сделал так, что теперь, когда я завершу свой замысел, Прекрасное Око поймет, что именно я достоин озарения и вдохновения, что только мне одному предназначено стать автором той музыки, которая исцелит весь мир и сделает его сияющим, добрым и спокойным.

Самое главное — успеть. Потому что если позволить вору до конца исполнить его мерзкое намерение, Прекрасное Око увидит именно его картину, а не мою. Этого нельзя допустить. Я знаю, что нужно сделать.

У меня есть преимущество: я знаю, что собирается делать мой враг. А он, этот неизвестный мне противник, даже не догадывается о том, что я все понял. Решающий день настанет через три недели. Вполне достаточно, чтобы подготовиться как следует и все продумать. Мой враг будет ждать вечера, когда стемнеет и людей на улицах станет мало. А я поступлю иначе: не стану ждать вечера, ведь сутки начнут исчисляться сразу после полуночи, как только закончится предыдущий день. В моем распоряжении будут несколько ночных часов, и я все успею.

Никто не сможет мне помешать.

К вечеру мой враг уже будет знать, что все его попытки бесполезны. Он проиграл.

И Прекрасное Око наконец вернется ко мне.

Ураков

Сергей Васильевич Ураков терпеть не мог, когда какие-нибудь острословы пытались добавить к его фамилии букву «д».

«Фамилия у меня древнеславянская, — говорил он. — Ураком в русских говорах называли молодого оленя. Такое имя давали сильным ловким мужчинам или удачливым охотникам, которые никогда не возвращались без добычи».

Сильным и ловким Сергей Васильевич никогда не выглядел, но это не означает, что он таковым не являлся. Маленький, кругленький, румяный, с добрым лицом и простодушными серыми глазами, он был необыкновенно быстр в движениях, энергичен и всегда поражал окружающих феноменальной скоростью реакции. Когда-то, много лет назад, начинал службу в должности следователя, но продержался года три, не больше: усидчивости не хватало, кропотливости, дотошности, требуемой при работе с бумагами. Не любил он писанину. И ушел на оперативную работу.

— Следователи все ручкой-ручкой работают, — говорил он, — а мне бы ножками-ножками.

Прослужил Сергей Васильевич долго, до максимально возможного возраста дотянул, начальство уж на какие только ухищрения не пускалось, чтобы продлить ему срок службы, дорожили ценным работником, уважали, и поощряли, и в должности повышали, и очередные звания досрочно присваивали. Но жизнь есть жизнь, годы идут, и выйти в отставку все равно пришлось.

Однако ж не тот Ураков человек, чтобы смирно сидеть на печи и горевать об остановившейся жизни. Он и в отставке нашел себе массу дел, интересных и по душе, жене помогал по хозяйству, зятю — со строительством коттеджа, внуку — с тренировками по спортивному ориентированию, внучке — с волонтерством в приюте для бездомных животных. А еще вступил в интернет-клуб любителей детективов и организовал в нем онлайн-консультации и вебинар для авторов, которые хотели бы написать детективное произведение, но не имеют никакого представления о том, как раскрываются и расследуются преступления и вообще как работает система. Одним словом, был Сергей Васильевич нарасхват, и дел у него оказалось невпроворот. Хорошо, что Ураков был «жаворонком», всю жизнь просыпался не позже 5 утра, так что день у него получался длинным, и успевал он много.

Сегодня он тоже проснулся в 5, даже в 4.52, как показывали электронные часы. Тихонько, чтобы не разбудить жену, выбрался из постели, вышел в другую комнату и сразу проверил, не было ли сообщений. Народ в интернет-клубе собрался со всей страны и даже из-за границы, а часовых поясов в России, как известно, немало, так что сообщения приходили в любое время суток.

От членов клуба не было ничего. А вот эсэмэс с просьбой перезвонить, когда проснется, на телефоне было. Ураков прикинул: сообщение пришло, когда в Нанске был час ночи, значит, в Москве — только 11 вечера. Или не «только», а «уже»? Что там у Валеры Шаркова срочного случилось? Сейчас в Москве 3 часа ночи... Перезвонить? Или погодить до приличного времени?

Не тот Валера человек, чтобы по пустякам беспокоить. Вот есть же на свете умные люди, которые эсэмэски придумали! Как удобно! Вроде и не потревожил никого, от дела или от сладкого сна не оторвал, а все, что хотел, — сказал. Памятник этому изобретателю надо поставить! Ведь от скольких проблем избавил... Сергей Васильевич отправил генералу Шаркову короткое сообщение, состоящее всего из одного слова: «Проснулся», включил на кухне чайник и направился в ванную бриться и принимать душ. Телефон на всякий случай взял с собой.

И правильно сделал. Потому что Шарков позвонил аккурат в тот момент, когда Сергей Васильевич вылез из-под душа, обмотался махровой простыней и взялся за бритвенный станок.

— Здорово, — бодро ответил он, услышав голос старого товарища. — Чего тебе не спится в ночь глухую?

— Ты как? — спросил Шарков. — В порядке? Здоров?

— Да что мне сделается!

— Стариной тряхнуть не хочешь?

— По девкам, что ли? — засмеялся Сергей Васильевич. — Это я могу, если девка хорошая.

— Бесстыжие твои глаза, — по телефону было слышно, как генерал хмыкнул. — Никаких девок. Работа. Поможешь?

— Запросто. Что случилось-то?

Просьба, озвученная Шарковым, показалась Сергею Васильевичу сущей ерундой. С его-то возможностями да с многолетним опытом работы! Вообще говорить не о чем. Раз плюнуть.

Имя Филиппа Владимировича Хмаренко было Уракову знакомо, хотя взрыв на катере произошел, когда Сергей Васильевич уже был в отставке, и расследование прошло, как говорится, мимо него, но история-то громкая была, и о многолетней борьбе за обладание зданием, где располагалась галерея «Ренессанс», Ураков был неплохо осведомлен. Выяснить адрес, по которому в настоящий момент проживает Хмаренко, если он еще жив, конечно, никакого труда не составит. Сорок лет безупречной службы в одном и том же городе — это вам не кот начхал. Найти безногого инвалида, поговорить с окружением, принюхаться — чем живет-дышит, поспрашивать, не появился ли рядом с Филиппом новый знакомец, на вид лет сорока — сорока двух, рост — чуть выше метра восьмидесяти, приятной наружности. Если появился — осторожно выяснить, кто таков, где проживает. Желательно сфотографировать.

Вот, собственно, и все задание. Делов, как говорится, на три копейки, то есть на полдня.

— Имя-то у гипотетического знакомца есть? — ехидно спросил Сергей Васильевич.

— Есть, и не одно. Настоящее — Песков Игорь Вадимович, семьдесят шестого года рождения. Но у него поддельный паспорт на другое имя. И вероятнее всего, даже не один. Ты же помнишь, Сева Колчан по мелочам не работает, берет только солидные заказы, ради одного паспорта мараться не станет.

— Колчан?! — ахнул Ураков. — Неужели еще при делах? Ну, долгожитель! А еще говорят, что в Москве климат тяжелый, экология плохая, люди долго не живут... Врут.

— Врут, — согласился генерал. — Так поможешь?

— Я же сказал, — почти обиделся Ураков.

Сергей Васильевич тщательно выбрился, открыл на полную мощность кран с горячей водой, дождался, когда от воды повалит пар, намочил махровую салфетку, приложил к лицу, подержал пару минут. Стоял при этом запрокинув голову и зажмурив глаза — проверял вестибулярный аппарат. Голова не закружилась, его даже не качнуло. Значит, аппарат в полном порядке. Снял салфетку, повесил на полотенцесушитель, рысцой проскочил в кухню, достал из морозилки лед, выковырнул один кубик, тер лицо до тех пор, пока в руке не остался тоненькой осколочек.

Через полчаса чай был выпит, завтрак съеден, а перед Сергеем Васильевичем лежала бумажка с данными на Хмаренко Филиппа Владимировича, 1943 года рождения, уроженца г. Красноярска, жена — Хмаренко Надежда Юрьевна, скончалась в

2012 году, сын — Хмаренко Кирилл Филиппович, 1989 года рождения, скончался в 2012 году, жена — Хмаренко Вагиза Абельхановна (Тукаева), 1966 года рождения, брак зарегистрирован в 2015 году.

Проживал господин Хмаренко со своей новой супругой по адресу: г. Нанск, ул. Мурашова, дом 7, кв. 4.

Идти по адресу еще рано, и Сергей Васильевич взялся за выполнение намеченного накануне: прочитал несколько рассказов, присланных на конкурс, ежегодно проводимый Клубом любителей детективов, записал свои замечания, просмотрел вопросы, присланные после предыдущего вебинара; написал длинное письмо троюродному брату, живущему в Израиле, и еще три письма совсем коротеньких — благодарственные ответы тем, кто по электронной почте поздравил его 10 ноября с Днем милиции. Теперь это полиция, но праздник для Сергея Васильевича Уракова сохранил свое прежнее название.

Когда проснулась жена — посидел с ней, пока она завтракала, поболтал о семейном и всяком насущном, а пока та одевалась и наводила красоту, успел поискать и найти в интернет-магазине сантехнику с оптимальным сочетанием «цена — качество» для нового дома дочки и зятя. У Ураковых кроме старшей дочери, подарившей им внука и внучку, была еще и младшая. Вышла замуж за вроде бы хорошего, но совершенно беспомощного в домашних делах, зато очень ушлого в зарабатывании денег парня. Вот родила недавно малыша, так зятек младший только деньги домой пачками таскает, подарки жене и сынишке без конца приносит, все ему праздника хочется, радости, красоты, а как подгузник поменять или грязные вещи в стиральную машину закинуть — так его и близко нет. Даже бутерброд сделать не может: либо хлеб раскрошит, либо колбасу на пол уронит, либо палец порежет. Финансово семью обеспечивает полностью, а помощи от него никакой нет. Вот и ездит жена Сергея Васильевича каждый день к дочке, как на работу. Только зачем для этого красоту наводить — Ураков никак понять не мог. Не в контору же едет, не в офис, не в театр и даже не с подружками в кафе, а к подгузникам-пеленкам-распашонкам-какашкам-соскам-погремушкам. Хотя, положа руку на сердце, с макияжем жена была, конечно, красивее.

Отвез жену к дочке и направился в сторону улицы Мурашова. Дом 7 Ураков знал, это был капитальный многоквартирный дом, построенный в начале 1950-х годов, в Москве и Питере такие называют «сталинками». Квартиры в нем просторные, удобные. Неплохо, наверное, устроилась неведомая Вагиза Абельхановна, женив на себе в 49 лет безногого инвалида на 23 года старше себя самой.

В подъезд просто так не войдешь, не те нынче времена. Сергей Васильевич нажал на панели домофона кнопку с цифрой «4», несколько раз протренькал сигнал, потом мужской голос произнес:

— Кто там?

— Моя фамилия Ураков, — представился Сергей Васильевич. — Мне нужен Филипп Владимирович.

— Ураков... — задумчиво повторил голос из динамика. — Знакомая фамилия. Замначальника городского УВД?

— Бывший. Давно в отставке.

— Заходите.

Загудел магнитный замок, Сергей Васильевич потянул дверь, вошел в подъезд. Квартира 4 должна быть на первом этаже. От входной двери до первых квартир — целый лестничный пролет, вдоль стены и перил — специальные рельсы, явно встроенные не так давно. Позаботился господин Хмаренко о том, чтобы на инвалидной коляске по ступенькам спускаться.

Дверь квартиры уже была открыта, в проеме виднелась фигура мужчины в коляске. Мощный торс, красивая голова с седой гривой волос, все, что ниже пояса, прикрыто пледом.

— Проходите, проходите, — прогудел красивого тембра насыщенный бас. — Я любому гостю рад, меня в последние годы мало кто навещает.

Ураков проследовал за коляской в просторную комнату, наметанным глазом сразу определив, что мебель стоит не новая, не меньше десяти лет назад купленная. Уж в этом-то Сергей Васильевич разбирался, недаром же так тщательно изучал цены на подержанную мебель, когда старшая дочка с зятем планировали, что и кому будут продавать, переезжая в новый дом. Дом-то еще не достроен, но все финпланы уже составлены, такой уж у Уракова старший из зятьев: любит, чтобы все было заранее продумано и по полочкам разложено.

— Чем могу быть интересен бывшему замначальника главного полицейского? — спросил Хмаренко, весьма, впрочем, дружелюбно.

— Видите ли, Филипп Владимирович, меня продолжает беспокоить тот взрыв, в котором пострадала ваша семья. Преступление осталось нераскрытым, никто не привлечен к ответственности и не наказан.

— И вы решили стать частным сыщиком? — усмехнулся инвалид.

— Ни боже мой! — замахал руками Ураков. — Куда мне в мои-то годы... Я только хотел обратить ваше внимание именно на тот факт, что виновные не привлечены к ответственности, то есть остались на свободе. И мне из моих доверенных источников стало известно, что в их среде произошел раскол, начались разброд и шатание, и это может вылиться в прямую угрозу вашей жизни. Одна часть отколовшихся намерена подставить другую и подбросить доказательства их причастности к взрыву. А эта другая часть, само собой, хотела бы этого избежать. И вся канитель завязана непосредственно на вас.

— Каким это образом?

— Имена, дорогой Филипп Владимирович, имена. Вы их знаете и можете назвать, если правильно задать вам вопросы. Просто вам эти вопросы никто не задавал. Вот этих-то вопросов и боится вторая из отколовшихся группировок. Я полагаю, вы сами понимаете, что обычно делают в таких случаях.

— Стараются, чтобы вопросы было некому задать, — спокойно проговорил Хмаренко. — И что вы предлагаете? Стать моим личным охранником? У меня нет средств, чтобы вам платить, предупреждаю сразу. Вы напрасно потратили время, придя сюда.

— Вы меня не поняли, — мягко сказал Ураков. — Я всего лишь хочу быть уверенным в том, что не произойдет новой беды. Я уже не служу, но то, чему я отдал сорок лет своей жизни, для меня не пустой звук. Мне нужно быть уверенным, что вы достаточно хорошо защищены. Если же нет, то я приму меры через своих бывших коллег, чтобы это исправить. И в первую очередь нужно проверить по нашим каналам все ваше окружение, всех тех, кто имеет возможность к вам приблизиться. Например, ваша сиделка или медсестра. Ваша домработница, ваш водитель или кто там у вас еще есть. Ваши соседи.

— Ах, вот вы о чем! — Хмаренко рассмеялся. — Ну, здесь все просто. Моя сиделка, она же медсестра, она же домработница и она же шофер — это все один человек, моя жена.

Ураков изобразил удивление.

— Так вы снова женились? Вот не знал!

— Вы в отставке, вам простительно, — на губах Филиппа Владимировича заиграла снисходительная улыбочка. — Я, видите ли, уважаемый господин Ураков, человек предусмотрительный. Вагиза была мой сиделкой, я ее через агентство по персоналу нанял. И сразу увидел, что она — человек хороший, добрый, порядочный. Ухаживала за мной превосходно, и хотел бы придраться — да не к чему. Повышать ей оплату я не мог, деньги, увы, не бесконечны, а лечение стоило очень дорого. Пришлось почти все продать, вплоть до картин. Вагиза одинока, мужа нет, любовника тоже нет, вот я и предложил ей зарегистрировать брак. Честно говоря, я испугался, что ей предложат более выгодную работу, полегче и более высокооплачиваемую, и она от меня уйдет, а другой такой женщины не найти, это я вам точно скажу. Вагиза — не первая моя сиделка, насмотрелся я на них... Без помощи я не могу, на протезирование огромные деньжищи потратил, а пользоваться протезами не получается. Боли невыносимые, в мои годы все заживает очень долго, а то и вовсе не заживает. Не Маресьев я, в общем. А меня поднимать, переворачивать и таскать — сила нужна немаленькая. Вагиза справляется, а если уйдет, то нужно нанимать домработницу, сиделку и отдельно — мужика-помощника. То есть платить втрое больше. Никаких денег не хватит. Сказал ей все начистоту, как есть. Платить много сейчас не могу, зато после моей смерти ей достанется эта квартира и все, что у меня еще будет не потрачено. Машина, ценности кое-какие.

— Зачем же сразу брак-то? Можно было просто все переписать на нее.

— А статус замужней женщины? Вы забываете об этой очень важной вещи. Как ни странно, но в нашем развращенном сексуальной революцией мире брак все еще ценится. И потом, я же сказал, что я человек предусмотрительный. А вдруг Вагиза оказалась бы не такой порядочной, какой я ее считал? Я все перепишу на нее, она станет собственницей, все продаст — и привет горячий. На что я буду жить? А так она всего лишь жена, то есть имеет право не более чем на половину моего имущества, и с голым задом я в любом случае не останусь.

— И она сразу согласилась?

— Нет, не сразу. Но согласилась.

— Можно с ней поговорить? Я бы поспрашивал у нее, не пытался ли кто-нибудь в последнее время познакомиться с ней, втереться в доверие, напроситься на приглашение к вам в квартиру. Она дома?

— Нет. — Лицо Филиппа Владимировича внезапно помрачнело. — Она... У нас неприятность, если можно так сказать. Один наш знакомый пропал. Обычно он приходил каждый день, позавчера тоже должен был прийти, но не пришел. Мы не обеспокоились, мало ли какие обстоятельства у человека, но вчера он тоже не пришел. Мы стали звонить, телефон выключен. Вагиза начала обзванивать больницы, нигде его не нашла, тогда позвонила в полицию. Ей сказали, что про человека с таким именем у них информации нет, но по приметам он похож на мужчину, который скончался в гостинице «Витязь», умер ночью, позавчера утром его горничная обнаружила, когда пришла делать уборку. Предложили приехать на опознание. Я, конечно, был против, потому что этот покойник из «Витязя» никак не может быть Сашей, у него и имя другое, и жил Саша не в «Витязе», а в «Самоцветах». Но Вагиза настаивала, что нужно посмотреть и убедиться, чтобы уж не волноваться за Сашу.

— А в «Самоцветы» вы звонили? Может быть, он выписался и уехал из города?

— Конечно, звонили, — с раздражением ответил Хмаренко. — Первым делом именно туда и позвонили. Но разве они скажут что-нибудь толковое? Только «телефон в номере не отвечает», и все. Хоть лопни! Когда ушел? Приходил ли ночевать? На все один ответ: информацию о постояльцах не даем, это приватные сведения. Черт!

Он потер затылок и болезненно сморщился.

— Заломило. Снег пойдет скоро. После взрыва я стал как барометр, любое изменение погоды за час-полтора чувствую, головные боли дичайшие. И давление подскакивает. Прошу извинить, надо выпить лекарство.

Филипп Владимирович ловко развернул кресло, подкатился к стоящему в углу комнаты большому журнальному столу, густо уставленному флаконами и коробочками с препаратами. Там же стояли две литровые пластиковые бутылки с водой и два стакана, один — обычный, второй — совсем маленький, вроде стопочки. «Для капель, наверное, — подумал Сергей Владимирович, мгновенным цепким взглядом охватив все аптечное разнообразие, предназначенное для поддержания здоровья Филиппа Хмаренко. — И как он в этом не запутывается? Впрочем, у него Вагиза, она, наверное, сама следит за приемом препаратов».

— Значит, ваша жена поехала в больницу?

— В морг.

Хмаренко взял один из пластиковых флаконов, вытряс на ладонь три таблетки, подумал и добавил еще одну, забросил в рот, запил водой.

— А кто такой этот Саша? Вы давно его знаете?

— Недавно. Он писатель. Ну, я так понял, что начинающий писатель, работает над своей первой книгой. У него сюжет как-то связан с галерейным делом, а он ничего в этом не понимает. Позвонил, попросил разрешения прийти проконсультироваться, задать вопросы. Разумеется, я разрешил. Он пришел, мы познакомились, приятный такой молодой человек...

— Молодой? — переспросил Ураков.

— Для меня — молодой. А так — около сорока, я думаю. Александр Баулин. Вопросов у него было много, а мне, уж поверьте, есть что рассказать. Вот так и пошло: он каждый день приходит часов в пять вечера, мы разговариваем, ужинаем, пьем чай, коньячком балуемся или виски, около десяти он уходит. А позавчера не пришел... Но я уверен, что

ничего страшного не случилось, наверняка познакомился с какой-нибудь дамочкой и застрял у нее.
В его возрасте сам бог велел с дамочками крутить,
по себе знаю.

В прихожей хлопнула дверь.

— Вагиза! — крикнул Филипп Владимирович. —
Ну что? Как?

— Сейчас, — послышался расстроенный голос.

Через минуту в комнате появилась Вагиза Хмаренко, в девичестве Тукаева. Полноватая, но не толстая, сильная, статная женщина, волосы выкраше-
ны в светло-коричневый цвет, лицо некрасивое и
какое-то опустошенное, глаза заплаканные.

— Это он, — выдохнула она, словно не замечая
гостя. — Это Саша. Только почему-то он умер в другой гостинице, и при нем был паспорт на другое имя.

— На какое? — быстро спросил Ураков.

Только теперь Вагиза обратила на него внимание, ее лицо стало настороженным.

— Вагиза, это господин Ураков, он пришел по
делу. Я потом тебе объясню, — ровным голосом
произнес Хмаренко. — Так какие документы оказались у Саши?

«Я не знаю, кто ты и какую жизнь прожил, — подумал Сергей Васильевич, внимательно наблюдая
за бывшим галеристом, — но жизнь эта легкой не
была, вот уж точно. И научила тебя держать лицо
при любых обстоятельствах. Я же тебя предупредил, что в твоем окружении могут появиться со-
мнительные лица, и вот выясняется, что писатель
Саша — вовсе не Саша и ни разу не писатель, а у
тебя ни одна морщинка не дрогнула. И где же тебя
так натренировали-то?»

— Какой-то Песков... — растерянно ответила Вагиза и всхлипнула. — Игорь... Отчество, кажется, Владимирович... Нет, Вадимович. Я ничего не понимаю... Почему другое имя? Почему другая гостиница? Что это? Ну как же так?

Руки ее тряслись, из глаз катились слезы.

Сергей Васильевич не сводил глаз с Хмаренко. Прошло несколько секунд, прежде чем тот полностью осознал сказанное. В глазах галериста плеснулись сперва недоумение, потом изумление, потом страх. «Вот где тебя пробило, — отметил про себя Ураков. — Выходит, имя тебе знакомо. А твоей жене — нет. И не так уж хорошо тебя натренировали, вон рожу как перекосило».

Однако действовать следовало быстро. Если в морге работают нормальные люди, то в полицию уже сигнализировали, что мужчина, тело которого поступило с документами на имя Игоря Пескова, опознан как Александр Баулин. И сейчас начнется движуха. Надо успеть осмотреть оба гостиничных номера до того, как туда явятся бывшие коллеги. С «Витязем» проблем не будет, старший менеджер отеля — давний знакомец Сергея Васильевича. С «Самоцветами» придется повозиться, поискать связи, отельчик маленький, из новых, открылся, когда Ураков уже был не у дел.

Он поднялся. Изобразил на лице старание быть деликатным.

— У вас тут... В общем, вам сейчас не до меня. Ухожу-ухожу. Но вы позволите еще раз наведаться к вам?

Хмаренко только молча кивнул, но по его лицу было заметно, что он не понял смысла обращенных к нему слов. Сергей Васильевич быстро оделся в прихожей и тихонько притворил за собой дверь.

Прыгнул в машину и помчался в гостиницу «Витязь», большую, помпезную, построенную в 1960-х годах. Ехал и молился, чтобы его знакомый администратор оказался на месте, а не в отпуске или на больничном. Поскольку Вагиза опознала в человеке, числящемся в морге Игорем Песковым, вовсе даже Александра Баулина, с минуты на минуту начнется движуха, и полиция снова нагрянет в отель. Одно дело — человек просто помер во сне, и совсем другое, когда имен многовато.

Когда встали на светофоре, воспользовался минуткой и позвонил Валере Шаркову.

— Нашел я твоего Пескова. Только он, кажется, дуба дал.

— Что?!

— Это не точно, еду разбираться. А Хмаренко, похоже, имя-то это не впервые слышал. Может такое быть?

— Может. Наверняка. Отреагировал?

— Еще как! Как будто на кладбище привидение встретил. Короче, второе имя Пескова — Александр Баулин. Умер ночью, во сне, в гостинице, сейчас находится в морге. В номере наверняка группа уже поработала, но, может, что-то осталось из информационно значимого. Я сейчас попытаюсь проникнуть в номер, если на что-то нужно обратить внимание — говори сразу.

— Сережа, я сам не знаю... Смотри внимательно, если будет возможность — держись на связи, по ходу обсудим.

— Приехали, — проворчал Ураков. — Не знает он... Чего ж тогда задания давать, если сам не знаешь, чего надо?

Загорелся зеленый свет, и он нажал кнопку отбоя.

Дзюба

— Это Оксана?

Роман Дзюба постарался придать своему голосу бархатистости и вальяжности. Номер телефона ему дала Анна.

— Да, я вас слушаю.

— Я — жених Анны Зеленцовой. Вы не могли бы уделить мне немного времени?

— Жених?!

Напористый звучный голос Оксаны, кажется, немного сел. Или осип. Во всяком случае, новость оказалась для нее явно нерядовой.

— У Анюты есть жених? — недоверчиво переспросила она. — Она никогда не говорила...

— Раньше не было. Теперь есть. И в этой связи у меня к вам деликатный разговор. Мы можем встретиться?

— Да... Конечно, пожалуйста...

Оксана, на вкус Дзюбы, была человеком, в котором все «слишком»: слишком громкий голос, слишком яркая внешность, слишком крупная фигура, слишком высокая грудь, слишком неестественный цвет волос — нечто среднее между красным и фиолетовым. Анна говорила, что Оксана — хороший добрый человек, а облик ее мужа вполне устраивает, не зря же у них трое детей и полный мир-лад-совет-да-любовь.

Они договорились встретиться в баре небольшого отельчика, расположенного неподалеку от дома Анны. Оксана опоздала минут на 20, и Роман успел до ее прихода разговориться с юным барменом и обсудить с ним один из последних голливудских боевиков, побивший, по утверждениям рекламных роликов, все рекорды по сборам в США и Европе.

Оксана оказалась дамой любопытной и, едва сев рядом с Романом, попыталась начать задавать вопросы о том, где он познакомился с Аней, да когда, да почему же Анечка ей ничего не говорила, да кто он, чем занимается и какие у него планы на дальнейшие отношения с Анютой. Однако Дзюба этот поток вопросов быстро пресек и перехватил инициативу:

— Я служу в полиции. И у меня к вам вопросы о Никите Никоненко, которому Аня сдает квартиру.

— О Никите? — изумилась Оксана. — А он тут при чем?

— Он, видите ли, открыто ухаживает за Анной, буквально проходу ей не дает. Анна клянется и божится, что не давала ему повода и у нее с Никитой никогда ничего не было. Меня вся эта ситуация изрядно смущает, поэтому я хотел бы знать, откуда вообще господин Никоненко взялся и что вы о нем знаете. Нехорошо получится, если я ни за что ни про что набью морду хорошему парню, правда же? Но если я уеду и оставлю Анну на растерзание сексуальному маньяку или просто идиоту, то выйдет тоже не лучше. Итак, Оксана, я вас внимательно слушаю.

Та призадумалась, вспоминая.

— Ну, что... Сначала появился его родственник, кажется, дядя. Приличный такой мужчина, высокий, очень симпатичный, хорошо воспитанный... Что вы улыбаетесь? Вам смешно, что я об этом говорю? А вы знаете, как мало сегодня хорошо воспитанных мужчин? Встретить такого — огромная редкость, поэтому и запоминается. Кругом же одно быдло, хамы, все орут, все чего-то требуют и хотят, чтобы перед ними пресмыкались и на цыпочках ходили!

Глаза Оксаны метали громы и молнии.

Роман с трудом подавил улыбку.

— Нет-нет, извините, я просто так улыбнулся. Продолжайте, пожалуйста.

— Так вот, пришел сначала этот мужчина, сказал, что визитку нашего агентства ему дали в отеле, где он живет со своим племянником.

— В отеле? Почему?

— Секреты маркетинга, — лукаво улыбнулась Оксана. — Наше агентство — самое крупное в городе, а знаете почему? Потому что наш маркетолог все время придумывал новые и новые способы распространения информации. Ну, чтобы те, кто хочет снять жилье, в первую очередь обращались к нам, а уже потом ко всем остальным. Он решил сделать ставку на квартиры-гостиницы, которые сдаются на короткие сроки, посуточно, а то и почасово. А где скорее всего появится клиент, которому это интересно?

— В отеле? — неуверенно спросил Дзюба.

— Ну именно что! Администратор примечает людей, которые снимают номера для свиданий, и дает им нашу визитку. Не бесплатно, конечно. У нас во всех отелях администраторы на материальном поощрении. Они нам быстро клиентскую базу укрепили. Вот так мы и стали самыми крупными. Но отельных работников продолжаем стимулировать. И наши визитки во всех отелях города на ресепшене лежат вместе с рекламными буклетами. И с Интернетом мы тоже подсуетились, чтобы наша ссылка выпадала в первой десятке при любом запросе. Короче, чтоб вам было понятно: мимо нашего агентства ни один клиент в Сереброве не проскочит.

— Хорошо, я понял. К вам пришел приятный мужчина... Какого возраста?

— Лет сорок на вид или чуть больше. Паспорт я у него не спрашивала, как вы понимаете.

«Точно, Песков, — подумал Роман. — Симпатичный, высокий, и возраст подходит».

— Он сказал, что ищет квартиру для племянника. Но, дескать, парень такой домашний, никогда один не жил, и нет ли такой квартиры, чтобы хозяйка была доброй женщиной, жила неподалеку и готовила для него еду. Конечно, таких вариантов у меня масса, но я про Аню сразу подумала. Хорошая девчонка, красавица, умница, а познакомиться ни с кем не может, личная жизнь не устроена. Она же для меня как старшая дочка, хочется как-то помочь. Вы не обижайтесь, я же не знала про вас, а тут парень из Москвы, приличный, домашний. Если по дяде судить, то из хорошей семьи.

— Ну да, — Роман с умным видом покивал головой. — А чем этот дядя занимается, он не говорил? Где живет? Здесь, в Сереброве?

— Нет, я так поняла, что он откуда-то из Сибири. Но он о себе-то не говорил, мы же квартиру для его племянника подбирали, для Никиты. Я знала, что у Анюты жильцы через пару дней съезжают, поэтому сказала сразу, что есть хорошая квартира, в отличном доме, и хозяйка всего двумя этажами выше живет, работает дистанционно, все время дома и сможет обеспечить молодого человека и питанием, и услугами по уборке, но это будет стоить несколько дороже. Анечке, конечно, ничего не говорила, она не любит, когда я завожу разговоры о ее личной жизни и пытаюсь что-то устроить, обижается. Если бы я заранее ей сказала, она бы сразу отказалась. Просто из принципа.

— То есть вы можете мне гарантировать, что Аня до того момента с Никитой знакома не была?

Нужно было не сильно отклоняться от роли «ревнивый жених».

— Чем хотите поклянусь!

Оксана картинно прижала обильно увешанную кольцами и браслетами руку к своему пышному бюсту.

— Тогда я могу быть относительно спокоен. Спасибо вам, Оксана. И огромная просьба: не говорите никому о нашей с вами встрече, ни Ане, ни этому Никите. Хорошо?

— Да само собой! Что ж я, по-вашему, не понимаю, что ли?

Дзюба расплатился за напитки, подал Оксане элегантное широкое пальто, проводил до двери. И с облегчением выдохнул. Значит, Песков и его племянник про Аркадия Михайловича не в курсе. И никакие персональные компьютеры они не взламывали. Анна в безопасности. И все, кто связан с программой, тоже.

Надо же, выходит, и Вера Максимова иногда ошибается! Как уверенно она говорила о стопке водки в кружке пива...

Но если Вера ошиблась в этой мелочи, то, возможно, промахнулась в своих выводах и в чем-то более крупном, более значимом. Это плохо.

Что ж, свое последнее задание в Сереброве он выполнил: узнал, каким образом Алексей Фролов оказался в квартире Анны Зеленцовой и в такой опасной близости от Аркадия Михайловича. Можно возвращаться домой.

Роман открыл айпад, зашел на сайт серебровского аэропорта и забронировал билет на вечерний рейс до Москвы. Хотел улететь в пять часов вечера, как раз успел бы, но билетов уже не было. Ничего, в девять с минутами — тоже неплохо.

Люша

Неожиданно ноябрь сменил гнев на милость. Теплее не стало, но облака, с которых вот уже несколько дней беспрестанно сыпались дождь и снег, куда-то подевались, небо расчистилось, светило солнце. Правда, тускловато, не так, как летом, но все-таки...

Настроение у Люши Горлик было превосходным, и даже мрачный вид Андрея его не испортил. Капитан Пустовит выглядел невыспавшимся и чем-то очень недовольным. «Наверное, дома конфликт», — решила Люша.

Накануне они договорились, что Андрей утром заедет за ней, отвезет в ту часть города, где находится третий по счету, то есть уже последний, участок, оставит обходить квартиры, после чего отправится на службу пробивать информацию о двух наметившихся вчера подозреваемых.

Ехали молча, Андрей — насупившись, Люша — улыбаясь и предаваясь мечтам о скорой свадьбе и грядущей счастливой семейной жизни. С утра они с Димкой так хорошо поговорили по телефону! Так тепло, ласково. От разговора осталось приятное мягкое послевкусие, и Люша с наслаждением смаковала его.

Ехали долго: адреса находились на противоположном от дома тетки конце города.

— Если что узнаю — сразу позвоню, — пообещала Люша, выйдя из машины.

— Ага, — равнодушно кивнул Пустовит.

Было заметно, что мысли его витают где-то очень далеко от поиска убийцы Леонида Борискина и Егора Анисимова.

Она посмотрела в списки, полученные от участкового, и направилась к подъезду. Из тридцати девяти скончавшихся пенсионеров, проживавших в одиночестве, в этих двух домах числилось восемь, в том числе только один умер в интервале между опросом 2013 года и двумя убийствами в 2015-м. Работы часа на два-три, решила Люша.

Квартира «нелюдимой бабули» почему-то не давала ей покоя. Какая-то мысль все время появлялась, но тут же ускользала. Когда в одной из квартир ей не открыли, мысль оформилась более четко: а что делали интервьюеры, если им не открывали? У них есть задание, нужно заполнить, допустим, 100 анкет. Участок выделяют с запасом, например, на 120 квартир, потому что люди же могут быть где угодно, совсем не обязательно дома. А если даже при таких условиях не удается заполнить требуемое количество анкет, тогда как? Можно ли сдать меньше? Или нужно непременно доводить количество до заданного значения?

Люша снова нажала кнопку звонка. Не открывают. Ну и ладно. Она спустилась на один пролет вниз, присела на подоконник, вытащила телефон и позвонила в Центр «Социолог». Голос вчерашней любительницы игр Люша не запомнила, у нее вообще со слухом не очень, но, судя по всему, ответила на звонок именно она.

— Здравствуйте, я вчера у вас была... — начала Люша осторожно.

— Ага, да, — рассеянно ответила девушка, и стало понятно, что это, конечно же, она и опять вся в игре.

— У меня очень короткий вопрос, извините, что отвлекаю.

— Ага...

— Что должны делать интервьюеры, если им не открывают дверь и они в результате не могут набрать нужное количество заполненных анкет?

— В другое время приходят. Вечером или на следующий день.

— А если, допустим, человек дверь открыл, но очень занят и отвечать на вопросы не может? К нему нужно еще раз прийти? Или надо настаивать, чтобы ответил сразу?

— Настаивать нельзя, иначе ответы будут некорректными. Интервьюер должен оставить свою визитку и попросить позвонить, когда у человека будет время.

— А можно пойти, например, вообще в другой дом, не в тот, который вы обозначили, и там добрать нужное количество анкет?

— Легко. Многие так и делают, если все квартиры обошли, сотню свою не набрали, а в другое время приезжать неохота.

— И за это не наказывают? Это разрешено?

— Зависит от цели опроса. Бывают такие, где заказчику важно иметь мнение людей из конкретного микрорайона или даже конкретных домов, например, если какое-то новое строительство, или озеленение, или детские площадки, или капремонт, ну, все такое. Тогда с адресами строго, если кто попадется — срезают оплату.

— Я сейчас от вас отстану, — пообещала Люша. — У меня последний вопрос: ваши интервьюеры сами делают свои визитки?

— Нет, что вы, мы их здесь печатаем и всем раздаем. С логотипом нашего Центра. Чтобы никаких разговоров не было, что не успел или дорого, денег нет и все такое. К нам из УВД строгая инструкция пришла давно еще.

— Инструкция?

— Ну да, насчет того, что развелось очень много всяких мошенников, которые ходят по квартирам, поэтому все официальные представители организаций, работающие с населением, обязаны иметь и по первому же требованию оставлять визитку. Чтобы человек мог перезвонить и проверить, действительно ли это представитель или проходимец какой-то.

Ну надо же... инструкция из УВД... Молодцы, правильное решение. У них в Шолохове до такого пока не додумались, а зря.

Значит, визитки... Это хорошо. Вот и ответ на вопрос о том, как искали вора. А чего его искать, когда визитка есть? Пожалуй, Андрей Пустовит прав, в квартире нелюдимой бабушки ловить нечего. Если она ни с кем из родных не общалась, то наследники, даже если и заметили бы пропажу, что крайне маловероятно, про соцопрос и двух симпатичных молодых людей все равно не узнали бы. Ну, допустим, валяются у бабки в серванте или в шкатулке две визитные карточки, и что? Кому придет в голову связать имена на карточках с пропавшей вещью? Это надо быть гением, как ее Димка, чтобы до такого додуматься. А Димка уникален, других таких нет. Так что нечего и голову ломать.

Старший лейтенант Горлик вздохнула, убрала телефон и снова поднялась на один пролет, чтобы позвонить в дверь очередной квартиры.

Ураков

Он успел первым, полиции еще не было. И знакомец-администратор оказался на месте. «Есть в жизни счастье!» — пронеслось в голове Сергея Васильевича, когда перед ним в противоположном конце огромного холла замаячила знакомая блестящая лысина с аккуратно уложенным венчиком реденьких пегих волос.

— Сергей Васильевич, для вас — все, что угодно, — развел руками администратор, выслушав довольно сомнительную просьбу Уракова. — Только вы уж позаботьтесь, чтобы у меня не было неприятностей потом.

— Позабочусь, — пообещал Ураков. — А ты позаботься, чтобы тебе сразу сообщили, если наши подвалят. И пойдешь со мной.

Администратор быстро пошептался с парнем и девушкой, стоявшими на ресепшене, после чего сделал Сергею Васильевичу знак, мол, идемте к лифтам.

— Ужасный случай, просто ужасный, — причитал он, пока шли по длинному коридору на третьем этаже. — Горничная, которая его нашла, до сих пор в шоке, даже больничный взяла. Спокойный гость, беспроблемный, как говорится, никаких заказов из ресторана в номер, никаких проституток. И ведь молодой! Такая нелепая смерть... Наверное, он чемто болел, как вы думаете?

— Вскрытие покажет, — отозвался Ураков. — Из номера ничего не выносили?

— Нет-нет, номер оплачен до первого декабря, мы как «труповозку» проводили с телом, так номер закрыли и больше ни-ни. Мало ли что, а вдруг родственники приедут... Ваши-то коллеги почти сразу уехали, сказали, что ничего особенного не видят, похоже на естественную смерть.

— Значит, полиция была?

— Ну а как же! Как только врачи смерть констатировали, сразу и полицию вызвали, мы правила знаем, внебольничные смерти, особенно если человек не старый... — Администратор задыхался, с трудом поспевая за быстро шагающим Ураковым. — Пришел какой-то молоденький пацанчик, похоже, покойника в первый раз в жизни увидел, ничего не осмотрел, только имя списал с паспорта и блевать побежал. Мы уж думали, ему тоже «Скорую» вызывать придется. Он позвонил куда-то, приехали еще двое, посмотрели, что-то в протокол позаписывали, с врачами поговорили, вызвали «труповозку», дождались ее, документы нашли и уехали.

— Бардак! — сердито воскликнул Сергей Васильевич, останавливаясь перед номером, из которого позавчера унесли покойника с документами на имя Игоря Пескова. — Но это как раз тот случай, когда бардак нам на руку. Открывай.

Администратор вставил карту-ключ, воровато оглянулся и толкнул дверь.

Это был самый обычный номер. И ни малейших признаков того, что помещение обыскивали или хотя бы просто добросовестно осмотрели. На рабочем столе ноутбук. Рядом с ним какие-то записи. В ванной — стандартный мужской набор туалетных принадлежностей. В шкафу — одежда. Ураков быстро пробежался по карманам пиджака, куртки, джинсов. А вот и паспорт. На имя Баулина Александра Андреевича. Он показал фотографию администратору.

— Этот?

— Да. Погодите... Так паспорт же забрали...

— Это другой, — пояснил Ураков и положил паспорт туда же, где взял.

Только предварительно сфотографировал все страницы.

— А паспорт на имя Пескова где был? Где вы его нашли?

— Сейчас вспомню...

Администратор наморщил лоб в попытках стимулировать память.

— В сейфе! Точно, в сейфе! Как только врачи смерть констатировали, я вызвал сотрудника, который знает универсальный код наших сейфов, потому что первым делом про документы подумали. Открыли, а там паспорт, как и ожидалось. Это ведь нормально, когда гости документы в сейфах хранят, правда? — вдруг обеспокоился он. — Или мы не имели права открывать?

— Имели, имели, — успокоил его Ураков. — Все в порядке. Значит, в вашей гостинице он зарегистрировался как Песков?

— Ну да. Мы и ксерокопию паспорта сделали, все как положено.

Сергей Васильевич закончил осмотр вещей и небольшого чемодана на колесиках и с выдвижной ручкой. Вернулся к рабочему столу, быстро сфотографировал каждый из листков, на которых мелким бисерным почерком были сделаны какие-то записи. Сложил все в прежнем порядке. Открыл мини-бар, сверил содержимое с лежащим сверху перечнем. Еще раз проверил корзину для мусора. Покачал головой.

— Сколько водки должно быть?

— Две бутылочки.

— А джина? Коньяку?

— Всего по две.

Сергей Васильевич быстро подсчитал, поглядывая то в перечень, то в мусорную корзину: водка, джин, виски, коньяк, ром. Пять наименований по две бутылочки каждого, итого десять. Все пустые, все в корзине. И еще на прикроватной тумбочке пустая бутылка виски. Горничная убирает каждый день, пустую бутылку она бы выбросила, и минибар пополняется тоже ежедневно. Значит, бутылка опустела не раньше вечера накануне смерти. И ни одной бутылочки с крепкими напитками в мини-баре. Значит, выпил все, что было доступно. Ну ладно, можно допустить, что из бутылки человек отпивал по чуть-чуть в течение многих дней, и горничная ее не трогала. Но мини-бар-то!

Эх, в компьютер бы влезть! Но даже и пробовать нечего, наверняка запаролен, а взламывать пароли Сергей Васильевич не умел.

Зажурчала мелодия рингтона — администратору кто-то звонил.

— Бегу! — сказал он в трубку и виновато посмотрел на Уракова.

— Что, наши приехали? Валим! — скомандовал бывший замначальника УВД.

Еще раз окинул комнату взглядом: все как было, когда они вошли. Ничего не сдвинуто. Ну и хорошо.

* * *

Всего семь лет прошло, каких-то жалких семь лет, а уже все развалилось! Это же уму непостижимо: смерть постояльца гостиницы — и никакого серьезного отношения, ни малейших подозрений в том, что произошло убийство! Впрочем, чему удивляться? Зачем им убийство? Работать придется, раскрывать, а если не раскроешь — висяк образуется, начальство будет мозги выклевывать, душу выматывать. Куда проще подвести все под смерть от естественных причин и не париться. Но так открыто, так нагло... Второй паспорт не нашли — стало быть, номер не осматривали толком, даже бутылку, стоявшую на прикроватной тумбочке, не изъяли, а вдруг там следы каких-то веществ, наличие которых

279

позволит говорить об отравлении? Как можно так работать? Непонятно. Когда он, Сергей Васильевич Ураков, был замом по розыску, такого никто не посмел бы себе позволить. Но провели реорганизацию, да не одну, пришли совсем новые люди с совсем другими интересами, целями и задачами.

Впрочем, может быть, он напрасно гонит волну на бывших коллег? Может быть, Песков действительно скончался от естественных причин, а коллеги уж до того ушлые, знающие и опытные, что сразу все поняли правильно и не стали распылять силы и средства... Ох, свежо предание, да верится с трудом. Правильнее предположить, что они приложили максимум усилий, чтобы замарафетить дело и быстренько спустить его на тормозах. Если они сейчас снова приехали в отель «Витязь», то исключительно для того, чтобы прояснить вопрос с личностью умершего, а вовсе не для того, чтобы отрабатывать версию насильственной смерти. Когда у человека два паспорта, есть все основания предполагать, что он скрывается от органов правопорядка и находится в бегах, и как красиво могло бы получиться: мы вам беглого преступника нашли, ай да мы! Почет нам и слава! Только он, к сожалению, умер от болезни... Трех зайцев убиваем одним выстрелом: и человека, находящегося в розыске, обнаружили, и тяжкое преступление в статистику не попало, и работать по нему не надо. Красота же!

Настроение у Сергея Васильевича от этих размышлений испортилось сильно. Он не питал особых иллюзий по поводу того, что творится теперь на его службе, но такого безобразия не ожидал. Нарушены все правила и инструкции, какие только можно!

— Бардак, — в сердцах проговорил он вслух, выруливая с проезжей части во двор, откуда можно было попасть к судебным медикам.

В Бюро судмедэкспертизы текучка была не меньше, чем в полиции, но один врач, которого Ураков знал с прежних времен, все-таки остался. К сожалению, в данный момент он был занят, проводил вскрытие. Придется ждать. Сергей Васильевич вернулся в машину, достал телефон, отправил Шаркову сделанные в гостиничном номере фотографии, потом стал их внимательно рассматривать и читать записи Пескова. У покойного и без того почерк очень мелкий, а уж на сделанной телефоном фотографии — и вовсе букв не видно. Раздвинул пальцами изображение. На экран помещалась только примерно треть строки, приходилось двигать картинку вправо-влево и вверх-вниз, чтобы прочесть.

Записи оказались странными. Или занятными... Это как посмотреть. На каждом листке — название медицинского препарата и его описание. Причем названия на латинице, ни одного русского. Судя по тому, что листки находились рядом с компьютером, господин Песков искал в Интернете информацию об этих лекарствах и тщательно ее выписывал. Причем выписывал не все, что содержится в инструкции, а в основном то, что касается взаимодействия данного препарата с другими лекарствами и с алкоголем.

Что можно предположить? Первый вариант: человек болеет, принимает лекарства по назначению врача, но при этом не желает отказаться от привычки употреблять спиртное; его запугали тем, что сочетать алкоголь с лекарствами нельзя, но он решил все узнать самостоятельно и проверить, можно все-таки или нельзя. Вариант, конечно, глуповатый и на правду не очень похож. Откуда у человека в сорок или сорок с небольшим лет столько болезней, чтобы нужно было принимать так много препаратов, да еще таких сильных? Хотя все бывает, конечно...

Вариант второй: есть намерение кого-то отравить. И Песков готовится к совершению преступления, подбирает препараты, которые можно подмешать жертве в спиртное. Вот это больше похоже на правду. Но почему он выбрал именно эти препараты? Насколько Сергей Васильевич знал, есть множество лекарств, прием которых вместе со спиртным может привести к летальному исходу, и названия таких препаратов на слуху, они известны. Однако ни одного знакомого названия в записях Пескова не было.

А если Песков ограничен определенным перечнем? Тогда нужно заводить двигатель и возвращаться к Филиппу Хмаренко. К человеку, у которого в гостиной на столике стоит огромное множество флаконов и коробочек с разными таблетками и каплями. Не зря же Хмаренко так испугался, услышав имя Игоря Пескова. Знает кошка, чье мясо съела. Знает Хмаренко, что у Пескова на него мог вырасти огромный острый зуб. Только он этого Пескова никогда не видел, потому и не узнал, поверил, что нового знакомого, пишущего книгу о галеристах, зовут Александром Баулиным.

Больше всего на свете Сергей Васильевич Ураков в бытность руководителем не любил самодеятельности. Инициативу приветствовал, но требовал согласованности действий. «Инициатива — поощряема, — любил повторять он подчиненным. — Инициатива, не согласованная с начальством, наказуема».

Поэтому двигатель-то он завел, но прежде чем начать движение, перезвонил Шаркову.

— Картинки получил? — спросил он, когда генерал ответил.

— Получил.

— Прочитал?

— Пока нет. Что там?

— Там разные пилюльки и информация из Интернета об их совместимости с алкоголем и друг с другом. Хочу вернуться к Хмаренко и проверить, не его ли это пилюльки. Надо? Или тебе и так все понятно?

— Надо, Серега. Ты уж извини, что я тебя загрузил. Но тут дело деликатное.

— Твой Песков собирался отравить Хмаренко, что ли?

Ответ Валерия Олеговича прозвучал уклончиво:

— Пока рано судить, но вполне возможно. Хотя у меня есть основания полагать, что Песков хотел совершить суицид, чтобы подставить Хмаренко.

— Ишь ты, как круто! Ну, допустим, он его и вправду совершил. Только в чем подстава — не пойму. Помер в своем номере, ночью, от Хмаренко его отделяли несколько километров и несколько часов, записки не оставил. Ох, Валерка, темнишь ты чего-то... Ну ладно, не первый день на свете живу, понимаю, что просто так ты бы меня помочь не просил. Коль попросил — стало быть, очень надо. А если попросил именно меня, а не того, кто сейчас на моем месте в кабинете штаны просиживает, значит, дело тонкое и хитрое. Поэтому вопросов больше задавать не буду. Съезжу к Хмаренко, все узнаю, отзвонюсь.

До улицы Мурашова Ураков доехал быстро. А вот дверь ему долго не открывали, пришлось нажимать кнопку домофона несколько раз, пока из динамика не раздался голос Вагизы.

— Филиппу Владимировичу стало плохо, — объясняла женщина, впустив Уракова в квартиру. — Ему совсем нельзя волноваться, ни капельки, моментально давление подскакивает, и приступ аритмии начинается. Очень он расстроился из-за Саши... Или как его теперь правильно называть? Игорем? Я ничего не понимаю, ничего... И за Филиппа Владимировича очень боюсь, он такой нездоровый человек! Он только с виду такой мощный, а на самом деле у него целый букет тяжелых заболеваний. Сейчас я его уложила, все уколы сделала, он задремал. А мне так страшно! Слышу — домофон, понимаю, что нужно подойти, спросить «кто?», а ноги будто к полу приросли. Стою как каменная, двинуться не могу, думаю: вдруг это полиция насчет Саши... Или Игоря...

— Давайте будем называть вашего знакомого Сашей, вам ведь так привычнее, — предложил Ураков. — И Филиппа Владимировича беспокоить не станем, пусть отдыхает. Думаю, что на мои вопросы вы и сами сможете ответить. Скажите, Саша на бессонницу не жаловался?

Вагиза посмотрела изумленно.

— А откуда вы...

— Среди его вещей оказалось довольно много препаратов, помогающих при проблемах со сном, — пояснил он. — Персен, мелаксен, Формула сна, пустырник, валериана.

— Да, — женщина кивнула, — он жаловался на бессонницу, говорил, что в аптеках без рецепта ему всякие лекарства предлагали, он покупал, но ничего не помогало. Я ему посоветовала обратиться в платную клинику, попросить врача выписать рецепт на что-нибудь более сильное, у него же полиса в нашем городе нет. То есть не было...

— И он обратился?

— Да, ему выписали препарат, на мой взгляд — неплохой, но он не помог. Саша говорил, что и по две таблетки принимал, и по три — все без толку. Засыпать — засыпает, но через час просыпается и мается уже до самого утра.

— Саша не пытался попросить снотворное у вас?

— У меня? — Вагиза вздернула густые темные брови.

— Я имел в виду — у Филиппа Владимировича. Наверняка ведь у него тоже проблемы со сном, и снотворное у вас есть, я думаю.

Она тяжело вздохнула, удрученно покачала головой:

— Конечно, проблемы есть, серьезные, многолетние. Но Филипп Владимирович очень давно подсел на клофелин, сначала ему прописали от гипертензии, лет двадцать назад, а он обратил внимание, что спит от него хорошо. Вот так и принимает все годы. Я как медработник понимаю, что это плохо, несколько раз пыталась отучить его, заставляла принимать другие препараты, но ни в какую. Без клофелина уже не может. Так часто бывает.

— А если Саша все-таки попросил снотворное у вашего мужа, тот мог дать ему клофелин?

— Боже упаси!

Вагиза всплеснула руками, лицо ее исказилось в гримасе отвращения.

— Это кем же надо быть, чтобы просто так дать человеку клофелин! Да еще человеку, который выпивает!

«Чистая наивная душа, — с усмешкой подумал Сергей Васильевич, глядя на жену Хмаренко. — Ты бы, само собой, никому клофелин не дала. А твой муж вполне мог. Впрочем, зачем ему это? Если он не знал, что писатель Баулин на самом деле Игорь Песков, то какой резон ставить его жизнь под угрозу? Филипп либо не дал бы таблетки, либо строго-настрого предупредил бы, что с алкоголем сочетать нельзя ни в коем случае. Допустим, таблетки дал и про алкоголь предупредил. Почему Песков пренебрег предупреждением? Принял клофелин и запил изрядным количеством спиртного. Хотел уйти из жизни? Возможно. Но в чем тогда смысл беспокойства Валеры Шаркова? Почему он говорил о желании подставить Хмаренко? Нет, не так все просто... Что-то там еще есть...»

— Вагиза, вы позволите мне посмотреть, какие препараты принимает ваш муж?

— Пожалуйста, смотрите.

Она пожала плечами и указала на столик в углу комнаты.

— И что вы хотите там высмотреть? Снотворное?

Ураков не ответил, достал телефон, открыл фотографии и принялся разглядывать флаконы, сверяя названия с теми, что были в записях Пескова.

На флаконах Филиппа Хмаренко не было ни одного названия, написанного кириллицей. И из двенадцати названий стоящих на столике лекарств восемь повторялись в записях. Похоже, покойный Игорь Песков зафиксировал, чем лечится господин Хмаренко, и изучал взаимодействие этих препаратов с алкоголем. Занятно.

— Где вы приобретаете лекарства? — спросил Сергей Васильевич.

— Нам из-за границы привозят. Филипп Владимирович не верит в отечественную фармацевтическую промышленность и тем более не верит нашим аптекам, он считает, что у нас продается много поддельных лекарств. В общем-то все эти препараты ему выписали в Европе, где он долго лечился, вот он там в первый раз все закупил, а потом, когда что-то заканчивалось, ему уже привозили. В России почти у всех этих препаратов есть отечественные аналоги, но Филипп Владимирович не хочет рисковать.

— А клофелин как же? Тоже из Европы?

— Что вы, нет, конечно. Клофелин я ему здесь покупаю.

— И где же он?

Ураков указал на столик с лекарствами, клофелина среди них не было.

— Да вот же!

Вагиза подошла поближе и взяла со столика флакон без этикетки.

— Понимаете, к Филиппу Владимировичу часто приходится вызывать докторов, и он не хочет, чтобы они видели, что он принимает клофелин. Когда-то им это было безразлично, я имею в виду, в те времена, когда клофелин широко применяли и часто выписывали. А теперь появилось много препаратов нового поколения, не таких опасных, и врачи категорически протестуют, если больные продолжают принимать клофелин, тем более когда у них, как у Филиппа Владимировича, так много разных заболеваний. Однажды, примерно год назад, мы вызывали «Скорую», приехала молодая девочка, очень резкая, увидела клофелин, начала Филиппу Владимировичу выговаривать, как школьнику, а потом схватила таблетки и сунула в свой чемоданчик. Сказала, что выбросит на помойку и чтобы мы не смели больше к нему прикасаться. Филипп Владимирович тогда страшно разозлился, в том флаконе был весь его запас, около пятидесяти таблеток по ноль-пятнадцать, а он без них не спит уже много лет. Пришлось мне тогда срочно бежать в поликлинику, искать знакомых врачей, просить рецепт. В общем, ничего страшного, конечно, проблема решаемая, но Филипп Владимирович сказал, что больше таких концертов наблюдать не желает, и с тех пор пересыпает клофелин из заводского флакона вот в этот, без этикетки.

«Все занятнее и занятнее, — подумал Ураков. — Что же там у Валерки Шаркова за ситуация?»

— Вагиза, мне бы нужно задать пару вопросов вашему мужу, но я не хочу его беспокоить. Может быть, вы посмотрите, не проснулся ли он, и если проснулся, сами спросите? Вопросы очень простые: не спрашивал ли Саша, что находится в этом флаконе, и не говорил ли Филипп Владимирович Саше о том, что в этом флаконе клофелин?

Она посмотрела недоверчиво и переспросила:

— И все? Больше ничего?

— Больше ничего.

Вагиза кивнула и вышла. Ураков дождался, когда ее шаги стихнут в противоположном конце длинного коридора, и сделал несколько фотографий, стараясь, чтобы названия всех препаратов получились в кадрах четко и крупно. Флакон без этикетки сфотографировал тоже. Оглянулся на оставленную открытой дверь, высыпал в ладонь клофелин, быстро пересчитал таблетки. Тридцать одна. Ссыпал их назад во флакон, поставил на место.

Когда жена Хмаренко вернулась, Сергей Васильевич с самым заинтересованным видом разглядывал единственную фотографию, висящую на стене. На фотографии красовался крупный ухоженный ротвейлер с мощной грудной клеткой и блестящей шерстью.

— Филипп Владимирович сказал, что Саша спрашивал про флакон, он это хорошо помнит. Как-то разговор зашел о том, что Филиппу Владимировичу приходится принимать очень много всяких препаратов и строго по часам, в общем, вокруг этого. Тогда Саша и спросил про флакон.

Ураков подумал, что если эта женщина еще раз назовет своего мужа по имени-отчеству, он закричит. Или даже завизжит. Манера некоторых дам именовать своих супругов подчеркнуто уважительно приводила его в бешенство. Да, Хмаренко старше жены почти на четверть века, да, он состоятельный человек и облагодетельствовал небогатую одинокую сиделку, но должна же быть мера!

— И что ответил ваш муж?

— Сказал, что это снотворное. Просто снотворное. Но очень хорошее.

— То есть слова «клофелин» он точно не произносил?

— Нет-нет, я же вам объясняла: Филипп Владимирович зарекся кому бы то ни было говорить о том, что он принимает это лекарство. Саша хотел узнать название снотворного, жаловался на бессонницу, хотел купить в аптеке, но Филипп Владимирович сказал, что этот препарат ему привозят из-за границы и в Нанске его все равно купить невозможно. Тогда Саша попросил дать ему одну-две таблеточки, чтобы выспаться хотя бы один раз.

— И ваш муж...

— Разумеется, отказал. Сослался на то, что препарат очень дорогой и неизвестно, когда его в следующий раз привезут, каждая таблетка на вес золота, и пусть Саша не обижается, но он не даст. Вы не подумайте, Филипп Владимирович не жадный человек, он щедрый и добрый, но он же понимал, что Саша обязательно выпьет, он ведь и не скрывал, что выпивает каждый вечер, не только у нас, но и перед сном, и в комбинации с клофелином это может оказаться смертельным.

«Да не только может, но и оказалось, похоже», — произнес мысленно Ураков.

— И как Саша отреагировал? Не обиделся?

— Но разговор же был не при мне. Хотя я ни разу не замечала, чтобы между Филиппом Владимировичем и Сашей возникало какое-то напряжение. Они всегда так хорошо разговаривали, выпивали, Филипп Владимирович по чуть-чуть, Саша — побольше, конечно.

— Сколько таблеток клофелина в день принимает ваш супруг?

— Обычно две, на ночь. В упаковке банка на пятьдесят таблеток, и ее хватает чуть меньше чем на месяц.

— Две? Не многовато? Тем более в максимальной дозировке...

— Многовато, — согласилась Вагиза грустно. — Вы правы. Но за столько лет развилось привыкание. Филипп Владимирович начинал, как и все, с половинки, и за два десятка лет дошел до двух таблеток.

Она развела руками, давая понять, что в этом вопросе повлиять на упрямого супруга ей не удается никак.

— Когда в последний раз вы пересыпали клофелин из заводского флакона в ваш?

Вагиза задумалась.

— Вроде бы... Сейчас скажу точно... Филипп Владимирович сказал, что у него осталось во флаконе две таблетки и нужно открыть новую упаковку... Это было...

Внезапно лицо ее снова сделалось недоверчивым и боязливым.

— А почему вы об этом спрашиваете? Какое значение имеет, когда я пересыпала таблетки?

— Ответьте, пожалуйста, — мягко попросил Ураков. — А я потом объясню вам причину своего интереса.

— Это было ровно неделю назад, — твердо сказала Вагиза.

— То есть семь дней тому назад во флакон, в котором оставались две таблетки, вы добавили еще пятьдесят?

— Ну да, я так и сказала.

— И за семь дней ваш муж использовал четырнадцать из них?

— Должно быть, так. Если только не добавил в какой-то день еще одну, пока я не видела. Это очень опасно, я бы не разрешила, если бы заметила. Но Филипп Владимирович так поступает нечасто, только когда разнервничается и давление сильно подскакивает. Я запрещаю, ругаюсь с ним, объясняю, что так делать нельзя, но он не слушает...

Ладно, пусть так, пусть Хмаренко употребил за семь дней не четырнадцать, а пятнадцать таблеток. Ну, пусть даже шестнадцать! Должно было остаться тридцать шесть. А их всего тридцать одна. Маловато. Либо Вагиза ошиблась на два-три дня, либо Песков поверил в ложь и украл таблетки, которые считал снотворными.

— Мне очень жаль, Вагиза, но придется еще раз побеспокоить вашего супруга, — с виноватым видом произнес Сергей Васильевич. — Боюсь, что Саша позаимствовал у вас клофелин, думая, что это просто снотворное. И мне нужно совершенно точно знать, сколько таблеток должно быть во флаконе. Мне нужно понимать, в какой день вы пополняли флакон и не принимал ли ваш муж больше двух таблеток.

Вагиза молча кивнула и снова вышла, но вернулась на этот раз почти сразу.

— Зайдите к Филиппу Владимировичу, — холодно произнесла она. — Он отказывается со мной разговаривать, требует вас.

Ураков следом за ней прошел по длинному коридору в самый дальний конец квартиры, где находилась комната, в которой лежал Хмаренко.

В комнате было почти совсем темно, горел только ночник, шторы задернуты, сильно пахло лекарствами. Если утром, сидя в инвалидном кресле, Филипп Владимирович казался сильным широкоплечим красавцем зрелого возраста, то сейчас он выглядел слабым умирающим стариком. Выглядел он настолько больным, что у Уракова даже мелькнула мысль: «Не жилец...»

— Что вам нужно? — проскрипел Хмаренко.

И голос этот был ни капли не похож на тот сочный сильный голос, который слышал Сергей Васильевич всего несколько часов назад.

— Почему вы задаете свои вопросы? Вы больше не служите в полиции, и у вас нет никакого права...

— Права нет, — мирно согласился Ураков. — А мозги есть. И сострадание к больному инвалиду тоже есть, уж простите за прямоту. Ваш приятель-писатель умер. Вы — его единственный контакт в Нанске, единственная связь. Если заподозрят убийство, то вас истерзают. Вас не оставят в покое, особенно с учетом того, что на вас кое-кто точит зуб, о чем я вам сообщил сегодня утром. У меня есть не только мозги и сострадание к вашему положению, но и возможности, вы же понимаете. Если я сейчас найду информацию, которая подтвердит, что имело место самоубийство или несчастный случай, то вас никто больше не тронет. Максимум — один раз допросят, очень доброжелательно. Если же я такую информацию не найду, то вам придется ощутить все прелести следствия по делу об убийстве. Я вам не угрожаю, наоборот, просто хочу помочь.

— Ладно, — Уракову показалось, что Филипп стиснул зубы. — Спрашивайте, что вы там хотели.

— Вы помните, в какой день обновляли клофелин во флаконе?

— Мы фильм смотрели... Там было что-то про таблетки, и я вдруг вспомнил, что накануне принял лекарство и заметил, что осталось только две таблетки. Сразу сказал Вагизе, она открыла новую упаковку и пересыпала.

— Что за фильм?

— Название не помню. Какой-то французский.

— По какому каналу?

— Спросите у Вагизы, она помнит, я такие вещи в голове не фиксирую.

В ответе Хмаренко зазвучало раздражение, грозящее перейти в открытую злость. Сергей Васильевич почувствовал, что пора сворачиваться. Остался последний вопрос.

— Сколько таблеток клофелина вы принимаете ежедневно?

— Две.

— Строго две? Всегда? Или бывают исключения?

— Бывают, но очень редко. В последнее время не было.

— Я могу с уверенностью исходить из того, что после вскрытия новой упаковки вы принимали четко по две таблетки в день? — строго спросил Ураков.

— Да. По две.

Сергей Васильевич вернулся к Вагизе. Женщина с непроницаемым лицом сидела за столом, спина прямая, подбородок вздернут.

— Вы выяснили все, что хотели?

Похоже, она обиделась то ли на мужа, то ли на гостя. Но тратить время на выяснение отношений он не мог.

— Еще не все, — улыбнулся Ураков. — Я попрошу вас вспомнить, какой именно фильм и по какому каналу вы смотрели, когда Филипп Владимирович вспомнил про таблетки.

— Вы что, проверяете меня? — надменно и недовольно спросила она. — Я же сказала: это было ровно неделю назад. И нечего меня проверять, я опытная медсестра, я всю жизнь даю больным лекарства и делаю уколы, и ни разу не перепутала ни время, ни препарат, ни дозировку.

— Извините. И все-таки нужно вспомнить. Пожалуйста.

В его тоне не было просительности. Зато была невероятная жесткость.

Спустя еще пять минут Сергей Васильевич Ураков покинул квартиру супругов Хмаренко. Вагиза не только вспомнила название фильма и логотип канала в углу экрана, но и принесла журнал с телепрограммой. Можно было убедиться, что все сходится: ровно неделя, по две таблетки в сутки. Не хватало семи таблеток.

Сев в машину, посмотрел на часы: на разговор с Шарковым — максимум три минуты, и он прекрасно успевает забрать внучку из музыкальной школы и отвезти в приют для бездомных животных. Ай да молодец, все успел!

Шарков

Вера Максимова оказалась права: Песков готовил свою «встречу с законченностью». Познакомившись с Филиппом Хмаренко, Игорь понял, что единственное преступление, которое реально повесить на безногого инвалида, живущего вместе с женой, — отравление. Ни один другой способ совершения убийства не прокатит. Он начал изучать препараты, имеющиеся у Хмаренко, с тем чтобы выбрать те, которые в сочетании друг с другом и с алкоголем приведут к летальному исходу. Скорее всего, план был прост: заранее украсть у самого же Хмаренко нужные таблетки в нужном количестве, а когда весь комплект будет собран, принять их вместе с изрядной дозой крепкого спиртного, находясь в гостях у Филиппа. До приезда «Скорой» он не доживет, появится полиция, будет вскрытие, которое констатирует, что в крови у погибшего целый набор того, что имеется у хозяина квартиры. А в компьютере погибшего — письмо, из которого понятно, что Филипп Хмаренко — очень нехороший человек и имеет все основания бояться Игоря Пескова. И никогда господин Хмаренко не сможет доказать, что он не знает никакого Пескова, а знает только Александра Баулина, начинающего писателя. В письме, вероятно, написано много интересного и про мать Игоря, сбежавшую с любовником и без зазрения совести допустившую осуждение мужа на большой срок.

В целом план был неплох. И если письмо действительно существует и написано достаточно убедительно, то сработал бы на сто процентов.

Но Песков, судя по всему, переоценил свои силы. Он не знал, что убивать людей — не так просто, как показывают в кино и пишут в книгах. Четыре убийства за полгода — огромная нагрузка на психику, если ты не маньяк, не отморозок и не профессиональный киллер. Начались проблемы с нервами и со сном, он пытался глушить их алкоголем, в итоге через какое-то время получил бессонницу, с которой справиться не мог никак и которая высасывала из него все силы. В аптеках без рецепта давали только совсем безобидные легкие препараты, для младенцев. То, что удалось раздобыть по рецепту, обеспечивало лишь полтора-два часа сна. И тут Филипп Хмаренко заявляет, что у него есть очень хорошее снотворное, которое ему привозят из-за границы. Песков просит пару таблеток и получает вежливый мотивированный отказ. Он не смиряется, но делает вид, что все в порядке, и, когда Филиппа нет в комнате, открывает флакон и банально крадет заветное лекарство. Он так устал, он так измучился, ему так нужна хотя бы одна ночь полноценного крепкого сна... И он знает, что снотворное действует сильнее, если принять его вместе с алкоголем.

А ведь до осуществления плана оставалось совсем немного, буквально считаные дни, не зря же Игорь снял номер в другой гостинице, использовав свое настоящее имя. Он не мог позволить себе умереть Баулиным, он должен быть умереть Песковым, чтобы обвинили Филиппа Хмаренко и чтобы племянник Игоря получил обещанное наследство. Если умрет Баулин, то никакого наследства мальчик Алеша не увидит. Да и Филиппа трудно будет обвинить в том, что он вдруг ни с того ни с сего захотел убить мирного писателя. Зачем ему это? Где мотив? Совсем другое дело, если станет понятно, что жертва отравителя — сын его любовницы, впоследствии жены. Человек, который знает о нем опасную правду. Человек, которого Филипп лишил матери, отца, нормального детства. Человек, который всю свою сознательную жизнь бился за то, чтобы доказать: его отец — не преступник, не убийца. Тут уж мотив такой, что отвертеться будет крайне проблематично.

Когда полицейские из Нанска изучат компьютер Пескова, там, вполне вероятно, обнаружится и текст, предназначенный для вброса в интернет-пространство. В нем описаны всякие ужасы про маньяка, совершившего убийства в 2015 году и повторяющего их в году нынешнем в то же время и в тех же местах. Скорее всего, Игорь собирался переслать этот текст племяннику с указанием точного времени, когда это нужно будет сделать. Не удалось в Тавридине — он попробует еще раз. Страна должна знать, что полтора года по ее просторам разгуливал сумасшедший убийца, которого никто не искал. Страна должна понять, что правоохранительные органы не защищают граждан, ни в грош не ставят их жизни, здоровье и права. Страна должна возмутиться, испугаться, взбунтоваться, потребовать перемен.

Трудно было Игорьку, ох, трудно! Чтобы не засветиться, его племяннику приходилось довольствоваться только базами дежурных частей, где указывается факт «обнаружения трупа» и обозначается время и место, а уж какова истинная причина смерти — не всегда ясно. Базы «дежурок» наименее защищены, их взломать проще. Из всего массива информации Пескову надо было выбрать те случаи, которые он смог бы повторить. Никакого огнестрела, никаких сбитых машиной пешеходов, только то, что доступно: камень, веревка, собственные руки. Он выбирал способ, не приводящий к быстрому вычислению преступника. Место должно быть пустынным, стало быть, время, как правило, вечернее, темное. Конечно, пришлось использовать не только явно криминальные трупы, но и такие, как в Елогорске и Дворецке: наркоман с передозом и самоповешение. Это нарушало чистоту картины, но Игорь, вероятно, рассчитывал на могучую силу печатного слова, особенно распространенного через Интернет: никто не станет проверять и докапываться, все сразу поверят, главное — напугать и при этом быть убедительным. А если полиция все-таки сочтет нужным кое-что из написанного опровергнуть, то ей все равно никто не поверит, ведь старая истина гласит: кто первым доложил или сообщил, тот и прав.

Несчастный Игорь Песков, как он был наивен! Он верил в силу гражданского самосознания и думал, что достаточно только на одном примере показать людям, что происходит, и люди тут же все поймут, возьмутся за руки и дружно отправятся в крестовый поход за правдой.

Не поймут.

Не возьмутся.

И не отправятся.

Прав Костя Большаков, прав. Нужна кропотливая методичная работа, нужны политологи и социальные психологи, нужны теоретики права, да много кто нужен. Даже лингвисты потребуются, чтобы оттачивать формулировки и делать их такими, которые будут проникать в самое сердце каждого.

Дел предстоит много. Хватило бы сил...

Вот с силами сегодня у Шаркова что-то не очень хорошо. До министерства добрался утром еле-еле, голова кружилась, слабость сильная. Заперся в кабинете, велел помощнику никого не впускать и вообще не беспокоить, если только высокое руководство не потребует. Сначала сидел за столом, потом пересел на диванчик, прилег. Ждал сообщений от Сереги Уракова. Серега — верный друг, хотя и виделись они в последний раз много лет назад, когда полковник Ураков еще был при должности. Но хватка у него мертвая, он быстрый, реактивный, все узнает, все сделает, что нужно.

Голова почему-то кружилась, даже когда он лежал. Наверное, давление упало. Валерий Олегович спустил ноги на пол, сел, осторожно встал, подошел к окну, из которого видны были Садовое кольцо и Калужская площадь. Голова закружилась еще сильнее, и ему показалось, что сейчас он упадет. Судорожным движением нащупал спинку кресла на колесиках, рывком придвинул к себе, сел. С каждой секундой становилось все хуже. «Кажется, я теряю сознание», — успел подумать генерал Шарков, нажимая кнопку связи с помощником.

— Валерий Олегович! Товарищ генерал!

Шарков открыл глаза и понял, что лежит лицом на столе. Обморок. Сколько он так пролежал?

Над ним кудахтал испуганный помощник.

— Я в санчасть позвонил, сейчас доктор прибежит. Водички? Давайте я галстук расстегну...

— Звони в госпиталь, — Шарков с трудом выговаривал слова. — И вызови машину, я сам доеду.

— Лучше «Скорую» все-таки.

— Дольше получится. Пока они сюда доедут, пока до госпиталя...

— Но доктор...

— Доктор со мной поедет, — отрезал Шарков.

Впрочем, ему только казалось, что он «отрезал». На самом деле он говорил еле слышно и с видимым трудом. Боль в животе нарастала, и была она совсем не похожа на ту боль, к которой он давно привык и которую глушил обезболивающими таблетками.

Значит, вот как оно... Рвануло все-таки... И не мгновенно, как почему-то ожидал Шарков, а постепенно, в течение нескольких часов нарастало. Генерал был уверен, что должно быть похоже на внезапный выстрел: один миг — и все закончится. А оно вон как, оказывается...Что там врач говорил ему про «золотой час», когда требовал, чтобы генерал лег на операцию? Что если оказать медицинскую помощь в течение первого часа, то есть хорошие шансы на благоприятный исход. Прошел уже этот час или еще нет?

Примчавшийся из санчасти врач измерял давление, щупал пульс, делал укол, а Валерий Олегович с каким-то отстраненным любопытством думал: «Интересно, будет у меня завтра или нет?»

Ему вдруг стало весело, несмотря на сильную боль. «Эйфория, — вспомнил он где-то прочитанное, — признак внутреннего кровотечения. Значит, вот как это выглядит...» И еще он испытал невероятное и, казалось бы, неуместное облегчение: больше не нужно ждать и бояться. Все уже случилось.

Люша

Обход квартир занял не два-три часа, а все четыре, но Люша была довольна результатом: обозначился еще один подозреваемый, да какой! У умершего в феврале 2015 года старого филателиста была очень неплохая коллекция, которую он собирал всю жизнь. Сын покойного с женой проживает во Владивостоке, а вот внучка с мужем — здесь, в Сереброве, ютились в общаге, потому что с дедом жить категорически не хотели, да и негде — квартира однокомнатная, маленькая. Зато после смерти деда моментально переехали в его квартиру и начали распродавать коллекцию по частям. Хотели, конечно, толкнуть все разом, но выходило очень дорого, покупателей не нашлось. Внучку филателиста соседи охарактеризовали как зубастую щуку, которая своего не упустит, а ее мужа назвали крокодилом, дорвавшимся до чужого добра.

— Он давно на коллекцию зарился, — уверенно сказала одна из соседок. — Как внучка замуж вышла, так и начала наезжать чуть не каждую неделю вместе с муженьком, крокодилом этим, да все тортики тащат, пакеты с фруктами, колбаску разную. Раньше к деду и носа не казала, только по большим праздникам навещала, а тут вдруг любовь проснулась, понимаете ли. Это муженек ее подбивал подлизаться к старику, чтобы коллекцию продал и им на квартиру денег дал.

— Вы сами слышали такие разговоры? — поинтересовалась Люша, понимавшая, что половина сказанного наверняка просто домыслы словоохотливой дамочки.

— Разговоров не слышала, а Михаил Николаевич мне сам говорил, мол, внучка очень просит марки продать и с квартирой ей помочь, в общежитии живет, трудно, ребеночка заводить пора, а негде. А как, говорит, я могу продать то, чему всю свою жизнь посвятил, душу вложил? Рука не поднимается. Пусть уж подождут моей смерти, а потом делают что хотят.

Марки, значит. Это хорошо. Это очень хорошо! Тем более марки такие маленькие, что можно при известной ловкости и везении одним разом украсть очень много, на большую сумму. Правда, квартира однокомнатная, все на виду... Но это ничего, можно же завлечь старика на кухню, один добрый молодец изображает чаепитие с вопросами и анкетированием, а второй в это время в комнате шурует.

Люша как на крыльях вылетела из подъезда на улицу. Сейчас она позвонит Андрею и поделится сведениями о внучке филателиста и ее муже-крокодиле! Конечно, шумновато, особенно мотоциклисты нервируют своими звуками, но зато солнышко же! Можно постоять, погреться.

Она ткнула пальцем в номер Пустовита, телефон зазвенел у нее за спиной. Андрей стоял буквально в двух метрах от Люши, прислонившись к стене дома. Глядел хмуро, неприветливо.

— Угадал, значит, — проговорил он. — Как почуял, что ты еще здесь. Садись, поедем на вчерашний участок, надо по тому чуваку, который долги выбивал, кое-что подработать.

Люше ужасно хотелось узнать, что такого интересного выяснил Пустовит о «мерзком типе», а также о правнуке ветерана, но задавать вопросы человеку, у которого такое выражение лица, она не рискнула. И про филателиста решила тоже пока помолчать. Не настроен человек разговаривать — ну и не надо. Ее девиз: бесконфликтность. Не надо раздражать людей.

Жизнь у капитана Пустовита была активной, била ключом, как и у всякого опера. Ему без конца кто-то звонил, Андрей отвечал коротко и сердито. После очередного звонка он вдруг расслабился и улыбнулся, в конце сказал:

— И я тебя.

«Целует, наверное, — подумала Люша. — Или любит. Слава богу, кажется, помирились. Теперь можно и поговорить».

Она рассказала о внучке старого филателиста и ее муже, Андрей кивал и одобрительно похмыкивал, потом сказал, что правнука ветерана можно пока отодвинуть на задний план, а вот сынком, доставшим весь дом требованиями вернуть долги, следует заняться плотно. Почему он пришел к таким выводам — Пустовит объяснить не успел: подъехали к дому.

— Надо в одну квартиру наведаться, там вчера про этого мужичка-сынка кое-что интересное сказали, а я внимание не заострил, не думал, что понадобится.

Он полистал блокнот, поводил пальцем по строчкам.

— Вот, семьдесят вторая квартира.

— Это где был мужик со сломанной рукой? — вспомнила Люша.

— Точно!

Андрей резко остановился перед самой дверью подъезда.

— Точно, — задумчиво повторил он, — мужик на больничном, сидит дома, рука в лангете... Не, тебя с собой не возьму. Он на тебя вчера так смотрел, что я думал — прямо тут и набросится. Ты его отвлекать будешь. Он начнет всякую хрень гнать, лишь бы ты подольше в квартире оставалась, да еще вздумает Шерлока Холмса из себя изображать, тогда вообще наврет с три короба. Я один пойду.

— А я?

— А ты подождешь на лестнице. Может быть, еще в пару квартир зайти придется. Здесь закончим — потом я скажу, что дальше делаем.

— Ладно, — покорно отозвалась Люша. — Как скажешь, командир.

Стоять на лестнице было скучно. Может, подняться на пятый этаж и сделать еще одну попытку поговорить с людьми, живущими в квартире нелюдимой бабули? А вдруг они сейчас дома и откроют ей? Хотя бессмысленно, конечно, она ведь уже думала об этом... Жильцы, как утверждали соседи, уже третьи или четвертые после смерти хозяйки, то есть саму бабулю они наверняка не знали. Да ладно, ну чего просто так стоять, ботинки проминать?

Она написала Андрею сообщение: «Я на пятом этаже». Поднялась, позвонила в дверь. Как и вчера, никакого результата. Надежда скоротать время, пока Пустовит разговаривает со сломавшим руку мужчиной, не оправдалась. Что же делать? Ну не умела Валя Горлик проводить время наедине с мыслями, ей нужно было движение, деятельность, активность.

Ну что ж, не открывают здесь — попытаем счастья рядом. На пятом этаже они вчера ни в одну из квартир не заходили: этих номеров не было в списке наиболее «информационно перспективных», составленном участковым инспектором. Все равно ж надо чем-то себя занять...

Люша для порядка еще раз звякнула в дверь, за которой раньше жила необщительная пенсионерка, результата не дождалась и позвонила в дверь напротив. Открыла женщина лет сорока, с тонким интеллигентным лицом и короткой мальчишеской стрижкой. Заспанная, позевывает. Время обеденное, а она только-только встать изволила... Живут же люди! Длинный халат, прихваченный на талии пояском, распахнулся до самого низа, и Люша увидела ноги, обвитые веревками набухших вен. Кольнуло чувство неловкости: вон какие ноги у женщины, наверняка работа тяжелая, а Люша так нехорошо о ней подумала.

— Вы кто? — удивилась женщина, ни капли, по-видимому, не встревожившись. — Вы в домофон не звонили. Я думала, это кто-то из соседей опять за помощью прибежал, даже в глазок не посмотрела.

— За помощью?

— Я врач, хирург. Вот все и приходят по-соседски, кто с давлением, кто с порезом. А вы-то что хотели?

— Мне бы про соседку вашу покойную поговорить, из восемьдесят первой квартиры. Вы здесь уже жили, когда она умерла?

— Да... А что случилось? — вдруг заволновалась женщина. — Вы из полиции? Проходите. Извините, что в халате, я после суток, в восемь утра сменилась и спала.

— Это вы меня извините, что я вот так ворвалась, когда вы отдыхали, — смутилась Люша.

— Ничего страшного, — улыбнулась женщина и представилась: — Меня зовут Альмира. А вас?

— Люша. То есть Валентина.

— Так что насчет соседки? Я ведь, представьте, даже имени ее не знала, какая-то она была... Не хочется о покойной так говорить, но неприятная особа. Она давно умерла, лет пять назад или чуть больше.

— В десятом году, — кивнула Люша. — Вы помните, как это было? Ну, как она умерла, как хоронили, кто хоронил, кто на поминках был.

— На поминки меня не приглашали, — усмехнулась Альмира. — Кофе хотите?

— Нет, спасибо.

— А я выпью, а то не проснусь никак, голова тяжелая, соображаю плохо. Пойдемте на кухню.

На кухне, очень маленькой, с минимальным набором необходимой мебели и оборудования, царил тот очаровательный беспорядок, который придает жилищу уют и теплоту: раскрытая книга на подоконнике, брошенное вязание с воткнутыми в клубок спицами, на белом рабочем столе ярким пятном выделяется стакан с недопитым соком, судя по цвету — из красного винограда.

Альмира сделала кофе, уселась напротив Люши, посмотрела вопросительно. Потом словно бы спохватилась:

— Вы спрашивали, кто хоронил? Кто-то приезжал, это точно, но с соседями они не знакомились. Мы, конечно, заходили, предлагали помощь, но помощь была не нужна. Люди очень вежливые, держались хорошо, спокойно, речь грамотная, но нам они даже не представились. Так что не могу с уверенностью сказать, дети ли это были или еще какие-то родственники, а может, просто знакомые. Помнится, я спросила, не собираются ли они продавать квартиру, я как раз маму хотела перевезти к себе поближе. Они ответили, что квартиру будут сдавать и всеми бумагами и оформлением будет заниматься их юрист, которому они выпишут доверенность. А сами они живут в другом городе и вообще по полгода проводят где-то за границей, не то в Чехии, не то в Словении, не помню точно. Я в то время с мужем разводилась, мне не до соседей было, если честно.

Все впустую. Ни имен, ни адресов. Кто же вы такие, наследники нелюдимой бабушки?

— Вы не знаете имени этого юриста? Или, может быть, через какое агентство сдается квартира?

— Понятия не имею, не интересовалась. Но жилец наверняка знает, он же договор заключал. Вы у него спросите.

— Никак застать не могу, — развела руками Люша. — Вчера приходила — не открыл. Сегодня тоже не открывает. Может быть, уехал?

— Я вчера утром его видела, рано совсем, у меня смена с восьми, в семь двадцать выхожу из дома. В подъезде как раз с ним столкнулась.

— В подъезде? То есть он откуда-то возвращался? — уточнила Люша.

— Он любит гулять ранним утром. Наверное, жаворонок, просыпается часов в пять. Я часто с ним встречаюсь, как раз когда на смену ухожу. Я из дома — он домой. Знаете, Валечка... Ничего, что я вас Валечкой называю?

— Ради бога.

— Так вот, среди врачей бытует такое наблюдение, что есть счастливые и несчастливые операционные, палаты и даже отдельные койки в палатах.

Попадет больной на такую несчастливую койку — и обязательно что-нибудь пойдет не так, обязательно осложнение, хотя ничего, казалось бы, не предвещало.

Люша не очень понимала, какое отношение счастливые и несчастливые койки и палаты имеют к вопросу о том, как «подсветить» личность наследников умершей старушки. Наверное, недоумение так ярко проступило на ее лице, что Альмира усмехнулась.

— Это я к тому, что квартиры, наверное, тоже бывают разными. Нынешний жилец, например, — точная копия старой хозяйки. Предыдущие семьи, которые здесь снимали, почему-то съезжали через несколько месяцев. Ну вот не жилось им здесь! А этот живет уже долго, и все его устраивает. Наверное, для людей определенного склада эта квартира очень хорошо подходит, а для других людей совсем не годится.

— Точная копия? То есть у него плохой характер? Про вашу соседку мне говорили, что у нее характер был отвратительный.

— Да нет, характер у него нормальный. Хороший мальчик, тихий, вежливый, дверь всегда придержит, если с кем-то столкнется в подъезде, детскую коляску поможет поднять или спустить, улыбается так приятно. Но нелюдимый. Ни с кем не общается, никто к нему не приходит. Мне кажется, он даже дверь не открывает, если к нему звонят. И кстати, его имени я тоже не знаю. Удивительно, правда?

— Удивительно, — рассеянно согласилась Люша. — А как же мне с ним поговорить, если он дверь не открывает?

Альмира пожала плечами, поставила в раковину пустую чашку, немного подумала, глядя на недопитый сок, потом решительно взяла стакан и допила двумя большими глотками.

— Вы — полиция, вы лучше знаете, как заставить человека открыть дверь, если он этого не хочет.

— Это да. И где он работает, тоже не знаете?

— Не знаю. Я даже не знаю, работает ли он вообще. Вы же понимаете, при моем графике трудно наблюдать за жизнью соседей. Сутки на смене, потом хорошо, если удается уйти, а частенько бывает, что после смены еще рабочий день отпахать приходится, домой возвращаюсь мертвая, валюсь спать. Кто когда ушел или пришел, кто к кому — все мимо меня. Я знаю только, у кого когда был гипертонический криз или у кого ребенок коленку разбил. Вам, наверное, имеет смысл поговорить еще с кем-нибудь с нашего этажа. Может быть, они вам помогут.

— Кого посоветуете?

Альмира задумалась, потом удрученно ответила:

— А вот никого, Валечка, и не посоветую. Сначала сказала, а потом поняла, что сглупила. Все работающие, никто дома не сидит. Более того, я осталась единственной на всем этаже, кто жил здесь до десятого года. Все остальные живут недавно, кто два года, кто три, а кто и меньше года. Так что про старую хозяйку и ее похороны на нашем этаже вам никто не расскажет.

— А про жильца, который не открывает дверь?

— Тоже вряд ли. Но попробуйте.

Люша поблагодарила Альмиру и распрощалась. Да, дельный мужик тот участковый, который обозначил квартиры на пятом этаже как «информационно неперспективные», не зря эти номера в список не попали.

«Все-таки ты действительно дура, Валентина Горлик, — горестно констатировала Люша. — Ведь давно уже поняла: знающие люди, опытные, просто так трындеть не будут, они дело говорят, и надо их слушать, надо у них учиться, а не переть буром. Сказал участковый, что нет на этом этаже знающих людей, значит, их нет. Сказал Пустовит, что нефиг время тратить на бабкиного жильца, значит, так и надо делать. Слушаться надо командиров, а не самодеятельностью развлекаться».

Она задумчиво стояла на площадке, размышляя, последовать ли только что сделанному умозаключению и спокойно ждать Пустовита возле квартиры, где он разговаривает с мужиком со сломанной рукой, или сделать вид, что никакие правильные, разумные мысли ее не посещали, и настырно пытаться поговорить еще с кем-нибудь.

«Надо брать себя в руки и учиться быть умной», — решила Люша, делая шаг вниз по ступенькам лестницы.

И в этот момент разъехались двери лифта, на площадку вышел молодой мужчина и направился к квартире 81, доставая ключи. Люшу он не видел, шел спиной к ней.

— Извините, пожалуйста, вы из восемьдесят первой? — окликнула его девушка.

Слова вылетели сами собой, даже раньше, чем она успела подумать, нужно ли это делать.

Молодой человек обернулся, лицо недовольное, взгляд напряженный, колючий. «Словно обороняться собрался», — подумала Люша. Ну, ничего, с этим она справится, против ее улыбки никто устоять не может.

— Я разыскиваю владельцев этой квартиры, — она улыбнулась как можно лучезарнее. — Никто их не знает, и я подумала, что, может быть, вы мне сможете помочь. Вы же снимаете? Или квартира у вас в собственности?

— Снимаю, — сухо ответил жилец и спрятал ключи обратно в карман.

— Значит, у вас есть договор, — обрадованно заговорила Люша, подходя к нему поближе. — А в договоре есть паспортные данные собственника. Пожалуйста, посмотрите. Я буду вам очень признательна. Это не займет много времени.

И снова улыбнулась, на этот раз просительно и виновато.

Жилец с видимой неохотой опять достал ключи, начал открывать дверь. Парень как парень, лет двадцать пять — двадцать семь на вид, ничего особенного. Странно, что Альмира назвала его приятным и вежливым, на Люшин взгляд — ничего приятного и вежливого в нем нет. Не сказать, чтоб высокий, но и не маленький, средненький такой. Не плотный, скорее худощавый, но не тощий.

Войти в квартиру он Люше не предложил. Но и дверь не захлопнул, оставил полуоткрытой.

— Можно мне войти? — громко спросила Люша. — Вы поищете договор? Я подожду.

— Да, входите, — послышался не очень-то любезный голос из глубины квартиры. — Я сейчас.

Она шагнула в прихожую, оставив дверь открытой. Вот сейчас все и выяснится! Она узнает имя наследника бабули-буки, и можно будет считать, что время не потрачено впустую. Может быть, командир Пустовит даже похвалит ее.

ВОСЬМОЙ МОНОЛОГ

Договор... Договор... Куда же я его засунул? Зачем ей договор? Она сказала, что разыскивает владельцев... Зачем ей владельцы? С квартирой что-то не так? С правом собственности проблемы? Может оказаться, что они никакие не владельцы, а мошенники, сдают квартиру незаконно, а настоящие хозяева — совсем другие люди, и эти настоящие хозяева не собираются квартиру сдавать, а будут сами здесь жить. Или продадут. И меня выгонят. Меня выгонят... Но мне нельзя отсюда уезжать, здесь со мной Прекрасное Око, здесь живет моя музыка, мое вдохновение, и здесь, только здесь и больше нигде, должно быть совершено мое великое открытие... Что же делать? Сказать ей, что потерял договор? Не могу найти? Тогда она спросит, через какое агентство я искал квартиру. Пойдет туда, там второй экземпляр договора... Все равно собственников найдут и меня выгонят... Что же делать? Сказать, что не помню название агентства? Тогда она попросит показать платежки. Я же плачу за эту квартиру, значит, кто-то получает эти деньги... Нет, нет, не то...

Что же делать? Прекрасное Око, мое Прекрасное Око, подскажи, как мне поступить! Дай мне мудрости, хитрости, изворотливости!

Все стены в квартире завешаны рисунками: я много раз рисовал Прекрасное Око, и карандашом, и тушью, и красками. Это придавало мне сил. Но самое удачное, самое замечательное изображение висит именно в прихожей, потому что мне нужно видеть его каждый раз, когда я покидаю мое убежище и выхожу в страшный мир, наполненный злобой, ненавистью и насилием. Прекрасное Око в этот момент придает мне сил, дает защиту. И каждый раз, когда я возвращаюсь из страшного агрессивного мира, я снова смотрю на него, и оно словно очищает меня, снимает весь тот ужас, всю ту грязь, которая налипла на меня вне стен убежища.

Нужно посмотреть на него немедленно. Это изображение самое сильное, и оно поможет принять правильное решение.

Я выхожу в прихожую и вижу, что она стоит, уставившись на мое Прекрасное Око. Смотрит, не отрываясь. В прихожей висят еще несколько рисунков, но она смотрит именно на тот, самый лучший. Да как она смеет! Кто ей позволил осквернять своими грязными глазами мое сокровище, моего идола?! Мое Прекрасное Око...

Нет, оно не подвело меня, не покинуло, даже в такой момент, как этот, когда чужие бессмысленные глаза посмели прикоснуться к моему божеству. Прекрасное Око любит меня! Оно подсказало решение. Как просто, оказывается!

Я ошибался, когда думал, что два и два в сумме дают четыре. Одна из единиц была непригодной. Она была не моей. Чужой. Чьей-то. Все единицы должны быть моими, тогда волшебная двойка станет истинно удвоенной, удвоенной моими собственными руками. Вот в чем причина того, что Око не приняло мои приношения! И сейчас оно само послало мне эту девушку, чтобы я мог закончить узор.

Я его закончу.

Она что-то говорит... Но я все прослушал...

— Что? — спрашиваю я.

— Вы нашли договор? — нетерпеливо повторяет девушка.

Я мучительно пытаюсь сосредоточиться. Перед глазами все плывет... Но Прекрасное Око меня поддерживает, и внезапно я начинаю видеть необыкновенно ясно и четко. И мысли приобретают такую же ясность, четкость и последовательность.

Я рассматриваю девушку и прикидываю, куда лучше ударить. Когда я вернусь в прихожую с ножом, решение должно быть готово, а план намечен. Куртка-пуховик. Это плохо. Тогда было лето, совсем тепло, одежда никого не защищала, и самые уязвимые места оказывались легкодоступными. Куртка толстая, кажется, их называют «дутиками». Длинная. Непонятно, где у этой девицы талия, где печень, где легкие...

— Вы нашли договор? — снова повторяет она, и голос у нее звучит немного сердито.

— Я пытаюсь вспомнить, куда мог его положить, — отвечаю я, радуясь, что нашел такой удачный ответ, объясняющий, почему я молча стою в прихожей и ничего не делаю.

Спасибо тебе, Прекрасное Око, ты подсказываешь мне все решения, и это означает, что я на правильном пути. Ведь ты не стало бы помогать тому, кто идет ошибочной дорогой, правда?

Ее лицо... Красивое. Необыкновенно красивое. Нежная длинная шея. Ворот куртки расстегнут, шарфа нет. Вот и ответ на вопрос.

— Кажется, вспомнил! — Я пытаюсь изобразить радостное озарение. — Сейчас, минутку.

Скрываюсь в комнате, подхожу к книжному шкафу. Нож лежит в глубине одной из полок, за многотомным собранием сочинений какого-то классика советской литературы, которого я никогда не читал. Тот самый нож, при помощи которого я принес вторую и третью жертвы моему Прекрасному Оку.

С другой полки достаю папку, набитую какими-то бумагами. Кажется, именно в ней и договор лежит, но это уже не имеет значения. Кладу нож в папку и выхожу в прихожую.

— Нашел! — торжественно произношу я, делая вид, что собираюсь открыть папку и дать девушке прочитать документ.

Она, глупышка, делает движение навстречу, слегка наклоняет голову, и в этот момент я выхватываю нож и пытаюсь ударить ее в шею. Уже понимаю, что сделал все неправильно, нужно было вынуть договор и протянуть ей, а папку с ножом оставить в руке. Пока она читает — зайти ей за спину, обхватить за шею и перерезать горло. Прекрасное Око, почему, ну почему ты так поздно дало мне подсказку?!

Она уклоняется, глаза расширены от ужаса, бьет меня кулаком в живот, мне больно, очень больно, но я все равно не бросаю нож. Мы с ней одного роста, и руки у нас примерно одинаковой длины, но я, да еще с ножом, могу ее достать, даже если она соберется еще раз ударить. Лезвие ножа утыкается во что-то тугое, потом в мягкое, девушка кричит, я внезапно почти теряю зрение — все снова делается расплывчатым, нечетким. Зрение покидает меня, но зато обостряется слух, и я слышу, как за истошным криком девушки пробивается другой звук. Звук тяжелых торопливых шагов. Кто-то бежит. Ближе... Звук шагов громче... Надо успеть нанести еще удары, пока меня не остановили. Иначе Прекрасное Око не засчитает мне эту жертву. И я не смогу написать свою великую музыку, которая спасет весь мир он насилия, зла и агрессии.

Дверь не заперта... Это последнее, о чем я успел подумать.

Дзюба

Анна ужасно расстроилась, когда Дзюба сказал ей, что вечером улетит домой. Отворачивала лицо, чтобы он не видел ее налитых слезами глаз.

Но он все равно увидел.

— Ты чего, Мышонок? Я тебя чем-то обидел?

Она не выдержала и расплакалась, не закрывая лица руками. Просто стояла перед ним, тряслась от рыданий, и слезы обильным дождем стекали по щекам и падали на голубой джемпер.

— Все, — проговорила она, — рай закончился.

— Ну какой рай, Мышонок? Со мной у тебя была одна головная боль. Задания срочные, ночи бессонные, поездка в Шолохов, да еще кормить меня... Наоборот, отдохнешь.

— Я была нужна, — рыдала Анна. — Я делала полезное дело, я помогала. И чувствовала себя человеком, личностью! Чувствовала, что что-то умею, что-то могу... У меня было несколько дней райского праздника, как ты не понимаешь! Ты уедешь — и опять рутина, трясина, обыденность...

Роман обнял ее, погладил по голове, подождал, пока девушка успокоится, чувствуя, как на плече намокает ткань футболки.

Наконец Анна перестала плакать, отерла лицо рукавом, шмыгнула носом.

— Давай я что-нибудь вкусное приготовлю. Типа прощального ужина, — предложила она.

— Давай, — охотно согласился он. — А я помогу, чем смогу.

И снова в памяти всплыли слова из песни, которую пел Вертинский: «Мы пригласили тишину на наш прощальный ужин...» Сжалось сердце, и невыносимо, еще сильнее, чем накануне вечером, захотелось позвонить Дуняше.

Он резал маленькими кусочками мясо и овощи, пока Анна колдовала над маринадами и соусами.

Оказывается, для мяса, репчатого лука и баклажанов нужны разные маринады, а он и не знал! Анна хотела еще испечь пирог, но они прикинули по времени и отказались от этой затеи: тесто не успеет подняться, а самолет ждать не будет. Попутно готовились обед и ужин для Никиты, которого правильнее было бы называть Алексеем.

К теме окончания райского праздника больше не возвращались, Анна изо всех сил крепилась и старалась быть веселой, Дзюба пытался, как мог, поддерживать позитивный настрой, рассказывал анекдоты и разные милицейско-полицейские байки, порой смешные до колик, порой жуткие до судорог.

Вместе отнесли еду на третий этаж, Роман попрощался с Никитой и едва сдержал смех, увидев, как обрадовало парня известие о том, что «счастливый соперник» освобождает пространство для маневра.

— Все-таки он в тебя влюблен, — констатировал Роман, когда вернулись в квартиру Анны. — Вот гадом буду! Он весь трясется, когда тебя видит.

— Да ну, — она расстроенно махнула рукой. — Вот только таким козлам я и нужна.

— Не выдумывай, — сердито прикрикнул на нее Дзюба. — Не наговаривай на себя.

— Я не наговариваю, я правду говорю. Нормальные люди не могут со мной общаться, просто не выдерживают. А что я могу сделать, ну что?! — В ее глазах снова заблестели слезы. — Мне один тип сказал, что таким, как я, нужно лечиться, потому что у меня ярко выраженный невроз. И что мне теперь, идти к психиатру, который меня на тяжелые таблетки подсадит?

— Мышонок... — Он откашлялся и начал снова: — Анечка, не трогай себя, ради бога, хорошо? Ты чудесная. Ты умная и красивая. Да, у тебя есть свои причуды, свои особенности, но у кого их нет? У всех есть. И ты чудесная вместе со всеми своими заморочками. Ты обязательно встретишь человека, которому будет в радость находиться рядом с тобой. Ему не будет трудно, ему будет отлично, и тебе будет с ним хорошо. Просто нужно набраться терпения.

— Да уж, терпение — не самая сильная моя сторона, — слабо улыбнулась Анна.

— И еще одну вещь хочу тебе сказать, — продолжал Роман. — Твой невроз, если он у тебя есть, конечно, — твое достояние, твое сокровище. Если бы ты не была такой, какая есть, ты бы ни за что на свете не догадалась о том, что Песков мог искать информацию о своей матери и ее любовнике. И мы никогда не узнали бы, что произошло на самом деле. Если в деле случился прорыв, то только благодаря тебе и твоему неврозу. Люби его, уважай его, доверяй ему. И все будет хорошо.

— Обещаешь? — тихо спросила она.

Он собрался было скопировать жест Оксаны и повторить ее слова «Чем хотите поклянусь!», чтобы снизить пафос и заставить Анну рассмеяться, но зазвонил его мобильник.

Голос Аркадия Михайловича звучал строго и деловито.

— Она его нашла.

— Кто кого? — не понял в первый момент Роман.

— Девочка ваша из Шолохова, за которую ты просил. Она нашла убийцу. Только он ее сильно порезал.

Роман похолодел. Бросил взгляд на Анну. Та, кажется, ни о чем не подозревала, спокойно листала томик Пушкина.

— Жива? — как можно тише спросил он.

— Слава богу. Там Пустовит был рядом, этажом ниже, услышал крик и сразу прибежал, скрутил нападавшего. Совершенно сумасшедший, без всякой экспертизы видно. И соседка в квартире напротив — хирург, это нам всем повезло несказанно. Быстро сориентировалась, первую помощь оказала, пока «Скорая» ехала.

Аркадий Михайлович сделал паузу.

— Ты говорил, она замуж собирается. Свадьба скоро?

— Через три недели.

— Лицо изуродовано. Сильно. Жалко девчонку. В Шолохов уже сообщили, жених едет сюда, в больницу. Вроде бы он эксперт?

— Да.

— На холодное оружие допуск есть, не знаешь?

— Да у него на все есть допуск, Аркадий Михайлович. И на холодное, и на огнестрельное, на что хотите. Люша говорила, что он постоянно учится и имеет право подписи на все доступные виды экспертиз.

— Люша?

— Старший лейтенант Валентина Горлик, — поправился Роман.

Услышав имя Люши, Анна подняла голову и начала, не скрываясь, прислушиваться к разговору.

— Отлично. Тогда его здесь попросят быстро провести предварительное исследование ножа, пусть посмотрит, похож ли он на то оружие, которым были убиты Анисимов и Юрьев. А потом уж следователь постановление вынесет, все будет честь по чести, материалы передадим в Шолохов, все-таки на их территории два эпизода оконченных, а в Сереброве только один, и тот — покушение.

— А Борискин?

— Борискина нужно еще отрабатывать, там же не ножевые, а черепно-мозговая. Если Борискина докажут, тогда будут решать, забирать дело в Серебров или оставлять в Шолохове.

— Понял.

— Ты... Это... Билет взял?

— Да, на двадцать один пятнадцать.

— Может, в больницу успеешь? А то жених когда еще доедет, а девчонка там одна...

— Говорите адрес.

— Первая градская больница, Анютка знает, это недалеко.

* * *

Люша лежала в палате с полностью забинтованной головой, только глаза виднелись, ноздри и губы. Анна села на край койки, взяла ее за руку.

— Люша, ты как? Очень больно?

— Очень, — прошелестел из-под бинтов ее голос. — Но больше обидно. Свадьба же, платье... Ресторан... Теперь Димка меня бросит. Я стала уродиной.

— А говорить тебе не больно? — спросил Роман.

— Пока еще ничего. Меня накололи, обезболили. Но когда действие обезболивающих закончится, вот тогда будет действительно фигово.

Было видно, что ей на самом деле очень больно и каждое движение губ причиняет страдание.

— Бедная моя Люшенька, — Анна ласково гладила ее по руке, — ты не думай ни о чем плохом, мы с тобой, и Дима скоро приедет, ему уже сообщили. Мы все с тобой. Роман, правда, сегодня домой возвращается, ему на службу нужно, но мы-то останемся с тобой. Я буду целыми днями здесь сидеть, чтобы ты не скучала, буду ухаживать за тобой, книги вслух читать. У меня знаешь какой навык чтения? О-го-го! Я бабуле своей шесть лет вслух читала. Ты не переживай, через три недели наденешь свое свадебное платье и пойдешь с Димкой под венец, он же умный, ты сама говорила, что он — гений, а если гений, то не может не понимать, какая ты замечательная и лучше тебя никого нет на свете. Он же не за красивое лицо тебя любит...

Голос Анны журчал и успокаивал. Она не задавала вопросов, чтобы не заставлять Люшу отвечать, просто говорила, говорила, говорила и гладила ее по руке, словно заговаривала или гипнотизировала. Через какое-то время Люша задышала ровно, глаза закрылись. Она задремала под монотонное ласковое бормотанье.

Дзюба и Анна сидели, боясь пошевелиться и разбудить Люшу. Но когда в палату ворвался Дима, девушка моментально открыла глаза. Дзюбе даже показалось, что она проснулась ровно за секунду до того, как распахнулась дверь и появился эксперт с перекошенным от тревоги и страха лицом.

— Димка... — прошелестела Люша. — Свадьба отменяется?

— Да почему? Я с врачом говорил минуту назад,

он сказал, что только лицо повреждено. Тело-то в порядке, ходить сможешь через три недели?

— Но лицо же...

— Люшенька, платье надевают не на лицо, а на тело. И вообще, не волнуйся ни о чем, сейчас самое главное — покой и положительные эмоции. Смотри, я уже все придумал: покупаем тебе густую вуаль, и ты не переживаешь о том, что кто-то что-то там видит. Лично я, например, ничего такого не вижу.

— Не видишь, потому что бинты. Вот их снимут — и сразу все увидишь. И бросишь меня.

— Во-первых, я все равно ничего не увижу, потому что красота в глазах смотрящего, — уверенно и весело проговорил Дима, и этот его тон ну никак не вязался с бледным напряженным лицом. — Я тебя люблю, и ты всегда будешь для меня самой красивой. А во-вторых, неужели я похож на умственно неполноценного? Я же гений! И это значит, что я вижу не оболочку, а суть. Суть-то, я надеюсь, не изменилась?

— Вроде нет.

Дзюбе показалось, что Люша улыбнулась бы, если б смогла. Ах, какая у нее была улыбка... Неужели больше не будет?

— Знаешь, что самое обидное? — проговорила Люша. — Я все время думала неправильно. И на этого психа нарвалась совершенно случайно, по собственной глупости.

— Люшенька, милая, я тебе тысячу раз говорил и снова повторю: ничего случайного в этой жизни не бывает. Ты не нарвалась на психа, ты целенаправленно шла к нему, потому что тебя вела твоя потрясающая интуиция. Просто ты еще не умеешь ее хорошо слышать и понимать. Но когда мы поженимся, то под моим чутким руководством ты овладеешь этим искусством в совершенстве, я тебе обещаю. Я же гений.

Анна отступила к двери и сделала Дзюбе знак: пора уходить. Они вышли из палаты и направились к выходу.

— Ты заметил, как Димка заговорил? — спросила Анна уже на улице. — В Шолохове мы сквозь его обрубки фраз продирались, как сквозь джунгли. А сейчас прямо соловьем поет.

— Стресс. И потом, он же гений.

— А при чем тут?

— Он понимает, что одно дело — разговаривать со здоровыми и спокойными людьми по делу, и совсем другое — говорить с человеком, только что пережившим страшное потрясение, получившим тяжелые травмы и едва не погибшим. Гений может все. А влюбленный гений может даже невозможное.

Шарков

Из наркоза выходил долго, тяжело. Просыпался, приоткрывал глаза, видел чье-то лицо — то сына Олежки, то Костино, то врача, то кого-то незнакомого. И еще одно лицо виделось, с миндалевидными, чуть раскосыми глазами, сверкающими из-под темно-рыжей длинной челки, но чье это лицо — генерал вспомнить не мог, просто почему-то обрадовался, когда увидел его. Он просыпался и засыпал снова. Когда пришел в себя окончательно, рядом никого из персонала или близких не было, за ширмой слышались звуки, издаваемые больными на соседних койках. Приснились ему те лица или в самом деле были? Шарков не знал. Скосил глаза на окно: темень. На противоположной стене висят часы, но положения стрелок он разглядеть не мог.

Нащупал пульт, нажал кнопку, вызывая медсестру. Та появилась через секунду, словно из воздуха материализовалась. Симпатичная, средних лет, с крашенными хной волосами, выбивающимися из-под светло-зеленой форменной шапочки.

— Как вы себя чувствуете? Сейчас подойдет доктор.

— Погодите, — остановил ее Валерий Олегович. — Сколько времени прошло после операции?

— Семь часов.

— А который час?

— Начало первого.

— Ко мне кто-нибудь приходил?

— Хирург, который вас оперировал, заходил, потом дежурный по хирургии несколько раз заглядывал. Ну и наш доктор, Николай Викторович, из реанимации, все время вас наблюдает. Ваш сын приходил и еще ваш коллега полковник, фамилию не знаю, доктор им все подробно объяснил. Но с ними все разговоры были в коридоре, сюда никого не пускают.

— И все? Больше никто?

— А кто еще мог к вам приходить? Только доктора, здесь реанимация, никаких посетителей. Вот завтра переведем вас в палату — тогда пожалуйста, принимайте гостей. А пока что родственники могут находиться только за дверью, в коридоре.

Она вынула из кармана телефон.

— Николай Викторович уже идет. Давайте пока давление измерим.

Шарков послушно выпростал из-под одеяла руку.

— А девушка не приходила ко мне?

— Девушка? Нет.

— Такая красивая, рыжая...

— Нет-нет, только ваш сын и полковник. Да вы у доктора спросите, он вам подтвердит.

Значит, все приснились: и Олежка, и Большаков. Никого из них здесь, в реанимации, быть не могло. И девушка приснилась... Жаль. Красивая. И связано с ней что-то очень хорошее, не зря же он обрадовался ее лицу. Кто она? Забытая знакомая, может быть, даже бывшая любовница? Или плод воспаленного воображения, подстегнутого наркозом?

Ему снова ужасно захотелось спать, и только теперь он почувствовал, как обжигающе болит операционный шов.

Прибежал Николай Викторович, задавал вопросы, на которые Шарков отвечал вяло и медленно. Врач велел медсестре сделать обезболивающий укол, минут через десять боль стала утихать, и он снова провалился в сон.

ИЗ БЛОГА
АННЫ ЗЕЛЕНЦОВОЙ

Ох, огорчило меня сегодняшнее обсуждение в нашем любимом ток-шоу проблем с ремонтом квартир! Нет, само по себе обсуждение было замечательным, живым и острым, но навеяло тяжкие воспоминания. Я сама недавно отремонтировала две квартиры, в одной, как известно, живу, вторую сдаю, так что проблема знакома мне не понаслышке. На собственном хребте прочувствовала. И вспомнила я одну замечательную историю, которой и хочу сегодня с вами поделиться.

Когда стало понятно, что либо ремонт нужно прекращать, либо убить мастеров и сесть в тюрьму, я выбрала первый вариант. Наверное, зря... Ну, уж как получилось, назад все равно не вернешь. Нагрели они меня очень прилично, но отыскать их мне не удалось. И я решила выяснить, это только я одна такая лохиня или же у меня есть товарищи по несчастью. Выяснила. Товарищей у меня оказалось немало. И один из новообретенных товарищей поделился со мной своим опытом, рассказал, как пытался действовать строго по закону и вернуть свои деньги, незаконно присвоенные этими мастерами. История оказалась весьма поучительной, посему я изложу ее здесь достаточно подробно.

Пошел этот товарищ в полицию посоветоваться. Но заявление на всякий случай заранее написал, поскольку текст длинный, документов к нему прилагалось много, так что он подготовился. Поговорил с полицейским. И тот ему сказал: «А что вы к нам-то пришли? Это вам в гражданский суд надо». Товарищ сам не юрист, в законах не разбирается, да и не обязан, у него другая профессия, но к совету прислушался и направился в гражданский суд подавать исковое заявление. Подал. Заявление приняли. Дело назначили к слушанию через

несколько месяцев. Но он терпеливый, он дождался. Само собой, ответчики на суд не явились. Заседание перенесли, назначили новый срок. Ответчики пришли, суд исковое заявление удовлетворил, то есть мой товарищ по несчастью выиграл. Суд присудил ответчикам выплатить всю сумму плюс немалые штрафные санкции. А теперь — внимание: заявитель подавал иск только о нарушении сроков проведения работ по договору подряда. О качестве сделанной работы не было сказано ни слова, об обмане тоже. Только сроки. Есть Закон о защите прав потребителей, и в нем все четко и хорошо прописано: нарушил сроки, не выполнил работу к оговоренной дате в оговоренном объеме — считается, что ты нарушил условия договора и обязан вернуть заказчику всю сумму, полученную за работу, плюс штраф. И не имеет никакого значения, на сколько процентов ты на самом деле выполнил работу, только на 5 или на все 98. На 100% не выполнил — всё. Таков закон. Отличный, надо сказать, закон. Жаль только, что не все о нем знают и умеют применять.
Думаете, пришло время радоваться? Ничего подобного! Мой товарищ получает на руки решение суда об удовлетворении иска, оформляет исполнительный лист и идет к судебным приставам, чтобы они начали исполнительное производство. Таков порядок. Ответчик же должен платить, а добровольно платить он не хочет, так что приходится прибегать к помощи приставов. Приставы принимают бумаги,

однако спустя пару месяцев выясняется, что исполнительное производство и не думали начинать. Почему? А в исполнительном листе неправильно указан год рождения ответчика. Как так? Документ же составлен в суде и судьей подписан... А вот ошибочка вышла. И вовремя ее не заметили. Так что нужно принести новый исполнительный лист, с правильно указанной датой рождения. Товарищ побежал в суд, а ему там объясняют, что никак не могут вот просто так взять и исправить ошибку, нужно проводить распорядительное заседание и писать новое решение, на основании которого выдавать новый исполнительный лист. У них там, в судах, тоже своя бюрократия, не хуже, чем в других местах. Короче, мучился он, мучился, ждал, терпел, но дождался-таки своего светлого часа: получил на руки правильный документ, без ошибок. Принес приставам. Те нехотя, но все-таки производство начали, бумагу даже выдали. Однако же никаких денег товарищ мой пострадавший все равно не получает. Приставы говорят одно и то же: «У ответчика на счетах ничего нет, как нам взыскивать?»

Хорошо, ладно, деньги за несделанную работу он не получил. Но кроме несделанной работы есть еще очень немаленькая сумма на приобретение мебели, стройматериалов и всякого прочего, включая шторы и карнизы, которую товарищ перевел безналом на счет мастеров, поскольку они обязались все закупить и полностью оборудовать дом для проживания. Деньги он им перевел, а никакой мебели, штор и всего остального не получил. Об этом в гражданском суде даже речи не было, повторяю: в гражданском суде обсуждались только нарушения сроков. Как эти деньги вернуть? Правильно, обратиться с заявлением в полицию, ведь деньги незаконно присвоены, а судя по тому, что на счетах пусто, еще и растрачены. Чистая уголовщина.

Пришел он в полицию, заявление принес, к нему все документы приложил, и из банка, и те, которые мастера ему выдавали. Сравнительную таблицу даже составил, дескать, вот столько переведено, вот столько потрачено и использовано на работы в моем доме, а вот столько неизвестно где, ни денег у меня, ни стульев. Заявление принимают, регистрируют, все чин-чинарем. Однако же проходит месяц, проходит второй, третий... Молчание. Товарищ звонит. Его футболят от исполнителя к начальнику, от начальника к исполнителю, при этом каждые три минуты звучит аргумент «есть же решение суда по вашему вопросу, зачем вам еще и уголовное дело, гражданский суд уже все решил, вот если бы вы сразу пришли к нам — другое дело, а вы же в суд пошли, а там все решили в вашу пользу, не понимаем, чего вы от нас хотите». О том, что обобранный товарищ мой по несчастью сразу именно в полицию и пришел, а ему там посоветовали обратиться в суд, разумеется, деликатно умалчивается. В итоге выясняется, что вынесено решение об отка-

зе в возбуждении уголовного дела. На каком
основании? А вот тут, дорогие мои читатели,
сидите на стульях крепче, ибо то, что написано в официальной бумаге, будет покруче
самой смешной комедии. Мастера-ремонтники с полицейским разговаривать вообще
не стали, отослали его к своему представителю, а представитель, когда оперативник ему
позвонил, сказал, что он занят и приехать в
полицию не может. Из этого простого факта исполнителем делается вывод о том, что
умысел ответчиков на хищение не доказан, и
выносится решение об отказе в возбуждении
уголовного дела.

Вы скажете, что этого не может быть? Что
это бред? Да, это бред по сути, но по факту — жестокая реальность. Я своими глазами
читала этот отказной материал, мой товарищ
по несчастью прислал мне скан. Если кто не
верит — дайте знать, выложу скан в блоге, чтобы все могли прочесть этот литературный шедевр.

Так что, дорогие подписчики, выносим из
данной истории урок: если вас в чем-то подозревают и вы не хотите, чтобы вас посадили,
просто не приходите в полицию, когда вас вызывают, и не открывайте дверь полицейскому,
когда он придет к вам домой. Он сильно настаивать не будет, ему проще написать отказной по выдуманному на ходу основанию, чем
работать, раскрывать преступление, искать
преступника и доказательства его вины. Это ж
вон сколько работы надо переделать! А так —

навалял какую-нибудь глупость в отказном, и сиди, кури бамбук, не парься. Главное — не поставить заявителя в известность о том, что в возбуждении дела отказано. Пусть человек думает, что полиция надрывается, старается, ищет... Никаких уведомлений не посылать (хотя это тоже нарушение закона, уведомить обязаны, и сроки для этого жестко прописаны в законе), а если позвонит — тянуть резину, отвечать уклончиво и размазанно, чтобы у потерпевшего сложилось ощущение, что «работа идет» и «как только будут результаты — с ним свяжутся».

Вы думаете, что на этом все и закончилось? Как бы не так! Товарищ мой по несчастью оказался малым упертым, отказ опротестовал, ходил к начальству полицейскому и прокурорскому. Добился, что решение об отказе отменили, попросили написать новое заявление (кстати, интересно: почему? Куда старое-то дели?) и пообещали отписать материал другому исполнителю. Снова проходит месяц, другой. Никаких уведомлений. Товарищ идет в полицию выяснять. И знаете, что ему сказали? Кто еще не упал со стула раньше, может упасть сейчас, поэтому держитесь крепче: материал направлен в службу судебных приставов. Зачем? Для чего? С какой стати? Опять пошел по начальству, стали искать материал у приставов и, само собой, не нашли. Потерялся. А в нем были оригиналы финансовых документов.

Красивая история?

Делайте выводы.

И выводы не только о том, каким образом полиция уклоняется от работы по защите граждан своей страны, но и о том, почему вкрадываются ошибки в судебные документы и почему теряются материалы. Может быть, по халатности, может быть... А может быть, и нет. Думайте сами.

Шарков

В общем, если не шевелиться, то можно было даже убедить себя в том, что он совершенно здоров и никакой операции не было. Однако при любом движении, даже при глубоком вдохе и при малейшем напряжении брюшных мышц шов давал о себе знать горячей режущей болью. Шарков злился, причем делал это вслух и не выбирая выражений, благо ему как генералу полагалась одноместная палата, и можно было не стесняться.

Сын Олежка примчался перед обедом, с работы вырвался, посидел минут десять, спросил, что нужно привезти и не позвонить ли маме. Валерий Олегович попросил доставить из дома кое-что необходимое.

— А маму не беспокой, — сказал он. — Пусть живет своей жизнью. Со мной ничего страшного, все уже позади, врач обещает, что через какое-то время я буду полностью трудоспособен и забуду про все это как про страшный сон. И ты тоже за меня не волнуйся, только привези все, что я попросил, и больше приезжать не нужно. Ничего со мной тут не случится.

На выразительном лице сына проступило плохо скрываемое облегчение. Он любил отца, конечно, любил, в этом Шарков не сомневался, но Олег, впрочем, как и большинство мужчин, не любил больниц и боялся их. Ему казалось, что больница — это непременно горе, страдание и ужас. Если человек в больнице, значит, все совсем плохо, потому что если еще не очень плохо и есть надежда, то люди болеют дома. Откуда в головах появляется такая логическая сцепка — сказать трудно, но она существует.

Сразу после обеда пришел Большаков, который больниц и врачей не боялся, навещал людей в стационарах часто и потому безошибочно определял, что именно нужно человеку, только что перенесшему экстренную полостную операцию, а что категорически нельзя. В первую очередь больному нужна вода, и лучше, если это будет любимая и привычная вода, а не абы какая. Полковник привез упаковку из десяти бутылок. Следом за водой на свет появились влажные очищающие салфетки. Новая зубная щетка и тюбик пасты. Бритвенный станок и пена для бритья. Мыло. Смена белья, носки и тапочки, новые, только что купленные, с этикетками. И никаких «колбасок», «сырков» и апельсинчиков.

— Вот зарядники, один к айпаду, второй к телефону, — Константин Георгиевич выложил на стол пакетик. — Я подумал, что у вас же наверняка их с собой нет.

— Правильно подумал, — с благодарностью улыбнулся Шарков. — Телефон и планшет мой помощник в сумку засунул, когда отправлял меня в госпиталь, а зарядники у меня дома, попросил Олежку привезти, но он, наверное, только завтра сможет ко мне выбраться, а батареи уже сели, я тут от всего мира отрезан. Ну, рассказывай, что там у нас. Повезло, что я успел все новости из Нанска передать тебе до того, как меня свалило.

Большаков уселся поудобнее и начал рассказывать. О том, какие молодцы ребята из Шолохова, благодаря которым удалось выловить сумасшедшего убийцу-композитора и раскрыть три убийства, по которым уже и работать-то давно перестали. О том, что пострадала молодая девушка, красавица, у которой назначена свадьба. О том, что Всеволод Альбертович Колчанников, он же Сева Колчан, имеет собственный кодекс чести, в соответствии с которым имена своих заказчиков он не сдает, но ровно до тех пор, пока те живы. Как только человек уходил из жизни, Севу уже ничто не удерживало от того, чтобы «слить» его фальшивые имена и фамилии. Едва он получил подтвержденные фотографиями сведения о смерти Игоря Пескова, сразу же перечислил все имена, на которые сделал поддельные паспорта, коих оказалось целых пять: один для племянника и четыре для самого Игоря. Полковник Большаков организовал передачу информации в нужные инстанции, и теперь в Тавридине, Сереброве, Ельцовске и Дворецке знают, чьи следы пребывания нужно искать, а это значит, что если сработать грамотно, то четыре убийства, совершенные с мая по ноябрь, имеют неплохие шансы оказаться раскрытыми. Вообще-то Сева Колчан — презанятнейший тип, столько лет вспахивает свое криминальное поле, а сидел только один раз, в девяностых. Это была его первая, и единственная «ходка», потому и оказался в той же зоне, что и Вадим Песков: на усиленном режиме в соответствии со старым законодательством отбывали наказание лица, впервые осужденные за тяжкое преступление. Больше Колчан не попадался ни разу, и совершенно непонятно, как ему это удается. Вернее, понятно, конечно: сотрудничает с тем, с кем надо, и сидит под своей «крышей» в тепле и уюте.

Шарков слушал с мрачным лицом. Вроде бы все хорошо на первый взгляд, а если вдуматься — ничего хорошего.

— В общем и целом, Костя, мы можем расценить ситуацию как полный провал, — констатировал генерал. — Игоря мы не успели перехватить, пока он был жив. Девочка из Шолохова ранена, да еще перед самой свадьбой. О нашей работе по программе известно тем, кто о ней знать не должен. Обос...лись мы по всем фронтам.

Константин Георгиевич ничего не ответил, смотрел на Шаркова спокойно, молча ждал продолжения. Он слишком давно знал генерала, чтобы не суметь отличить фразы, требующие ответной реакции, от чистой риторики. Произнесенные только что слова на ответ явно не рассчитаны.

— Но я думал над тем, о чем мы с тобой говорили в последний раз, — продолжал Валерий Олегович после небольшой паузы. — И пришел к выводу, что ты прав. Программа была придумана и создана очень давно, и мир тогда был другим, это ты точно подметил. А мы с тобой не смогли вовремя понять, что реформу надо вообще начинать не с полиции. Мы не с того конца взялись за дело. Какой у полиции лозунг?

Большаков продолжал молчать, только усмехнулся еле заметно. Все правильно, лозунг у них — «Служа закону — служим народу». А это в корне неверно.

Шарков заметил его усмешку и удовлетворенно кивнул.

— Вот именно. А у американских полицейских в участках что написано? «Служить и защищать». Защищать, понимаешь? Людей защищать, граждан своих. И служить им же, а не какому-то там закону, неизвестно кем и для кого писанному. Так вот я знаешь о чем подумал? Есть граждане, и полиция должна защищать их интересы, здоровье, жизнь, права. А есть закон, защищать который должна прокуратура, которую сейчас полностью развалили, лишили всяких полномочий и превратили неизвестно во что. И есть, наконец, суд, самая главная инстанция, которая должна сочетать интересы соблюдения закона с интересами граждан. Ни один закон не может быть справедливым сам по себе, потому что он не в состоянии учесть конкретные обстоятельства конкретных людей. Закон и не должен быть справедливым, но справедливым должно быть его применение. Для этого и существует суд, который должен взвесить на одной чаше весов требования закона, а на другой — реальную жизнь и применить закон так, чтобы получилось справедливо. Рассудить, а не осудить — вот в чем разница. Не доказательства вины и невиновности на этих весах, как было принято считать всегда, а именно закон и живые люди. Вот тогда все будет правильно.

— Согласен, — кивнул Большаков. — Тогда получается, что полиция должна принести в суд реальную жизнь, а прокуратура — свою оценку ситуации с точки зрения закона.

— Вот именно! — оживился генерал. — У каждого из них будет своя задача, и они друг от друга независимы. А то сейчас что выходит? Человек обращается в полицию с заявлением о преступлении, полиция проводит проверку и выносит решение «отказать в возбуждении уголовного дела», то есть свою работу выполнила и сама же ей правовую оценку дала. Дальше все еще интереснее: прокуратура проверяет материал и говорит «не годится, оснований для отказа нет, сделайте еще раз», после чего материал возвращают в тот же орган полиции, причем почти всегда тому же самому исполнителю. Ежу понятно, что этот исполнитель не дурак признавать, что в первый раз он схалтурил или вообще договорился с человеком, на действия которого подана жалоба, взял деньги и что-то сфальсифицировал, поэтому он и во второй раз, а если случится — то и в третий, и в четвертый, и в двадцатый будет писать всю ту же хрень, то есть не делает свою работу лучше, а тупо копирует и снова выступает с заявлением об отказе в возбуждении дела. Это же бред полный! Да что я тебе лекцию читаю, будто ты сам не знаешь... Именно с этим мы и боремся столько лет. Просто именно сейчас я вдруг понял, что в этой конструкции нужно переделывать. Начинать нужно с судов, а не с полиции. Сверху, а не снизу. Сначала суды должны понять, что от них требуется справедливое решение, то есть справедливое применение безликого и не всегда справедливого закона. Тогда они изменят требования к тому, что прокуратура и полиция кладут на чаши весов. Сначала отреагирует прокуратура, потому что они дают правовую оценку ситуации, опираясь на материал, собранный полицией, а потом дело и до полиции дойдет, когда прокуратура осознает, что материал ей дают не тот, не в том объеме и вообще не о том. И нужно перестать считать, что полиция служит закону. Не должна она ему служить! И не народу она служит, а гражданам. Народ — это безликая масса, а граждане — совокупность отдельных личностей со своими отдельными жизнями. И каждого из них полиция должна защищать. Костя, я понимаю, что идея еще очень сырая, она требует проработки, но я уверен, что она жизнеспособна. Как ты считаешь, мы можем переориентировать нашу программу в этом направлении?

— Безусловно, — твердо ответил полковник. — Но нам нужна сильная поддержка наверху.

Валерий Олегович задумчиво кивнул.

— Да... Есть человек, к которому можно обратиться. Когда-то Ионов очень хорошо о нем отзывался. Он из числа тех, кто курировал программу, когда она еще официально существовала. Прончев. Помнишь такого?

— Фамилию помню, но лично не знаком. Думаете, этот Прончев еще активен? Столько лет прошло...

— Все может быть. Надо пробовать. Найдешь его?

— Конечно.

— Не тяни, Костя. Не нравится мне, что на нашу программу положили глаз. Эти ведь тоже тянуть не будут, начнут шевелиться, и наверняка у них есть какая-то «крыша». Как бы нам не опоздать. Все, что можно, мы провалили, не хотелось бы еще и здесь лохануться.

— Да уж, спасибо хорошему человеку по фамилии Жвайло, — согласился Большаков. — Если бы он свою глупость с похищением дочки Фалалеева не придумал, мы бы так ничего и не узнали. И вот тогда уж точно опоздали бы. А так — еще есть надежда.

Они проговорили больше двух часов. Шарков заметно устал, и Константин Георгиевич начал прощаться.

— Костя, налей мне водички, пить хочется, — попросил генерал.

Взяв протянутый полковником стакан воды, именно той, которую предпочитал пить, Шарков вдруг спросил:

— Ты знаешь девушку или молодую женщину... такую... темно-рыжую, с длинной челкой? И глаза как у кошки.

— Похожа на Анну Зеленцову, которая нашему Дзюбе в Сереброве помогала. А в чем дело?

Точно! Девушка, которую Шарков видел только на экране компьютера во время совещания по скайпу. Соседка Аркадия Михайловича.

— А я все лицо ее вспоминаю и не могу понять, откуда знаю ее... Хорошая девочка, толковая. Молодец. Дзюба там не закрутил с ней, часом?

Большаков пожал плечами.

— Не интересовался. Это важно? Могу узнать. Да вы и сами можете, Аркадий Михайлович наверняка в курсе.

— Ну да, ну да... — рассеянно ответил генерал. — Налей-ка еще водички, будь добр.

Несколько дней спустя
Анна

Разговаривала старший лейтенант Горлик уже вполне бодро, но жевать все еще было больно, поэтому Анна кормила ее жидкой или протертой пищей, которую готовила сама и приносила из дому: больничная еда была на редкость невкусной и вид имела самый непрезентабельный. Анна приходила по утрам и сидела с Люшей до вечера, дожидаясь, когда девушка заснет, болтала с ней, читала вслух анекдоты, новости и разные занятные тексты из Интернета, помогала с туалетом и мытьем. Если появлялся Дима — деликатно уходила и проводила время в ближайшем кафе.

Люша грустила, и никакие уговоры не помогали ей поверить в то, что жених любит ее и бросать не собирается.

— Он женится на мне из жалости и из чувства долга, — упрямо твердила она.

— А ты посмотри на это с другой стороны, — возражала Анна, натренированная долгими внутренними монологами со своими Сущностями, приучившими ее смотреть на каждую проблему с разных точек зрения. — На тебя все мужики заглядывались, тебе даже приходилось себя специально уродовать, чтобы красота не так бросалась в глаза, а Димка из-за этого нервничал. Теперь он будет спокоен. Ты ведь хочешь, чтобы он был спокоен?

— Хочу, — соглашалась Люша. — Но все равно...

У нее всегда находилось какое-нибудь «все равно», в ответ на которое Анне приходилось выискивать очередное «зато». В целом разговоры девушек разнообразием не отличались, но им не было скучно, и на раненую такие беседы оказывали заметный психотерапевтический эффект.

Когда в палату зашел красивый, плотный и крепкий, налысо выбритый молодой мужчина, сердце Анны невольно екнуло: где ж такие принцы водятся?

— Это Андрей, он меня спас, — пояснила Люша.

Пустовит только хмыкнул:

— Да ладно, брось! Проехали. Как ты?

Анна выходить из палаты не стала, пересела на пустую койку, стараясь быть незаметной, но к разговору прислушивалась и исподтишка разглядывала красавца-капитана. Вот было бы здорово, если бы он заметил ее, обратил внимание... Он спас Люшу, значит, он — рыцарь. Красивый и отважный. Неужели ей, Анне, такой никогда не достанется?

Когда Андрей ушел, спросила:

— Не знаешь, он женат?

— Понятия не имею. А какая разница?

Анна не ответила.

— Ты на него запала, что ли?

— Ничего я не запала, — рассердилась Анна. — Просто всегда хотела посмотреть на тех девчонок, которым такие вот достаются... Ладно, давай дальше читать, там еще много.

Они читали забавные, часто очень остроумные четверостишия, которые назывались «пирожками».

Вечером Анна сбегала на сестринский пост, разогрела в микроволновке манную кашу с протертыми фруктами и уже собралась было приступить к кормлению, когда позвонил Аркадий Михайлович.

— У меня к тебе два дела, — сообщил он деловито. — Во-первых, как твой квартирант?

— Нормально. А что?

— На месте, никуда не уехал?

— Утром был, я ему еду приносила.

— Сама когда дома будешь?

— Часов в десять, а что? Я вам нужна?

— Не мне. Ты можешь прийти пораньше? Хотя
бы в девять.

— Ну...

Она нерешительно взглянула на Люшу.

— Наверное, смогу.

— Сегодня придут за твоим жильцом. Он ведь
может не открыть дверь, а сам из дому редко выходит. Нам лишний шум не нужен, поэтому хорошо бы, чтобы ты была на месте и открыла своими
ключами. Заодно и квартиру проверишь, все ли там
в порядке, а то ведь жилец-то больше не вернется,
спросить будет не с кого, если что не так.

— Ага, поняла. А второе дело какое?

— Минут через пять тебе позвонит по скайпу
один хороший человек из Москвы.

— Мне?!

— Ну, не совсем тебе. Он хочет поговорить с
Горлик, выразить ей благодарность, ну и поддер-
жать как-то, что ли...

— Так у Люши в телефоне есть скайп, чего он
ей напрямую не позвонит? Зачем через меня-то? —
удивилась Анна.

— Анюта, просьбы генералов не обсуждаются,
они считаются приказами и тихо исполняются, поняла? Валерий Олегович знает, что ты целыми днями сидишь в больнице, и просил, чтобы разговор со

старшим лейтенантом Горлик организовали через тебя.

— А-а, — растерянно протянула Анна. — Ну ладно... А кто такой Валерий Олегович?

— Увидишь, — загадочно ответил Аркадий Михайлович. — Давай включайся, он уже скоро позвонит.

«Тебя хотят использовать, — тут же вылезли Гады. — Ты для них не человек, ты — вещь, имеющая определенные функции, что-то вроде телефона на ножках, ты не личность».

Надсмотрщики тоже собрались вылезти с очередным манифестом, но не успели: послышался сигнал вызова.

Лицо, появившееся на экране, было знакомым: этого человека Анна видела несколько дней назад во время совещания, только тогда он был в пиджаке и в сорочке с галстуком, а сейчас — в обычной футболке с короткими рукавами, открывавшими выпирающие бугры сильных бицепсов. Лицо у мужчины было усталым и серовато-бледным, но глаза лучились теплом и почему-то радостью. Или ей это только показалось?

— Здравствуйте, Анна, — проговорил мужчина, и ей сразу понравился его голос. Вот странно: она же слышала его во время совещания, но никакого особого впечатления этот голос тогда на нее не произвел. А сейчас будто впервые услышала. — Меня зовут Валерий Олегович Шарков, мы с вами немного знакомы, помните?

— Да, конечно, — кивнула Анна.

Почему-то внутри все задрожало. Да что это с ней?

— Вы сейчас в больнице? Валентина Горлик рядом с вами?

— Да, она здесь.

— Я хотел бы сказать ей несколько слов, если позволите.

Анна отдала планшет Люше и начала по привычке прислушиваться к разговору, но с удивлением осознала, что не понимает ни слова. Все слышит, но ничего не понимает, словно Люша и Шарков говорят на незнакомом иностранном языке. Как такое может быть? Что с ней происходит? Она смотрела на Люшино лицо, покрытое повязками, а перед глазами стояли мощные плечи и накачанные мышцы генерала. И в голове только одна мысль: не успела покормить, каша остывает, придется снова греть. Морок какой-то...

— Ань!

Она очнулась. Люша протягивала ей планшет.

— Товарищ генерал хочет с тобой поговорить. Возьми айпад, что ты сидишь! Я тебя зову, зову, а ты будто не слышишь.

Трясущимися руками Анна взяла айпад, повернула экраном к себе. Теперь она заметила, что за головой Шаркова явно угадывается рама больничной кровати, почти точно такая же, как и у кровати, на которой лежала Люша.

— Ой... Вы в больнице? — вырвалось у нее прежде, чем она успела подумать, можно ли это говорить генералу, с которым почти не знакома.

— Да, — широко улыбнулся Шарков. — Вот, угораздило. Дотянул до последнего, чуть не помер, честно говоря. И понял, что ничего не нужно затягивать, отодвигать и откладывать на потом. Потому что потом ничего не будет. Хотел вас поблагодарить за помощь, Анечка. Вы очень вовремя дали нам правильную подсказку. И капитану Дзюбе вы очень помогли, без вас он не справился бы.

— Ну что вы, — смутилась Анна и залилась краской, — я ничего такого... Чем смогла... Ничего особенного...

— Всё особенное, — твердо ответил Шарков. — И смогли вы очень многое. Сейчас не буду вас больше задерживать, но хочу попросить разрешения позвонить вам еще раз, когда вы будете дома. Сегодня вечером, попозже. Вы позволите?

— Хотите узнать, как все пройдет с этим ко... извините, с квартирантом?

— И это тоже. Но это не главное.

Он снова улыбнулся, и от его улыбки Анну почему-то бросило в жар.

— А... а что главное? — пролепетала она.

— Я же вам сказал: ничего не нужно откладывать на потом. А то жизнь пройдет — и не заметишь. Так можно мне позвонить вечером?

— Конечно.

Она выключила планшет, положила на колени и долго сидела, глядя в стену. Уверена была, что Гады сейчас снова высунут свои мерзкие головы и начнут нашептывать всякое... А за ними потянутся и остальные — Искатели, Надсмотрщики, Защитники...

Но Сущности почему-то молчали.

Большаков

Разыскать Прончева, бывшего когда-то одним из кураторов программы, оказалось делом несложным. Большаков даже удивился, что после объяснений не то с секретарем, не то с помощником, пообещавшим «доложить и перезвонить», ответный звонок последовал так скоро.

— Константин Георгиевич, мне передали, что вы меня искали, — прозвучал в трубке высокий тенорок. — Вам нужна встреча?

— Да, если это возможно, — сдержанно и осторожно отозвался полковник.

— Приезжайте.

Назначил время и продиктовал адрес в Подмосковье. Путь не ближний, нужно выезжать уже через полчаса, если требуется успеть вовремя.

Прончев не задал ни одного вопроса. Ни почему Большаков его ищет, ни что случилось... Странно. «Ничего странного, — ответил сам себе Константин Георгиевич. — Он все знает. Он ждал моего звонка. Там ведется какая-то игра. Жаль, один еду, без Шаркова. С ним было бы надежнее».

Красивый дом за высоким забором, не дворец, но и не халупа. Большой участок. Охранник всего один и без оружия, насколько Большаков смог заметить. Одним словом, ничего вызывающего. На крыльце встретил серьезный молодой человек в очках, одетый в джинсы и свитер, пригласил следовать за собой, провел на второй этаж.

Кабинет тоже был небольшим, все стены заставлены стеллажами с книгами и папками, стол завален бумагами. Сразу видно, что «кабинет» в этом доме — не красивое слово, а место, где постоянно работают. За столом сидел немолодой мужчина с морщинистым лицом и маленькими, очень живыми блестящими глазками. На кожаном диванчике напротив стола — еще один мужчина, на вид — чуть

постарше Большакова. Обоих Константин Георгиевич видел впервые, но понял, что Прончев — тот,
что постарше. Второй десять-пятнадцать лет назад
был слишком молод, чтобы удостоиться чести быть
одним из кураторов программы, которую опекали и
поддерживали на правительственном уровне.

Прончев легко поднялся — буквально вскочил из-
за стола, вышел навстречу, протянул руку. Большакова он слушал не долее минуты, после чего сказал:

— Я знаю, Константин Георгиевич. Помните, в
далекие-далекие времена был такой полуприлич-
ный анекдот о тарифах в публичном доме?

У Большакова от изумления прервалось дыхание.
Какая связь между желанием вороватых чиновни-
ков подмять под себя программу и тем анекдотом?
Хотя... Анекдот и вправду был милым: «Тарифы пу-
бличного дома: общение с девушкой — 5 долларов;
наблюдение за общением с девушкой — 15 долларов; наблюдение за наблюдающим — 50 долларов».

Так вот оно что...

— Вы из тех, кто платит пятьдесят долларов? —
спросил он.

— Совершенно верно. Но не совсем. Я отошел от
дел. Вернее, перестал принимать активное участие,
занялся другими вопросами. Теперь я осуществляю
функцию консультанта, иногда — координатора,
но не более того. Программа была слишком ценна,
чтобы ее можно было бросить. Поэтому мы постоянно наблюдали и за вами, и за теми, кто наблюдал
за вами с целью воспользоваться результатами вашей работы. Правильно ли я понял, что у вас есть
новое представление и новые идеи о развитии программы?

— Да.

— Тогда прошу знакомиться, — Прончев сделал жест в сторону сидящего на диване мужчины, — вот человек, который обеспечит вам нужную поддержку.

Мужчина поднялся с дивана, протянул Большакову руку:

— Дзюба Виктор Евгеньевич.

Он неожиданности полковник слишком сильно стиснул протянутую руку. Ему даже неловко стало. Дзюба... Те же невероятной голубизны глаза, только волосы не рыжие, а совсем белые, седые.

— Капитан Дзюба...

— Да, это мой сын. Я надеюсь на вашу сдержанность, Константин Георгиевич. Роман не должен знать. Но я рад, что нам с женой удалось вырастить парня, который занял свое место в программе. Итак, приступим...

Октябрь 2016 — июнь 2017 гг.

Конец

Литературно-художественное издание

А. МАРИНИНА. БОЛЬШЕ ЧЕМ ДЕТЕКТИВ

Маринина Александра

ЦЕНА ВОПРОСА
Том 2

Ответственный редактор *Е. Соловьев*
Художественный редактор *А. Сауков*
Технический редактор *Г. Этманова*
Компьютерная верстка *В. Андриановой*
Корректор *Г. Москаленко*

ООО «Издательство «Э»
123308, Москва, ул. Зорге, д. 1. Тел. 8 (495) 411-68-86.
Өндіруші: «Э» АҚБ Баспасы, 123308, Мәскеу, Ресей, Зорге көшесі, 1 үй.
Тел. 8 (495) 411-68-86.
Тауар белгісі: «Э»
Қазақстан Республикасында дистрибьютор және өнім бойынша арыз-талаптарды қабылдаушының
өкілі «РДЦ-Алматы» ЖШС, Алматы қ., Домбровский көш., 3«а», литер Б, офис 1.
Тел.: 8 (727) 251-59-89/90/91/92, факс: 8 (727) 251 58 12 вн. 107.
Өнімнің жарамдылық мерзімі шектелмеген.
Сертификация туралы ақпарат сайтта Өндіруші «Э»
Сведения о подтверждении соответствия издания согласно законодательству РФ
о техническом регулировании можно получить на сайте Издательства «Э»

Өндірген мемлекет: Ресей
Сертификация қарастырылмаған

Подписано в печать 27.07.2017. Формат 84x108 $^1/_{32}$.
Гарнитура «GaramondLightITC». Печать офсетная. Усл. печ. л. 18,48.
Тираж 80000 экз. Заказ 6979.

Отпечатано с готовых файлов заказчика
в АО «Первая Образцовая типография»,
филиал «УЛЬЯНОВСКИЙ ДОМ ПЕЧАТИ»
432980, г. Ульяновск, ул. Гончарова, 14

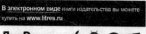

Оптовая торговля книгами Издательства «Э»:
142700, Московская обл., Ленинский р-н, г. Видное,
Белокаменное ш., д. 1, многоканальный тел.: 411-50-74.

**По вопросам приобретения книг Издательства «Э» зарубежными оптовыми
покупателями обращаться в отдел зарубежных продаж**
*International Sales: International wholesale customers should contact
Foreign Sales Department for their orders.*

**По вопросам заказа книг корпоративным клиентам,
в том числе в специальном оформлении**, обращаться по тел.:
+7 (495) 411-68-59, доб. 2261.

**Оптовая торговля бумажно-беловыми
и канцелярскими товарами для школы и офиса:**
142702, Московская обл., Ленинский р-н, г. Видное-2,
Белокаменное ш., д. 1, а/я 5. Тел./факс: +7 (495) 745-28-87 (многоканальный).

Полный ассортимент книг издательства для оптовых покупателей:
Москва. Адрес: 142701, Московская область, Ленинский р-н,
г. Видное, Белокаменное шоссе, д. 1. Телефон: +7 (495) 411-50-74.
Нижний Новгород. Филиал в Нижнем Новгороде. Адрес: 603094,
г. Нижний Новгород, улица Карпинского, дом 29, бизнес-парк «Грин Плаза».
Телефон: +7 (831) 216-15-91 (92, 93, 94).
Санкт-Петербург. ООО «СЗКО». Адрес: 192029, г. Санкт-Петербург, пр. Обуховской Обороны,
д. 84, лит. «Е». Телефон: +7 (812) 365-46-03 / 04. **E-mail:** server@szko.ru
Екатеринбург. Филиал в г. Екатеринбурге. Адрес: 620024,
г. Екатеринбург, ул. Новинская, д. 2щ. Телефон: +7 (343) 272-72-01 (02/03/04/05/06/08).
Самара. Филиал в г. Самаре. Адрес: 443052, г. Самара, пр-т Кирова, д. 75/1, лит. «Е».
Телефон: +7 (846) 269-66-70 (71…73). **E-mail:** RDC-samara@mail.ru
Ростов-на-Дону. Филиал в г. Ростове-на-Дону. Адрес: 344023,
г. Ростов-на-Дону, ул. Страны Советов, 44 А. Телефон: +7(863) 303-62-10.
Центр оптово-розничных продаж Cash&Carry в г. Ростове-на-Дону. Адрес: 344023,
г. Ростов-на-Дону, ул. Страны Советов, д.44 В. Телефон: (863) 303-62-10. Режим работы: с 9-00 до 19-00.
Новосибирск. Филиал в г. Новосибирске. Адрес: 630015,
г. Новосибирск, Комбинатский пер., д. 3. Телефон: +7(383) 289-91-42.
Хабаровск. Филиал РДЦ Новосибирск в Хабаровске. Адрес: 680000, г. Хабаровск,
пер.Дзержинского, д.24, литера Б, офис 1. Телефон: +7(4212) 910-120.
Тюмень. Филиал в г. Тюмени. Центр оптово-розничных продаж Cash&Carry в г. Тюмени.
Адрес: 625022, г. Тюмень, ул. Алебашевская, 9А (ТЦ Перестройка+).
Телефон: +7 (3452) 21-53-96/ 97/ 98.
Краснодар. Обособленное подразделение в г. Краснодаре
Центр оптово-розничных продаж Cash&Carry в г. Краснодаре
Адрес: 350018, г. Краснодар, ул. Сормовская, д. 7, лит. «Г». Телефон: (861) 234-43-01(02).
Республика Беларусь. Центр оптово-розничных продаж Cash&Carry в г.Минске. Адрес: 220014,
Республика Беларусь, г. Минск, проспект Жукова, 44, пом. 1-17, ТЦ «Outleto».
Телефон: +375 17 251-40-23; +375 44 581-81-92. Режим работы: с 10-00 до 22-00.
Казахстан. РДЦ Алматы. Адрес: 050039, г. Алматы, ул.Домбровского, 3 «А».
Телефон: +7 (727) 251-58-12, 251-59-90 (91,92,99).
Украина. ООО «Форс Украина». Адрес: 04073, г.Киев, Московский пр-т, д.9.
Телефон: +38 (044) 290-99-44. **E-mail:** sales@forsukraine.com

**Полный ассортимент продукции Издательства «Э»
можно приобрести в магазинах «Новый книжный» и «Читай-город».**
Телефон единой справочной: 8 (800) 444-8-444. Звонок по России бесплатный.

В Санкт-Петербурге: в магазине «Парк Культуры и Чтения БУКВОЕД», Невский пр-т, д.46.
Тел.: +7(812)601-0-601, www.bookvoed.ru

Розничная продажа книг с доставкой по всему миру. Тел.: +7 (495) 745-89-14.

BOOK24.RU
ИНТЕРНЕТ-МАГАЗИН
BOOK24.RU

ISBN 978-5-04-004675-1

9 785040 046751 >